P9-AOS-717

Читайте романы примадонны иронического детектива Дарьи Донцовой

Сериал «Любительница частного сыска Даша Васильева»:

1. Крутые наследнички
2. За всеми зайцами
3. Дама с коготками
4. Дантисты тоже плачут
5. Эта горькая сладкая месть
6. Жена моего мужа
7. Несекретные материалы
8. Контрольный поцелуй
9. Бассейн с крокодилами
10. Спят усталые игрушки
11. Вынос дела
12. Хобби гадкого утенка
13. Домик тетушки лжи
14. Привидение в кроссовках
15. Улыбка 45-го калибра
16. Бенефис мартовской кошки
17. Полет над гнездом Индюшки
18. Уха из золотой рыбки
19. Жаба с кошельком
20. Гарпия с пропеллером
21. Доллары царя Гороха
22. Камин для Снегурочки
23. Экстрим на сером волке
24. Стилист для снежного человека
25. Компот из запретного плода
26. Небо в рублях

Сериал «Евлампия Романова. Следствие ведет дилетант»:

1. Маникюр для покойника
2. Покер с акулой
3. Сволочь ненаглядная
4. Гадюка в сиропе
5. Обед у людоеда
6. Созвездие жадных псов
7. Канкан на поминках
8. Прогноз гадостей на завтра
9. Хождение под мухой
10. Фиговый листочек от кутюр
11. Камасутра для Микки-Мауса
12. Квазимодо на шпильках
13. Но-шпа на троих
14. Синий мопс счастья
15. Принцесса на Кириешках
16. Лампа разыскивает Алладина
17. Любовь-морковь и третий лишний
18. Безумная кепка Мономаха

Сериал «Джентльмен сыска Иван Подушкин»:

1. Букет прекрасных дам
2. Бриллиант мутной воды
3. Инстинкт Бабы-Яги
4. 13 несчастий Геракла
5. Али-Баба и сорок разбойниц
6. Надувная женщина для Казановы
7. Тушканчик в бигудях
8. Рыбка по имени Зайка
9. Две невесты на одно место
10. Сафари на черепашку
11. Яблоко Монте-Кристо

Сериал «Виола Тараканова. В мире преступных страстей»:

1. Черт из табакерки
2. Три мешка хитростей
3. Чудовище без красавицы
4. Урожай ядовитых ягодок
5. Чудеса в кастрюльке
6. Скелет из пробирки
7. Микстура от косоглазия
8. Филе из Золотого Петушка
9. Главбух и полцарства в придачу
10. Концерт для Колобка с оркестром
11. Фокус-покус от Василисы Ужасной
12. Любимые забавы папы Карло
13. Муха в самолете
14. Кекс в большом городе
15. Билет на ковер-вертолет

Дарья Донцова

Билет на ковер-вертолет

роман

советы

Москва
Эксмо
2006

ИРОНИЧЕСКИЙ ДЕТЕКТИВ

Билет на ковер-вертолет

роман

Глава 1

Красота — это, конечно, страшная сила, но с годами она делается все страшней и страшней...

Сейчас почти все средства массовой информации взахлеб твердят о тяжелой мужской доле. А я наивно полагала, будто представители сильного пола оттого так и называются, что они — **представители сильного пола**. Думаю, основная мысль вам понятна. Впрочем, попытаюсь уточнить: мне ни за какие пряники не удастся свернуть двумя пальцами крышку на банке с горячо любимыми маринованными огурчиками, а мой супруг Куприн легко производит сие действие. Или другой пример: я лично не способна поднять сумки, в которые набиты картошка, морковь, капуста, пакеты крупы, бутылки с минеральной водой, яблоки, бананы... Затарившись на рынке, я машинально принимаюсь беспомощно оглядываться по сторонам в надежде обнаружить бойкого подростка, готового донести за небольшую мзду поклажу до машины, а Олег спокойно подхватывает разом торбы и, даже не вспотев, доставляет их домой. Да еще бурчит при этом:

— Лучше пешочком пробежаться, тут расстояние — всего ничего, а пройтись по свежему воздуху приятно.

Кроме того, Олег крайне быстро передвигает мебель и без особого труда способен вытащить, а потом выбить во дворе здоровущий ковер. В общем, он намного сильнее меня, потому-то я и причислила его к сильному полу.

Но сегодня я, внимательно изучив глянцевые журналы, узнала, что на самом деле мужчины слабые, нервные, беспомощные существа. И живут они на свете намного меньше женщин. Вообще-то мне и раньше был известен данный печальный факт, но я считала, что парни просто много спиртного пьют, заедая его острой и жирной пищей, и мало двигаются, — отсюда лишний вес, высокое давление, сердечные заболевания и ранняя смерть. Ан нет! Авторы статей писали иное. Оказывается, у наших мужей отсутствуют некие гормоны в крови, поэтому после тридцатипятилетия они раздаются в боках, а каждый лишний сантиметр на талии отнимает десять лет жизни.

Дочитав до этого места, я испугалась, вскочила с кровати и ринулась на кухню, где мирно пил чай Олег. Окинув взглядом стол, я, в придачу к страху, начала испытывать и раздражение. Ну вот, опять супруг лопает бутерброды с ветчиной, сандвичи с маслом и сыром и запивает крайне неполезную пищу сладким до приторности чаем.

— Ты зачем положил в чашку варенье? — налетела я на Олега. — Просто безобразие!

Куприн вздрогнул, и чай выплеснулся через край чашки.

— Ага, — заворчал муж, глядя на расплывающееся на скатерти темное пятно, — теперь я буду обвинен в неаккуратности. Но если разобраться по сути...

— Плевать на пятна! — воскликнула я. — Хотя,

конечно, отметину не отстирать... Речь идет о твоем здоровье! Опять наедаешься неправильной пищей!

— Чем мои бутерброды плохи? — начал отбиваться муж.

— Холестериновые бомбы! Надо переключиться на салаты, только без заправки, на зелень, овощи, орехи...

— Ты перепутала меня с кроликом, — хмыкнул супруг. — Или с белкой.

— Перестань ерничать! Вот умрешь от ожирения, тогда поймешь, кто был прав, — заявила я и шлепнула перед Олегом журнал. — Почитай! Тут все сказано! Глянь на таблицу соответствия роста и веса — тебе весы должны показывать цифру восемьдесят!

Олег посмотрел не на таблицу, а на обложку.

— «Дамское счастье». О! Это, конечно, очень авторитетный и высокоинтеллектуальный журнал, в котором работают сплошь академики и доктора наук... Извини, Вилка, но не собираюсь ломать свои привычки из-за очередной глупости, которая вышла из-под пера твоих коллег.

— При чем тут я?

— Кто у нас был журналисткой, а?

— И что? — обозлилась я. — Никакого отношения не имею к журналу «Дамское счастье».

Олег запихнул в рот трехэтажное сооружение из хлеба, масла и ветчины, мирно прожевал огромный кусок и очень спокойно ответил:

— Я раздражаю тебя фактом своего присутствия в квартире. Сижу...

— Глупости! Просто я забочусь о здоровье мужа!

— ...никому не мешаю, а ты злишься...

— Вовсе нет! Пытаюсь объяснить принципы здорового питания. Для твоего же блага!

— ...потому что никак не можешь заставить себя сесть за новую книгу. В голове пусто, никаких сюжетов... — без особых эмоций бубнил Куприн. — Вылетела наша писательница из кабинета, а тут бедный муж под руку попался, ну и давай она его пинать...

Я замерла с открытым ртом. Нет, какая ложь! В понедельник сдала очередную книгу и теперь имею честно заработанную неделю отдыха. Правда, совсем бездельем эту семидневку назвать нельзя, потому что съемки сериала по моим детективам в самом разгаре: уже состоялась презентация первого фильма, и процесс идет дальше. Никаких долгов перед издательством у писательницы Арины Виоловой (это мой псевдоним, на самом деле меня зовут Виола Тараканова) нет. Более того, я начала новую книгу и даже нацарапала десять страниц. В общем, ясно: Куприн, как все мужчины, не способен критически оценить себя, считает, что прекрасен до невозможности, а мою заботу воспринимает не с благодарностью, а с раздражением, считая ее за вздорность, истеричность и желание поцапаться. Нет, мужчины просто невозможные идиоты!

— О каком ожирении может идти речь? — вещал тем временем муж. — Я в идеальной форме, великолепно выгляжу, совершенно не толст...

— Объем твоей талии сто двадцать сантиметров!

— И что? Судя по статье в журнале, я уже пять лет должен быть покойником, но живу себе счастливо! Кажущаяся объемность фигуры происходит от мышечной массы.

— Так твоя мышечная масса существует на самом деле или она тоже кажущаяся? — не вытерпела я.

Олег залпом допил чай.

— Ладно, пойду на работу.

— Ты хотел весь день сидеть дома!

— Нет уж, спасибо. Лучше на службе.

— Очень здорово! Мы же собирались сходить в магазин...

— Тебе надо, ты и топай!

Мирная беседа о правильном образе жизни начала стихийно перерастать в скандал.

— Необходимо принести картошку, — уперлась я, — и капусту! Томочка хотела сама ее посолить.

Олег, не говоря ни слова, вышел из кухни, я топнула ногой, а потом понеслась за мужем. Сейчас объясню ему всю пагубность подобного поведения. Наивная жена из лучших побуждений попыталась наставить неразумного супруга, скорую жертву ожирения, на путь истинный, принялась растолковывать азы диеты... Другой бы мигом отшвырнул ненормально калорийный сандвич и с глубокой благодарностью воскликнул: «Спасибо, милая! Прямо сейчас изучу журнал и сделаю необходимые выводы!»

А что вышло? Я, оказывается, вредная истеричка, угнетающая несчастного Куприна, затюкала супруга до такой степени, что он готов променять мирный выходной на трудовой день. Пылая желанием вразумить мужа, я внеслась в нашу спальню и воскликнула:

— Послушай!

— Только не начинай, — скривился Олег, спешно застегивая брюки. — Я уже почти ушел, не стану тебя больше раздражать.

— Но...

— Хватит!

— Я...

— Вместо того чтобы травить меня, — нервно воскликнул супруг, — глянь лучше на себя. Да, да, подойди к зеркалу и полюбуйся!

Я машинально приблизилась к трюмо.

— Что-то не так? Мой вес не меняется с десятого класса.

Куприн усмехнулся:

— В отношении количества килограммов согласен. Только тебе, наоборот, следует потолстеть!

— Зачем?

Куприн замялся, потом вздохнул и сообщил:

— Извини, конечно, ей-богу, не хочу обидеть, но должен же кто-то сказать тебе правду...

— Какую? — насторожилась я.

Олег одернул свитер.

— Стройность хороша у юной девушки.

— Ты о чем?

— Если женщине за тридцать и она легко влезает в спичечный коробок, то...

— Что?

— У нее на лице появляются морщины, мигом выдающие возраст! — рявкнул муж. — Со спины девочка, с мордочки бабушка! Конечно, с возрастом мы все не становимся моложе, и я готов спокойно жить рядом с женой, которая потеряла девичий вид. Извини, Вилка, ты первая завела разговор о диете. Я всего лишь защищался, поэтому и посмел сказать тебе... Одним словом, не всегда полнейшее отсутствие жира — радость! Кости черепа, обтянутые кожей, не лучшее зрелище!

Закончив выступление, Куприн мгновенно выскользнул из спальни. Я осталась одна и в крайней озабоченности приблизилась к зеркалу.

Так, от уголков глаз к вискам бегут мелкие лучики, по лбу змеятся линии, от носа ко рту стекают складки. Хотя... в принципе не катастрофа... И тут мой взор, оторвавшись от собственного отражения, упал на обложку книги, лежащей на письменном столе. С фотографии, расположенной в левом углу, бодро улыбалась Арина Виолова. Снимок был сделан полгода тому назад, и сейчас я поняла, насколько изменилась за прошедшие шесть месяцев. У почти модной писательницы на портрете не имелось ни малейших возрастных отметин — ни «гусиных лапок», ни противных мимических морщин, ни обозначившихся носогубных складок, а в зеркале... Неужели Олег прав? И что теперь делать? Толстеть?

В самом мрачном настроении я побрела на кухню и уставилась на недоеденный завтрак Куприна. Кто сказал, что белый хлеб с маслом и сыром враг человечества номер один? Знают ли врачи на самом деле правду о здоровом питании? И сколько раз медиков бросало из стороны в сторону? Далеко за примером ходить не надо. В девятнадцатом веке опиум считался замечательным обезболивающим средством, и его ничтоже сумняшеся прописывали всем: старикам, детям, беременным женщинам. Теперь же это средство именуют наркотиком и используют лишь в крайнем случае, а может, и не применяют вовсе, точно не знаю. Да что там опиум — возьмем простой сахар! То его объявляют панацеей, велят капать на кусок рафинада сердечные капли, чтобы лекарство лучше усваивалось; потом хватаются за голову, изгоняют «белую смерть» из рациона, рекомендуют класть в чай и кофе всяческие заменители;

следом узнают, что ксилит и сорбит намного хуже натурального продукта из тростника или свеклы... А соль? Кстати, ее тоже называли «белой смертью», а сейчас употребляют вовсю, и те же медики кричат о крайней полезности той, что добыта в море. Или давайте вспомним несчастные куриные яйца. «Не смейте их есть! — останавливали нас врачи. — В желтке ужасное вещество — холестерин!» Но, оказывается, он бывает разный — полезный и вредный, и из первого в основном состоит мозг человека. Так что с каждым слопанным яичком нам прибывает ума! Может, я оттого вечно опаздываю сдать рукописи, что отказываю себе в омлете, а? Интересно, какие песни запоют диетологи лет этак через сто?

Я повернула голову, увидела свое отражение в стекле серванта и вздрогнула. Нет, Олег прав. Красота — это страшная сила, а с возрастом она становится все страшней! Процесс пошел, часы тикают, через год превращусь в мумию, жуткую, высохшую... Что же делать?

Пальцы схватили брошенный Куприным бутерброд. Наверное, следует лопать через силу разные продукты: кашу, макароны, жареную картошку, сало, взбитые сливки... Потолстею — и складки разгладятся, это же элементарно: кожа натянется, и всех делов-то. Но тогда в придачу к гладенькому личику я получу задницу сто семьдесят второго размера. А я никогда не была толстой и, если честно, совсем не хочу весить больше центнера. Ведь если поправлюсь, мне тогда придется, в случае поломки машины, идти к метро в обход, а так я легко пролезаю в щель между прутьями забора, который преграждает короткую дорогу к ближайшей станции. Так как поступить? Должен же быть выход из ужасного положения...

И тут меня осенило — Лиза Макаркина! Помнится, два года назад я, встретившись с ней, отметила, что Лизавета плохо выглядит, и она на самом деле смотрелась не лучшим образом. Но позавчера случайно столкнулась с соседкой во дворе и удивилась: Лизочка свежа, словно бутон.

Я швырнула на тарелку так и не съеденный кусок хлеба и рванула к лифту. Наверное, не слишком вежливо врываться к соседке без приглашения в воскресенье, но большинство женщин сейчас меня поймет.

Лиза открыла дверь и, увидав меня, сначала широко зевнула, потом мирно сказала:

— Если пришла к Антону, то его нет и...

Тут только я вспомнила, что супруг Макаркиной врач, мануальный терапевт, и Елизавете небось до смерти надоели соседи, прибегающие с жалобами на боль в спине. Большинство людей бесцеремонно считает, что доктор, обитающий за стеной, обязан помогать им, невзирая на поздний или ранний час, в любое время, в выходные и праздничные дни, причем бесплатно, так сказать, по-соседски.

— Антон будет совсем поздно, — закончила Лиза.

— Мне, извини, надо с тобой пошушукаться, — заблеяла я, — об одном деликатном деле.

Лиза уперла правую руку в бок.

— Сейчас дам адрес клиники, где классно делают аборты. Обезболивание и доктор хороший. Если на раннем сроке, то...

— Нет, нет, речь не об этом, — зашептала я, нервно оглядываясь по сторонам. — Дело более серьезное.

В глазах Лизы вспыхнуло любопытство.

— Давай заходи!

До сегодняшнего утра я ни разу не бывала у Макаркиных и сейчас оказалась поражена интерьером. В гостиной, куда провела меня Лиза, практически отсутствовало свободное пространство. Мебель тут стояла, что называется, богатая — щедро украшенная позолотой. Попадая иногда в магазины, торгующие предметами обстановки, я порой искренно удивлялась, кто же покупает эту жуткую «красотищу»: зеркала в аляповатых, псевдобронзовых рамах, комодики на «паучьих лапах», щедро расписанные картинами под старину, столы, у которых вместо ножек ненормально тучные ангелочки или громадные фигуры собак с табличкой «Welcome» на шеях. И вот теперь узнала ответ на вопрос: Лиза Макаркина. В ее гостиной присутствовал весь вышеперечисленный мебельный набор вкупе с метровым далматинцем, выполненным из фаянса, а на стенах теснились картины. Но я не стала рассматривать «живопись», сразу приступила к беседе.

Выслушав мои стоны по поводу резко ухудшившегося внешнего вида, Лиза вдруг засмеялась, потом сказала:

— Ладно, думаю, помогу. А ты вообще чем пользуешься?

— В смысле?

— Ну, там, крем, маска, гель для умывания...

— Ничем особым, — пожала я плечами. — Мыло, вода, а если кожу «стянет», беру детский крем.

— Ох и дура же ты! — всплеснула руками Лиза. — Кто же мылом моется?

— А чем надо? — растерялась я.

— Пошли! — велела Макаркина.

Ванная комната у Лизы оказалась забита таким количеством парфюмерии и косметики, что у меня зарябило в глазах. А еще через десять минут у меня заболела голова — запомнить всю кучу вываленной Макаркиной на меня информации оказалось попросту невозможным. Видно, на лице нежданной гостьи отразилась беспомощность, потому что Лиза вдруг прервала плавную речь и, схватив со столика довольно большую банку, велела:

— Вот, запомни хоть одну вещь — как выглядит коробочка. Этот крем делают во Франции. Стоит он, конечно, дорого, но эффект потрясающий!

— И где такую берут? — оживилась я.

— У метро торговый центр знаешь?

— Конечно.

— Там есть магазин «Она».

— Поняла.

— Проконсультируешься у продавцов.

— Все, спасибо, побежала! — ажиотированно воскликнула я.

— Давай, — улыбнулась Лиза. — И помни: о себе, любимой, надо заботиться. А то некоторые бабы стирают, убирают, готовят, детей в школу таскают, по рынкам носятся, мужа обслуживают, а мужик потом бенц — и к другой уходит. А причина одна: нечего в мочалку превращаться. Я вот, если перед выбором встану: в парикмахерскую пойти или суп сварить, всегда салон выбираю, оттого у нас с Антоном вечный медовый месяц. Сообразила?

— Ага, — с энтузиазмом кивнула я. Мне понравилась подобная жизненная позиция: намного приятнее сидеть в кресле с журналом в руке, когда вокруг тебя суетятся, наводя красоту, чем тупо резать овощи, в особенности лук.

— Ах ты, черт! — воскликнула Лиза около входной двери.

— Что случилось? — насторожилась я.

— Да у нас ключ в замочной скважине плохо держится, захлопнешь створку, а он выпадает... Сейчас, подожди...

Лиза опустилась на корточки и принялась ощупывать коврик.

— Вот зараза! — констатировала она спустя несколько минут. — Словно испарился!

— А он был? — спросила я.

— Естественно, — кивнула Лиза. — Как только прихожу домой, моментально ключ в скважину изнутри всовываю и замок запираю. Мало ли что... У нас с Антошей много ценных вещей. Вчера я статуэтку в торговом центре купила, за две тысячи рублей. Проследить за покупательницей, которая большие деньги выложила, нетрудно: проводят до дома, приметят квартиру да еще ограбят... Я это понимаю и всегда крайне аккуратна. И куда, скажи на милость, делся ключ?

— Но сегодня ты сидела дома?

— Вообще-то собиралась сегодня с одним человеком поболтать, да не вышло, накрылась моя встреча, — усмехнулась Лиза. — Вот деятель! Договорились о встрече, а он не явился. Зря только рано вставала и к метро ходила.

— Может, вчера потеряла ключ и не заметила?

— Ага, а как же я сегодня, вернувшись, домой попала и тебе сейчас открыла? Ты вошла, я створкой хлопнула... Не помнишь, запирала я ее потом или нет?

— Не обратила внимания.

— И у меня из башки выпало.

— А ты подергай дверь, — предложила я, — сразу станет понятно.

Лиза понажимала на ручку. Дверь не шелохнулась.

— Ага, — с удовлетворением констатировала Макаркина, — что я говорила! Машинально аккуратность проявляю, на автомате. Значит, выпал он, как всегда.

— Давай искать скорей, а то мне не выйти!

— Антон придет, откроет снаружи и выпустит, — засмеялась Лиза, шаря ладонями по плиткам пола.

— А когда твой муж явится?

— Сказала же — поздно. У него работа сдельная: как потопает, так и полопает.

— Разве Антон не врач? — удивилась я.

— Он же массаж делает, — пояснила Лиза. — Ты, похоже, одна во всем доме осталась, кто не в курсе. Спину вправляет, шею, с артритом борется. Работы выше крыши, а чем больше больных, тем выше заработок.

Я кивнула. Сама одно время зависела от частных уроков — репетиторствовала, и сумма гонорара была напрямую связана с числом двоечников, в головы которых госпожа Тараканова пыталась втиснуть необходимые знания.

Глава 2

— Вот беда-то... — пригорюнилась я. — Как же мне выйти?

— Ерунда! — отмахнулась Лиза. — Сейчас найдем. Давай консоль отодвинем, может, туда улетел? В конце концов, звякну Тоше на мобильный, приедет и вызволит тебя. Хотя, конечно, он обозлится. Больные-то по времени записаны, а среди них капризнных полно. Одна Света Олейкина чего стоит. Такая зараза! Молодая, двадцати нет, а вредная. Моделью всего ничего служит, зато крутизны немерено.

— Неужели у молодой девушки болит спина? — удивилась я.

Лиза усмехнулась:

— У Антона подавляющее число «калек» — юные девицы. Мышц нет, морят себя голодом, спортом не занимаются — на чем позвоночнику держаться? Все логично.

— Хорошо, что мой Олег не мануальный терапевт, — покачала я головой.

Лиза прищурилась:

— Считаешь ремесло массажиста не пафосным? Ну-ну, как прихватит спину, приползешь ночью помощи просить, припомню тебе...

— Нет, вовсе не то имела в виду, — улыбнулась я. — Видишь ли, стыдно признаться, ревнива я до невероятности. А если бы у мужа имелись клиентки-модели, да еще голые... Массаж-то через пальто не делают. Ох, боюсь, я бы не вытерпела и устроила супругу скандал.

Лиза рассмеялась:

— Твой-то, насколько помню, мент?

— Верно.

— И что, у него в кабинете бабы не оказываются?

— Конечно, бывают. И преступницы, и свидетельницы. Только это же работа. Кстати, Олег не имеет права затевать шашни с дамами, нарушившими закон!

— Кабы мужики всегда подчинялись инструкциям... — скривилась Лиза.

— Олег сам не захочет иметь дело с криминальными элементами, — попыталась я растолковать

Лизе суть вопроса. — Эти дамочки, даже если они и очень красивые, — рабочий материал.

— Во, — кивнула Лиза, — и для моего так. Хоть модель, хоть мисс мира, Антон в первую очередь кривую спину увидит. Для него единственная любимая — родная жена!

Последнюю фразу Лиза сказала с такой спокойной уверенностью, что я позавидовала соседке. Похоже, у них с Антоном замечательные отношения. Ну почему мы с Олегом без конца пытаемся выяснить, кто в доме хозяин, а? Может, мне стоит отдать Куприну пальму первенства, и все?

— Хотя, конечно, случаются такие экземпляры! — воскликнула Лиза, поднимаясь на ноги. — Аня Галкина, например. Такое про нее вчера узнала... До сих пор колотит, успокоиться не могу! Знаешь ее?

— Нет, — ответила я.

— Да видела ты ее сто раз, — махнула рукой Лиза. — Из первой квартиры, к ним вход прямо у лифта, очень неудобно. Ну, припоминаешь? Галкины! Мать — Ирина и дочка Анька!

— Это те, которые к нам пару лет назад въехали? — осенило меня. — Мама и такая смешная девочка — голенастая, длинношеяя, плечи квадратные, нелепая. Типичный гадкий утенок.

— Угу, утенок, — буркнула Лиза. — Только это когда было!

— Да, я давно не встречала Аню.

— Ну так теперь ты ее просто не унаешь, — сердито отозвалась Лиза. — Вырос утеночек, заневестился, Анька у нас модель. Так, прикинь, она в Антона втюрилась. Мой муж сначала ей спину вправлял, у «вешалок» позвоночник — больное место. Антон классный специалист, руки у него волшебные, характер мягкий, да еще он с клиентом постоянно разговаривает, нечто вроде психотерапевтического сеанса устраивает. И такое в него народ «сливает», ну прямо чума! Анька ему сначала пожаловалась, что никакой личной жизни не имеет, и Антон ей посочувствовал, дескать, встретишь еще хорошего парня, ты красивая, молодая, в общем, замечательная невеста...

Антон произнес дежурные слова, машинальные комплименты, которые на автопилоте отпускают бабам хорошо воспитанные мужчины, но Анечка — молодая да глупенькая — восприняла ничего не значащие любезности всерьез и сделала совершенно неправильный вывод: она нравится доктору.

Анечка стала ежедневно вызывать к себе Макаркина под самыми разными предлогами. То у манекенщицы внезапно «хватало» поясницу, то скрючивало шею... В конце концов девушка бросилась к массажисту на грудь и воскликнула:

— Милый, я вся твоя!

Антон не в первый раз оказывался в подобной ситуации и реагировал стандартно. Спокойно улыбнулся и ответил:

— Анечка, ты замечательная, красивая девочка, зачем тебе старый дедушка?

— Ты молодой! — закричала дурочка.

— Я намного тебя старше, — напомнил врач.

Но последний аргумент никак не подействовал на влюбленную модель.

— Подумаешь! — заявила она. — Позавчера моя подружка Катька Стоянова вышла замуж, так ее жениху полтинник стукнул.

— Я женат, — решил напомнить Антон, — ты ведь хорошо знаешь мою супругу.

— Жена не голова, — заявила Аня, — с плеч сбросить можно.

Антон быстро завершил сеанс массажа и, уходя, сказал:

— Деточка, я больше не могу к тебе приходить.

— Почему? — возмутилась Аня.

— Уезжаю.

— Куда? — налетела на массажиста манекенщица.

— С нашими спортсменами в Америку, — лихо соврал Антон, — на соревнования.

— Но ты же вернешься!

— Очень не скоро, — живо пообещал Макаркин.

— Я подожду, — кивнула Галкина, — как Пенелопа!

Антон вздрогнул и ушел. Живи Макаркин не в одном доме с Галкиной, он бы легко сумел избавиться от обременительного контакта, но как избежать встреч с соседкой, да еще живущей в квартире у лифта, на первом этаже...

— Совсем девчонка сдурела! — покачала головой Лиза. — Жаль, что я до вчерашнего дня ничего не знала и с ней продолжала по-соседски общаться. А Анька, представь, врала про меня соседям чего ни попадя: и будто силикон я себе вставила везде, и пластическую операцию сделала, и волосы нарастила, и к какой-то колдунье хожу, привороты-отвороты делаю. Народ в основном над ней смеялся, но ведь и над нами тоже потешаются! И вот еще какой случай недавно, оказывается, был. Антон домой в тот день рано возвращался, около семи. Погода сейчас, несмотря на осень, хорошая, теплая, все жильцы во двор высыпали...

Макаркин спокойно вылез из машины, двинулся к подъезду, и тут Галкина распахнула окно.

— Дорогой! — заорала она так громко, что все, кто был возле дома, повернули в ее сторону голову. — Я дома, заходи скорей!

Антон, вжав голову в плечи, почти побежал к подъезду.

— Сейчас у лифта встречу, — пообещала очумелая девица и захлопнула окно.

Макаркин остановился, потом развернулся, кинулся опять к машине, вскочил в нее и был таков. Спустя пару мгновений после его спешной эвакуации Аня, в одном коротеньком халатике, выбежала во двор и принялась оглядываться. Сидевшие на лавочке бабы поджали губы. Красивые, стройные ноги Галкиной и ее почти не прикрытая грудь не вызвали у теток никакого восторга, зато мужчины оживились чрезвычайно.

— Слышь, Анюта, — крикнул Павел Марков из пятнадцатой квартиры, — за фигом тебе Антон сдался? Я не пригожусь?

Парни загоготали, а невеста Маркова, Люба, зло прошипела:

— Это как себя не уважать надо, чтобы на глазах у всего двора, голой, за чужим мужем бежать!

— Замолчите! — топнула ногой Аня. — Что хочу, то и делаю!

— Во, — покачала головой Люба, — явный пример сумасшествия.

— Аня, Антон Макаркин женат, — назидательно сообщила главная местная сплетница Вера Данильченко, — неприлично гоняться за несвободным мужчиной. И потом, он тебе в отцы годится!

Аня залилась краской, уперла кулаки в тонкую талию и завизжала почти в диапазоне ультразвука:

— Не твое собачье дело! Делай свои замечания соплякам, а ко мне не лезь! Женат, не женат, какая мне разница... Заткнись, убогая!

— Эх, ко мне бы такая цыпочка рвалась... — причмокнул губами Павел Марков.

Люба сердито глянула на некстати развеселившегося жениха, а потом рявкнула:

— Ты, Анька, халат-то запахни! Ни на кого твои прелести тут не действуют. Похоже, Макаркин не слишком впечатлился, когда твою спину щупал, он предпочел тебе, модельке, свою Лизку.

— Чтоб вас всех разорвало! — звенящим, словно натянутая струна, голосом ответила Аня. — Дуры вы! Не о чем с вами беседовать!..

Лиза замолчала, потом спросила:

— Ты когда-нибудь про подобных хамок слышала? Эх, жаль я раньше про ее выкрутасы не знала, только вчера в курсе дела оказалась...

— Может, у Галкиной шизофрения? — предположила я.

— Да просто ее мамочка так воспитала, — сердито отозвалась Лиза. — Избаловала, вот теперь доченька и бесится, раз не удается новую игрушку получить. Из-за нее обо мне весь двор шушукается, а я ни сном ни духом ни о чем не знала. Еще денег Аньке в долг давала, по магазинам вместе с ней шлялась. Мне-то она улыбалась, а за спиной... Ой, ну не дура ли я! Ключ-то небось сюда пихнула!

Продолжая тараторить, Макаркина дернула

верхний ящик комодика, примыкавшего к зеркалу, но тот не открылся.

— Вот черт, — бормотнула Лиза сквозь зубы, — снова заело, надо пазы свечкой потереть...

— Помогает? — удивилась я.

— А ты не знала? Если ящик не двигается, свечка первое средство, — пояснила Лиза, изо всех сил борясь с мебелью.

Наконец хозяйке удалось победить — ящик выехал...

Я вздрогнула. Поверх кучи барахла лежал пистолет, большой, черный. Отчего-то сразу стало понятно: это не муляж, не «пукалка» с пистонами, а настоящее боевое оружие.

— Зачем тебе пистолет? — воскликнула я.

— Он не мой, — абсолютно спокойно пояснила Лиза. — Антон приобрел. У него пациент есть — большой армейский чин, вот он и поспособствовал: помог разрешение получить, подсказал, какая марка лучше.

Я поежилась.

— Если на стене висит ружье, оно обязательно должно выстрелить.

Лиза, роясь в ящике, пожала плечами:

— Антону порой приходится ночью по пустынным местам ходить. По вторникам, например, он к Балабиновым ездит. Те в деревне живут, под Москвой. Дом у них шикарный, но стоит на отшибе, дороги до двери нет, приходится машину у магазина бросать и лесочком метров триста идти. Знаешь, около полуночи стремно без оружия в подобном месте находиться. Или в четверг у Антона визит к Стрельниковой, а та на краю Москвы живет, в подъезде бомжатник. Так что пистолет для него не лишний. Правда, Тоша его не всегда с собой прихватывает, вот и сегодня не взял, потому что по воскресеньям он к клиентам в коттеджные поселки катается, а там охрана и все такое. О, вот он, ключик! Я его машинально в ящик сунула!

Поблагодарив Лизу за краткий курс косметологии, я побежала домой. Выпила кофе, переоделась, почистила картошку на ужин, прихватила кошелек и поехала на лифте вниз. Если серия кремов, о которых мне говорила Лиза, так хорошо борется с морщинами, то сейчас не пожалею денег и куплю все средства.

В кабине отвратительно пахло, и я старалась не дышать. Вот странность, в нашем доме живут приличные люди, у всех хорошие машины, маргиналов и бомжей в здании нет, алкоголиков, впрочем, тоже. Порой, конечно, я встречаю кое-кого из соседей в легком подпитии, но в луже во дворе никто не валяется. И дети у всех вроде нормальные, вежливо здороваются со старшими. Так кто же воспринимает кабину как передвижной туалет и чья рука поджигает в ней пластиковые кнопки? Ей-богу, не на кого подумать, но лично для меня пользование нашим лифтом — просто моральный Чернобыль.

Наконец кабина вздрогнула и остановилась, двери разошлись в стороны, я хотела выйти, но не успела. В крохотное пространство вихрем ворвалась длинноногая девица в угрожающе коротком платье. Запах слишком терпких духов наполнил лифт, и по непонятной причине в нем совсем уж отвратительно завоняло. Вот странность, девушка явно облилась очень хорошим парфюмом, но меня просто затошнило от его густого аромата.

Совершенно не смущаясь, незнакомка ткнула

длинным ногтем в кнопку. Двери лифта начали медленно съезжаться. Я тут же нажала на красную пупочку, и створки стали расходиться.

— Эй! — взвизгнула вошедшая. — Ты че? Мне наверх надо!

— Я не успела выйти, только-только приехала на первый этаж.

— И че?

— Вы вошли внутрь.

— Мне надо наверх.

— А я хочу выйти.

— И че?

— Подвиньтесь, пожалуйста.

— Мне надо наверх.

— Я хочу выйти.

— И че? Мне надо наверх.

Сообразив, что разговор становится совсем уж бессмысленным, я попыталась протиснуться вперед, и тут наглая девица ущипнула меня за бок.

— Эй ты, старая калоша! Поосторожней, — заголосила она, — на туфлю наступила! Если испортила мысок, купишь мне новые!

Пораженная удивительным хамством юной особы, я, не вступая больше в разговор, продолжала протискиваться к выходу. Когда мои ноги оказались наконец на лестничной площадке, я вдруг ощутила резкий тычок в спину, пошатнулась и шлепнулась на четвереньки.

— Сука! — рявкнула незнакомка. — Будешь знать, как людям обувь портить!

Двери захлопнулись, кабина поехала вверх. Я стала медленно подниматься на ноги, но не успела принять вертикальное положение, как из квартиры, расположенной слева от лифта, с воплем: «Анечка, не надо!» — вылетела растрепанная женщина.

Увидав меня, она осеклась, а я, сразу поняв, кто такая та нахалка, которая ворвалась в лифт, зло сказала:

— Если не ошибаюсь, вы Ирина Галкина?

— Да, — настороженно кивнула тетка.

— Ваша дочь Анна сейчас едет в лифте наверх.

— Ой, — испуганно вскрикнула Ирина, — что ж делать-то?

Меня слегка удивило восклицание женщины, но долго недоумевать я не стала. Меня переполнял гнев, поэтому я сердито заговорила:

— Ваша дочь не дала мне выйти из лифта! Она влетела внутрь и принялась нажимать на кнопку, а когда я все же сумела выбраться наружу, она толкнула меня в спину, обозвала сукой...

— Ой-ой-ой, — запричитала Ирина, — вы не так поняли Анечку! Она очень хорошо воспитанная девочка! Просто ангел!

Истерический приступ смеха подобрался к моему горлу.

— Думаете, ангел способен начать драку с соседями?

— Нет, нет, Анечка, видимо, торопилась, а вы, наверное, сами зацепились каблуком за порожек, вот и упали... — затараторила Ирина.

— Ваша девчонка нахалка! И если она еще раз посмеет схамить, получит адекватный ответ — я попросту дам безобразнице по носу! — перебила я Галкину. А затем, не став дожидаться ее новых оправданий, быстро вышла во двор и двинулась к торговому центру.

Неожиданно я ощутила искреннее сочувствие к

Лизе Макаркиной. Честно говоря, выслушав рассказ Лизаветы, я не очень-то поверила соседке, подумала, что та слегка сгустила краски, рисуя портрет юной поклонницы супруга. Но сейчас, столкнувшись с Аней, поняла: «красотка» действительно способна на все.

Глава 3

В огромном магазине между стеллажами с товаром бродило не так уж много покупательниц. Я подошла к стайке продавщиц, весело щебетавших около кассы, и, улыбнувшись, попросила:

— Покажите средства по уходу за лицом.

Девчонки примолкли, потом одна, с беджиком «Алиса» на груди, лениво протянула:

— Какие хотите?

Я попыталась вспомнить название серии, которую рекомендовала Макаркина, но оно, как назло, выпало из головы.

— Французского производства, — начала я прояснять ситуацию.

— Тут все из Парижа, — пожала плечами Алиса и повторила: — Уточните название фирмы.

— Э... э... а какие они бывают?

На густо накрашенном личике Алисы появилось выражение легкого презрения.

— Разные, — снисходительно пояснила она. — Есть ведущие бренды типа «Диор», «Ланком», «Шисейдо», «Шанель» и малоизвестные. Есть Польша... из Китая, только мы такими не торгуем. — Потом Алиса окинула меня взглядом и довершила выступление: — Если хотите продукцию типа ширпотреб, идите к метро. Там, в переходе, ларьки стоят.

— Знакомая посоветовала купить крем у вас, —

терпеливо ответила я, решив не обращать внимания на явное хамство юной торговки.

Эх, видно, сегодня не мой день! Сначала на пустом месте поругалась с Олегом, потом столкнулась с пещерной нахалкой Галкиной, и вот теперь пожалуйста — встреча с девушкой, которая по манерам поведения была копией Анны. Откуда у продавщицы такой снобизм? По какой причине она считает малообеспеченных покупателей ниже себя? Сама-то, между прочим, не сидит сейчас у бассейна на собственной вилле, а торгует пудрой и губной помадой. Хотя, может, именно поэтому она ненавидит женщин, одетых не в фирменное пальто и не обвешанных брильянтами? Наверное, Алиса вынуждена кланяться богатым бабам, завидует им до зубовного скрежета и вымещает плохое настроение на таких, как я, обычных москвичках без особых признаков благосостояния.

Правильнее всего было бы сейчас развернуться и с гордым видом уйти прочь. Но мне, с одной стороны, очень хотелось заполучить волшебный крем, а с другой — не собиралась я оставлять Алису победительницей, и все! Ей придется обслуживать клиентку!

— Так что порекомендовала вам подруга? — снизошла до меня Алиса.

— Большая банка розового цвета, на крышке нарисован цветок, похоже, роза, — стала я описывать упаковку.

Брови Алисы поползли вверх. Она быстро шагнула к одному из стеллажей, взяла оттуда баночку и продемонстрировала мне крем.

— Этот?

— Точно! — обрадовалась я. — Он самый!

Алиса еще раз пробежалась по мне оценивающим взглядом и спокойно продолжила:

— Одно питательное средство брать бессмысленно.

— Почему?

— Оно лишь завершает процедуру ухода.

— Да? А что еще понадобится? — оживилась я. — Понимаете, хочу слегка помолодеть.

Продавщица вздохнула:

— Нужны гель для умывания, сливки, снимающие косметику, скраб, лосьон, маска — вам лучше из глины — и два крема. Один на лицо, второй исключительно под глаза.

Я заколебалась. Не предполагала приобретать такую кучу банок.

— А если куплю только крем? Мне что, станет хуже?

— Хуже, чем сейчас, уже не будет, — заявила продавщица. — Охота вам неухоженное лицо мазать — нет проблем. Только никакого эффекта не получите, работает лишь комплекс.

Меня стали терзать сомнения. Конечно, очень хотелось снова превратиться в свежий персик, но деньги издательство перечислит мне лишь первого числа, а сегодня пятнадцатое. Больше двух недель ждать!

И тут в магазин влетела симпатичная девочка лет четырнадцати по виду. Продавщицы начали издавать приветственные возгласы, и мне стало понятно: в зале появилась постоянная любимая покупательница.

Девчушка притормозила около одной из витрин, ее пронзительный голосок зазвенел колокольчиком:

— Губную помаду, вон ту! Впрочем, розовую тоже, и коричневую, и фиолетовую...

— А блеск? — воскликнула побежавшая за девочкой продавщица.

— Ага, и его. Еще пудру, румяна. Вон тот кремчик, два лосьона, карандашик и лаки. Всю гамму! И не забудьте положить тени... да... те самые... Нет, другие, фу! Неужели не видите! Впрочем, давайте и первые тоже.

Я тряхнула головой. Если уж этот цыпленок, явно не заработавший за свою жизнь ни копейки, позволяет себе столько косметики, то и мне нечего жадничать для самой себя. В конце концов, я не прошу денег у мужа, являюсь популярной писательницей, можно сказать — звездой. Ну ладно, подзвездком, но все равно ведь лично получаю гонорар, можно и о себе подумать.

Я повернулась к Алисе:

— Беру все.

— Правильный выбор, — закивала продавщица, — суперсредства, великолепные, восхитительные, хай-класс, самые престижные...

Чем дольше Алиса расхваливала продукцию, тем тревожнее делалось у меня на душе. Сколько же стоит отобранный товар?

— Сейчас выпишу чек, — щебетала растерявшая всю злобность девушка, — и отнесу корзиночку к столу упаковки. А вы оплатите покупочку вон там, на кассе, и подходите туда же. Кстати, вам в подарок положен шампунь.

— Супер! — пробормотала я.

— Вот, — сунула мне в руку бумажонку Алиса. — Ну, я побежала, а вы к кассе.

Мои ноги сделали несколько шагов, потом глаза скользнули по цифрам суммы, четко написанной яркими, оранжево-красными, чернилами — 3, 5, 8, 2...

Ну что ж. Конечно, три с половиной тысячи за косметику — неимоверно дорого. Можно сказать, почти недоступно для большинства наших женщин. Но у меня в кошельке лежат двести долларов, и неужели я не имею права потратить на себя раз в жизни...

Огромная жаба навалилась на плечи. Пытаясь сбросить мерзкое существо, я ползла к кассе и боролась с собой, словно древний грек с роком. Если поразмыслить, то три с половиной тысячи — это не так уж и много, там ведь не один крем. Ну-ка, почитаю, что получу за немалую сумму...

Я остановилась и принялась внимательно изучать листок, заполненный очень аккуратным почерком девочки-отличницы:

«Гель для умывания — 5.725 руб.;

Лосьон — 4.624 руб. ...»

Однако как странно! 5.725 рублей? Наверное, Алиса ошиблась, точка оказалась не на том месте, должно было получиться 572.5 руб. и 462.4 руб. Но уже через секунду у меня по спине потек холодный пот — в самом низу, после слова «итого», виднелась общая сумма 35.820 рублей 07 копеек, а потом она же была указана прописью: тридцать пять тысяч восемьсот двадцать рублей. Тут о копейках Алиса легкомысленно забыла.

Ноги приросли к полу. Ужас! Из чего делают эту косметику? Какие ингредиенты намешивают в крем? Икру лосося-альбиноса по цене несколько тысяч долларов за сто граммов? Или туда впихивают плоды дерева куру-куру, произрастающего в единичном экземпляре на одном из островов Полинезии? Может, лосьон налит во флакон из чистого золота? Да уж, ответа на вопросы нет, но одно ясно точно: мне столь замечательная косметика не по карману. Да и не купила бы я ее никогда, даже если бы имела сейчас такие бешеные деньги в кошельке!

Что же теперь делать? Хорошо хоть магазин наполнился посетителями, и все продавщицы оказались заняты. Я поднялась на цыпочки, увидела Алису, стоявшую за столиком, и заскрипела зубами. Выскочить незаметно на улицу не удастся, товар тут упаковывают у самого выхода. И куда деваться? Попытаться просочиться через служебное помещение? Но дверь с надписью «Только для сотрудников» стережет шкафообразный парень, сильно смахивающий на бультерьера, стоящего на задних лапах.

Подойти к Алисе и честно признаться: «Извините, для меня косметический набор непомерно дорог, найдите средства подешевле»? Нет, не смогу, отчего-то стыдно расписываться в собственной бедности.

Но есть же какой-то выход из идиотской ситуации? Пожалуй, дождусь, когда Алиса отправится на обед, и тогда с гордо поднятой головой выберусь из лавки. А пока посижу за стеллажом!

Я снова осторожно глянула в сторону продавщицы. Теперь Алиса стояла с выражением нетерпения на мордочке, перед ней на столе красовались два пакета.

Я пригнулась и впала в задумчивость.

— Девушка, — прозвенел над ухом звонкий голосок, — вы масками интересуетесь?

Я вздрогнула и обернулась. Рядом стоял паренек.

— Нет, — попыталась я отделаться от юноши,

одетого в темно-синий халат. На пластиковом квадрате, прикрепленном к нагрудному кармашку, надпись «Консультант».

— У нас суперское предложение, — настаивал тот.

— Спасибо, не надо.

— Две упаковки по цене одной.

— Благодарю.

— Вытяжка из смолы американской сосны.

— В мои планы не входят покупки.

— Можно просто попробовать. Бесплатно.

— Вы предлагаете мне съесть маску? — разозлилась я.

Паренек захихикал:

— Конечно, нет! Отчего вам в голову такая глупость пришла? Садитесь на стульчик, нанесу вам на лицо нашу новую разработку, пятнадцать минут посидите, смоем, увидите потрясающий эффект. Знаете, все, кто попробовал, потом просто ломали стенды от восторга.

Я хотела было отойти к другому стеллажу, но тут увидела, что юноша, добыв невесть откуда мисочку, начал выдавливать в нее из тюбика густую темно-коричневую субстанцию, и спросила:

— Это маска?

— Да, из смолы американской сосны, как я уже говорил.

— А на лице она какая будет?

— Не волнуйтесь, — заулыбался консультант, — смоется без следа.

— Но я на некоторое время стану похожа на негритянку?

— Скорей на шоколадку. Мы проделаем всю операцию вот тут, в укромном уголке, за ширмой, вас никто не увидит. А вообще-то люди привыкли, что в нашем магазине делают бесплатно процедуры.

— Отлично, — кивнула я, — начнем.

Только паренек усадил меня на высокий стульчик, как из зала донесся спокойный голос:

— Первая смена может идти обедать.

— Ирина Владимировна, я останусь, — ответила одна из девушек.

— В чем дело, Алиса? — спросила невидимая мне начальница.

— Покупка неоплаченная лежит, клиентка по залу ходит, — сообщила продавщица.

Я глубоко вздохнула и поежилась.

— Холодно? — забеспокоился паренек, уже успевший обмазать мое лицо клейкой массой. — Хотите, плед принесу?

Я кивнула.

— Айн момент, — заверил консультант, — живо сбегаю.

Едва юноша исчез за ширмой, я соскочила с неудобной одноногой табуретки без всяких признаков спинки, стащила с себя куртку, вывернула ее, повесила на руку и, стараясь не дрожать, прошествовала мимо маявшейся у столика Алисы.

Продавщица не издала ни звука. То ли она просто не обратила внимания на женщину, выходящую из магазина, то ли, скользнув глазами по темной коже лица, приняла меня за мулатку. О чем думала Алиса, мне неинтересно, главное, я сумела избежать тягостного признания в собственной некредитоспособности.

У моей куртки имеется большой, глубокий капюшон. Надвинув его на голову, я спокойно дошла до машины. Повезло и в родном подъезде — навстречу не попалось ни одной души. Дома я проскользнула в ванную, старательно умылась, вытерлась полотенцем, уставилась в зеркало и ахнула. Маска осталась на лице! Вернее, клейкая масса с водой стекла, но... оставила цвет. Нет, справедливости ради следует отметить, что мои лоб, щеки, нос и подбородок после водной процедуры слегка посветлели, и если до нее я походила на мулатку, то после умывания напоминала квартеронку[1]. Теперь мое личико имело колер кофе со сливками, и на его фоне шея казалась просто снежно-белой. Впрочем, на лице цвета «крем-брюле» резко выделились голубые глаза, а мои пепельно-русые волосы стали похожи на крашеную мочалку.

Сцепив зубы, я вновь умылась, но особого успеха не достигла. Мне не помогли ни детское мыло, ни масло для очищения кожи младенца, ни даже пемза, которой я потерла щеки, ни... вообще ничего.

Спустя часа полтора, ощущая, как горит все лицо, я, чуть не рыдая, разглядывала себя в зеркале. Интересно, как долго продлится эффект? И что скажет Олег, увидав экзотический вид супруги? Кстати, почему Куприн не звонит?

Тут, словно подслушав мои мысли, ожил домашний телефон. Я кинулась на звук. Где же трубка? Почему мы никогда не кладем ее на базу! Ага, вот она...

Звонок захлебнулся, я топнула ногой. Нет, сегодня точно день неудач!

Из сумочки, брошенной в прихожей, заныл сотовый. Вот его я успела выхватить сразу, без задержки.

---

[1] В мулатке половина, а в квартеронке четверть крови коренных жителей Африканского континента. *(Прим. автора.)*

— Алло, — хмуро сказал Куприн, — ты где?

— Дома, милый, — залебезила я.

— Чем занимаешься?

— Э... сначала в душе мылась, теперь хочу пирог испечь. Понимаешь, такая ерунда приключилась...

— Я уезжаю, — перебил меня Куприн.

— Куда?

— В командировку.

Нет, совершенно гениальный ответ! Олег вообще мастер красноречия. В особенности меня бесит его манера на вопрос «Где ты находишься?» лаконично отвечать:

— Еду по городу.

Ясно же, что он не летит в космосе. Но ведь можно сообщить, по какой улице катишь, куда направляешься, зачем. Нет, «еду по городу», и все. Вот и сейчас: просто «в командировку».

Я набрала полную грудь воздуха, готовая возмутиться, но затем медленно выдохнула его через нос. Спокойно, Вилка, ты уже сегодня поругалась с мужем, не стоит сейчас обращать внимание на ерунду. И потом, в любом скандале, который вспыхивает в нашей семье, виноватой все равно оказываюсь я, так как именно я делаю первый шаг к примирению, поскольку Олег не способен произнести слова: «Прости, любимая, был не прав».

Поэтому сейчас, для обретения спокойствия, я лучше проигнорирую идиотское заявление, а попросту уточню ситуацию:

— В командировку? Ой, как жаль! В какой город? Куда?

— В Питер.

— Надолго?

— Не знаю.

— Один летишь?

— Мы на поезде.

— Значит, с кем-то?

— Ага.

— С Витей Кротовым?

— Не-а.

— С Гришей Пауковым?

— Не.

— С Леней Забельским?

— Нет.

Я удивилась. Вроде перечислила всех коллег, кого Олег может взять с собой.

— Так кто он, твой попутчик?

— Вы незнакомы.

— А-а! Как же звать неизвестного мне парня?

— Да зачем тебе?

— Ну, просто интересно!

— Потом, сейчас некогда, — телеграфным стилем сообщил муж.

— Милый, — заныла я, — постарайся побыстрей вернуться, без тебя плохо...

Вообще-то у меня неоднозначное отношение к отлучкам Куприна. Если его отъезд занимает пару дней или максимум неделю, я испытываю радость от отсутствия супруга. Никто не отнимает ночью одеяло, не храпит над ухом, не смотрит в спальне до глубокой ночи телевизор, отмахиваясь от моего нытья: «Выключи, спать охота». Но уже через семь дней вольной жизни мне делается тоскливо и некомфортно. Сейчас же я испытала большое облегчение: если Олег задержится даже на десять суток, не стану расстраиваться, авось за это время «квартеронка» трансформируется назад в белолицую женщину.

— Хорошо, попробую живо разобраться с делами, — почти по-человечески ответил Олег.

Я обрадовалась и сказала:

— Я тебя люблю.

— Угу.

— Я тебя люблю.

— Угу.

— Я тебя люблю. А ты меня?

— Ага.

— Что значит «ага»?

— Да.

— Олег!!!

— Извини, опаздываю.

— Нет, ответь, ты любишь меня?

— Точно.

— Что «точно»? Неужели трудно сказать жене: «Милая, я тебя обожаю, ты самая лучшая»?

— О гос-споди... — прошипел Куприн. — Между прочим, я нахожусь на работе. Нельзя же быть такой дурой!

— Значит, сидя на службе, обозвать супругу дурой можно, а произнести вслух слова любви никак? — возмутилась я. — Мне не хватает твоего внимания!

— Все! — рявкнул Олег. — Пока. Устроюсь в гостинице — звякну.

Из мобильного полетели прерывистые гудки. Внезапно мне стало так обидно, что и не передать словами. Из глаз полились слезы. Я снова побежала в ванную, опять старательно умылась, увидела, что «кофейность» кожи не пропала, и решительно набрала номер сотового Куприна.

«Абонент находится вне зоны действия сети, попробуйте позвонить позднее», — сообщил вежливо-механический голос.

Я повторила попытку. Может, мой майор еще не покинул служебный кабинет?

— Кротов слушает! — рявкнуло в ухе.

— Ой, Витя, привет.

— Это кто?

— Вилка.

— А! Здоро́во!

— Олег на месте?

— Не, они с Анастасией в Питер укатили.

— С кем?

— С Волковой.

— Это кто такая? — удивилась я.

— Новенькая, — охотно пояснил Витька. — Только неделю работает, она из Новосибирска переехала.

— Спасибо, — дрожащим голосом ответила я и швырнула телефон на пол.

Теперь понятно, отчего Олег не пожелал сказать жене ласковых слов и по какой причине он столь радостно обозвал супругу дурой. Рядом с ним, наверняка глупо хихикая, стояла новенькая сотрудница!

В голове начали ворочаться совсем тяжелые мысли. Конечно, служебная инструкция категорически запрещает сотруднику МВД сообщать жене о своих делах, но Олег, как, впрочем, и другие женатые мужчины, сплошь и рядом нарушает предписание. И правда, кто еще сумеет дать хороший совет, кроме второй половины? Поэтому я частенько оказываюсь в курсе проблем Куприна и знаю обо всех передвижениях в его отделе. Слышала, естественно, о вакансии, муж жаловался на трудности с поисками знающего специалиста. Но о том, что тот в конце концов нашелся, Олег отчего-то промолчал.

Значит, новенькая, из Новосибирска... Раз новенькая, то молоденькая девушка. Новосибирск у нас в Сибири, следовательно, эта Настя — высокая блондинка с большой грудью, за Уральскими горами все такие. И она не замужем, иначе не согласилась бы на переезд. Карьеристка! Не успела прибыть в Москву и уже пытается охмурить начальника!

У меня зашумело в ушах. Сейчас еще светло, а все поезда на Питер уезжают в районе полуночи. Куда же отправился Куприн с сочной красоткой? Отчего он отключил мобильный? И он еще смеет упрекать жену в глупой ревности!

Кстати, а вещи? Он что, поедет налегке? Не прихватит даже рубашку на смену? Или эта Настя уже собралась ухаживать за МОИМ мужем по полной программе — станет стирать и гладить шмотки шефа?

Из прихожей внезапно исчез воздух. Мне стало холодно, потом жарко, следом снова пришел озноб. Уж и не знаю, сколько времени я тряслась в лихорадке, из неприятного состояния меня вывел требовательный звонок в дверь.

Ноги побежали к ней. Ага, это Олег — он снова забыл дома ключи, а сейчас заехал за сумкой с вещами. Настя небось сидит в кафе неподалеку. Ну, Куприн, погоди!

Глава 4

Навесив на лицо гримасу, отдаленно напоминающую улыбку, я распахнула дверь и тут же испытала горькое разочарование. На лестничной клетке, прижав кулаки к груди, стояла Ирина Галкина.

— Если вы пришли, чтобы потребовать с меня деньги за якобы испорченные туфли вашей нахалки дочери, то зря старались! — рявкнула я. — Убирайтесь вон!

Ирина вздрогнула, потом, словно подкошенная,

рухнула на колени, вытянула вперед руки и странным сдавленным голосом зашептала:

— Помогите, пожалуйста, помогите, пожалуйста, помогите, пожалуйста...

Я оторопела. А Галкина внезапно принялась биться лбом о кафельные плитки пола, продолжая мерно и почему-то спокойно повторять:

— Помогите, помогите, помогите, помогите...

Забыв про наглую Аню, я кинулась к Ирине и попыталась поднять ее.

— Что случилось?

— Аня... Аня... Аня... умерла... Аня... Аня...

У меня задрожали ноги.

— Что случилось с вашей дочерью?

Ирина вздрогнула и замерла в полупоклоне. Потом она, не стукнувшись в очередной раз головой о пол, выпрямилась и ответила:

— Ей очень плохо.

— Надо немедленно звонить в «Скорую»! — засуетилась я. — А ну, побежали скорей к вам домой! Разве можно оставлять девушку одну в такой момент? Ирина! Очнитесь!

Галкина села, привалившись к стене.

— Помогите!

Я ухватила ее за плечи.

— А ну, соберитесь с силами, и пошли. Нечего раскисать, сейчас медицина шагнула далеко вперед. Надо лишь вовремя вызвать врача. Эй, шевелитесь!

Но Галкина сидела, уставившись в одну точку.

— Дверь в квартиру заперта? — рявкнула я. — Если да, то где ключи? Сама вызову медиков.

Очень хорошо знаю, что человечество делится на две категории. Одни люди в момент опасности или стрессовой ситуации полностью теряют над собой контроль. Они впадают в панику, кричат, мечутся или каменеют от ужаса. Но есть другие личности, тоже не лишенные чувства страха, но они, став участниками опасных событий, концентрируются и не теряют головы. Половая принадлежность и возраст тут не играют роли. Я видела одну хрупкую девочку, которая, оказавшись почти в эпицентре взрыва, ухитрилась вынести на своих руках совершенно лишившихся разума родителей. Причем вынести в буквальном смысле этого слова: подросток просто поднял вопящих от ужаса маму с папой и выволок из горящего поезда на улицу. Кстати говоря, действовал ребенок совершенно осознанно. Мне эта школьница потом объяснила:

«Все заорали и бросились к окнам, а я подумала, что в вагоне еще есть двери. Раз уж мы остались живы при взрыве, то следует быстро драпать, иначе можно отравиться продуктами горения. Я по телику передачу видела: кто при пожаре не убежал — задохнулся».

Вот как случается: папа с мамой орут от страха, а дитятко спокойно оценивает ситуацию.

Похоже, Ирина принадлежит к категории паникеров. Даже если ее Аня упала по непонятной причине в обморок, следовало бы набирать 03, а не мчаться с визгом к соседям.

— Твой муж дома? — неожиданно вполне разумно осведомилась Ира.

— Нет. И он тут не помощник, — попыталась я вразумить Галкину. — Олег — сотрудник МВД.

— Да. Да. Да. Он-то и нужен! Помоги! — воскликнула Ира и протянула мне руку.

Я подхватила соседку.

— Ты успокоилась?

— Да.

— Попробуй нормально объяснить, что случилось.

— Аня. Ей плохо.

— Врача вызвала?

— Нет. Так увозят.

— Увозят? Куда?

— Не знаю, — зашептала Ира, — не знаю. Думала, твой муж поможет. Ему, как своему, все скажут, оттого и прибежала.

Я втащила Ирину в нашу квартиру, посадила на стул в прихожей, потом принесла ей из кухни стакан минералки и громко сказала:

— Ничего не понимаю. Выпей и говори нормально.

Ирина залпом опустошила стакан и стала выдавать относительно связный текст:

— Аня убила Лизу Макаркину. Так говорят. Но это неправда! Она там, мне позвонила: «Мама, помоги, заперли». И я знаю: девочка не виновата. Совсем! Ужасное совпадение! Меня не пускают. Думала, твой муж их устыдит, велит отдать мне Аню. Пусть он им прикажет! Ну, пожалуйста, пожалуйста! Она ни при чем!

Я потрясла головой.

— Ты способна тут одна посидеть?

— Да. Да. Да.

— Тогда ступай в гостиную.

— Да. Да. Да.

— И жди меня.

— Ты поможешь? — с огромной надеждой спросила Ира. — Скажешь мужу? Он ведь у тебя генерал, большой начальник, а ты писательница, у вас связей полно! Да? Да! Да. Да. Да!

Я быстро выскользнула за дверь и побежала к

Макаркиным. Слухи бродят по нашему подъезду стаями. Олегу до генеральского звания как мне до Льва Толстого, и никакими особыми связями ни я, ни супруг не обладаем, просто имеем много друзей в самых разных сферах, но ни одного крутого начальника, способного росчерком пера решить судьбу человека, среди них нет.

Дверь в квартиру Лизы была приоткрыта. Я поежилась. Пришла беда — доставай паспорта. Или еще, как любит говорить мой Куприн: «Если в дом приехала милиция, то из него убегает покой».

Я заглянула в прихожую и тихонько позвала:

— Лиза!

Из одной комнаты вышла женщина, одетая в джинсы и пуловер.

— Вы кто? — сурово поинтересовалась она.

— Э... соседка.

— И что хотите?

— Мне нужна Лиза Макаркина.

— Ваше имя, отчество, фамилия.

— Виола Ленинидовна Тараканова, — машинально представилась я. Потом, решив набить себе цену, сообщила: — Под псевдонимом Арина Виолова пишу детективные романы.

— Зачем вам Макаркина? — совершенно не обрадовавшись знакомству с писательницей, продолжила тетка.

— Ну... соль попросить хочу, — нашлась я, оглядываясь вокруг.

Похоже, ничего страшного с Лизой не произошло. В квартире тишина, никаких следов драки, луж крови на полу и разбитых стекол.

— За солью лучше обратитесь в иное место, — отрезала тетка. — Сергей, проводи.

Из комнаты вышел юноша, тоже в джинсах.

— Пройдемте, гражданочка, — пробасил он, тесня меня к двери, — тут нельзя находиться.

— Но почему?

— Сказано — нельзя.

— Где Лиза?

— Вам потом объяснят.

— Понимаете, я Виола Тараканова, мой муж...

Но я не успела договорить начатую фразу: твердой рукой парень выставил меня на лестничную клетку и закрыл дверь.

Я прикусила губу. Что случилось у Макаркиной? В квартире сейчас находится милиция, это точно. И женщина, и юноша, хоть и не одеты в форму, стопроцентно являются ментами.

— Эй, Вилка! — прозвучало из соседней двери.

Я повернула голову. Мне заговорщицки улыбалась соседка Макаркиной по лестничной клетке Вера Данильченко.

— Ну, чего там? — спросила она.

— Где? — прикинулась я идиоткой.

— Да у Лизки! Тебе, как своей, небось все рассказали. Анька там? Или уже увели? Ой, а чего у тебя с мордой? Почему коричневая?

Я подошла к Вере.

— Это от крема, ерунда. Про Аню ничего не знаю. Ко мне пару минут назад прибежала Ира Галкина, она в невменяемом состоянии. Мы с ней практически незнакомы, просто раскланивались при встречах, дружбы не водили. А тут принеслась. Билась в истерике, молола какую-то чушь про Аню и Макаркину... Просила помощи, но ничего не объяснила.

— Иди сюда, — жадно позвала Вера. — Ясное

дело, отчего она к тебе бросилась. Кто у нас жена генерала?

— Еще скажи, маршала! — не вытерпела я.

— Да ну! — всплеснула руками Вера. — Не знала, что твой Олег так высоко взлетел. Вы, наверное, теперь от нас в собственный загородный дом съедете? Да уж, везуха некоторым, точно рассчитала, за кого замуж выходить...

Конец фразы утонул в грохоте: на этаже остановился лифт, и из него вышли два милиционера с мрачно-хмурыми лицами.

Вера, забыв захлопнуть рот, наблюдала за представителями закона. Парочка, не произнеся ни слова, скрылась в квартире Макаркиных.

— Видела? — ожила Вера. — Во как! Любовь! Страшное дело!

— Что случилось?

— Анька убила Лизку Макаркину.

— Врешь! — подскочила я.

— Не, правда, — быстро перекрестилась Вера. — Это я ее поймала. Прямо у трупа. И не дала убежать, захлопнула дверь. Мне менты теперь премию должны дать! Слышь, Вилка, погутарь там со своим маршалом, пусть велит мне за бдительность деньжат выписать, ремонт сделать хочу. Сколько он может дать, как полагаешь?

— Объясни, что тут случилось! — потребовала я.

Вера прислонилась к косяку и принялась самозабвенно выдавать информацию. По мере ее рассказа я вздрагивала и проникалась все большей жалостью к несчастной Ире Галкиной, плачущей сейчас у меня дома.

Если излагать события последовательно, то они выглядели так.

Данильченко пришла сегодня домой с работы и заметила непорядок — железная дверь в квартиру Лизы Макаркиной не была заперта. Из небольшой щели между створкой и косяком интенсивно дуло. Вера осторожно заглянула внутрь апартаментов Макаркиной... Нет, сначала надо пару слов сказать о самой Верке. Она служит контролером в метро и мастерски вычисляет тех, кто пытается проникнуть в подземку по поддельному проездному. Вся жизнь Веры — поиск нарушителей заведенных правил. Отстояв положенные часы у турникета и всласть налаявшись с пассажирами, Данильченко идет домой, где для нее начинается новая рабочая смена. Народ вокруг ходит безалаберный, всем плевать на порядок. Дверь за собой в подъезд не прикрывают, на подоконниках «бычки» бросают, у батарей и на лестницах пивные бутылки ставят, а уборщицы тряпкой пошлепают и бежать, им плевать на грязь и стеклотару. Сплошное нарушение правил. Вот Вера и борется со всеми. Она передвигает половики у чужих дверей — коврику положено находиться справа от входа. Почему именно там? На этот вопрос у Верки ответа нет. Положено, и точка. Кем? Тоже не ясно... Но Данильченко знает точно: кусок паласа или резины, на который стряхивают грязь с обуви, обязан красоваться справа. А люди тупы: кое-кто стелет слева. Нарушает!

Вера безо всякого стеснения способна позвонить в вашу квартиру и заявить:

— Немедленно поправьте коврик.

Самое интересное, что жильцы покорно выполняют ее требования. Мы знаем: иначе Данильченко начнет склоку со строптивым соседом. Вера человек слишком активной жизненной позиции, и, услыхав слова типа: «Пошла ты вон», она мигом откроет боевые действия.

Данильченко побежит в домоуправление, милицию, муниципалитет, думу, пробьется к мэру Москвы, походя отнесет заявление в суд, потребует от строптивца денежной компенсации за оскорбление, получит десять рублей и все равно не успокоится, станет еще чаще проверять, как выглядит снаружи пространство возле вашей входной двери. Теперь понятно, отчего подавляющее большинство жильцов просто тихо передвигает несчастный коврик?

Одна Лиза плюет на установленный порядок. Она курит на лестнице и никогда не выбрасывает за собой окурки. Зимой, чтобы избавиться от дыма, Макаркина открывает форточку, вымораживает пространство у лифта, а это не по-государственному. В стране заканчиваются запасы нефти и газа, а несознательные москвичи отапливают улицу. Да еще коврик у двери Макаркиных всегда лежит слева, а это просто бесит Веру! Любая другая соседка мигом бы получила от Данильченко нагоняй. Но не Лиза.

Только с Макаркиными Вера никогда не ругается — из чисто утилитарных соображений. У Веры остеохондроз, а Антон великолепно вправляет спину. Сердобольный Макаркин никогда не отказывает Данильченко в помощи. В какое бы время охающая соседка ни появилась у него дома, медик засучивает рукава. Вера благодарный человек, поэтому у Макаркиных статус неприкосновенных, а с Лизой Данильченко связывает даже некое подобие дружбы.

Исходя из всего вышесказанного, Вера решила заглянуть в щель двери Макаркиных, чтобы понять: дома Лиза или нет? Убежала она, забыв запереть дверь, или попросту уставилась в телик, не думая о том, что по Москве толпами бродят бандиты, сексуальные маньяки и банальные воры?

Вера приникла к створке и окаменела. Ее глазам открылась страшная картина. Около двери, ведущей в спальню Макаркиных, стояла... Аня Галкина с совершенно безумным видом. В руках девушка сжимала пистолет самого чудовищного вида, пальцы Галкиной покрывала кровь, красные пятна виднелись и на ее белых туфлях.

Вера на секунду лишилась способности не то что орать, а и просто шевелиться. Аня тоже молчала. Наконец Данильченко опомнилась и поняла, что произошло.

Ни для кого во дворе не было секретом, что младшая Галкина, словно кошка, влюбилась в Антона. Плохо воспитанная девчонка, забыв про гордость и правила поведения приличной девушки, буквально вешалась массажисту на шею. И вот сейчас Галкина пристрелила жену своего любимого...

Вера — человек действия, и она сразу сообразила, как следует поступить.

Недрогнувшей рукой Данильченко вытащила ключ, торчавший в двери с внутренней стороны, захлопнула створку, заперла замок снаружи и понеслась звонить в милицию. Убийце некуда деваться, ее возьмут тепленькой, буквально у трупа.

До приезда патрульной машины Данильченко решила на всякий случай подежурить на лестничной клетке. И, как оказалось, совсем даже не зря.

Сначала Аня попыталась открыть изнутри дверь. Вера, стоя на своем посту, лишь посмеивалась, глядя, как трясется ручка. Потом девчонка, очевидно, схватилась за телефон, потому что довольно скоро из прибывшего лифта выскочила Ирина. Увидав Веру, она ахнула и замерла.

— Куда торопишься? — прищурилась Данильченко.

— А... о... а... о... — выдавила из себя соседка.

— Ищешь кого? — продолжала издеваться отлично понимавшая ситуацию Вера.

Ирина посерела, и тут у нее в руке затрезвонил мобильный.

— Да, — воскликнула Галкина, — да, тут! Здесь! Верю! Но... да... ой... ой... ну посиди там. Ага! Конечно, выпал. Он же был на месте!

Вера спокойно зашла к себе в квартиру, но прежде чем закрыть дверь, крикнула:

— Ира!

— Что? — повернула к ней серое лицо Галкина.

— Ты своей Аньке скажи, чтоб не старалась, — заржала Данильченко. — Ключ у меня, дверь ей не открыть. Скоро менты прикатят, и я все расскажу: видела твою красотку с пистолетом в руке, всю в кровище.

Ирина кинулась к Вере, но та проворно захлопнула дверь и лишь ухмылялась, слушая, как ополоумевшая Галкина стучит в железку кулачками и рыдает от бессилия...

— Вот как жизнь поворачивается, — весело блестя глазами, закончила повествование Вера. — Если б не я, Анька могла и удрапать.

— Но почему ты решила, что Лиза убита? — удивилась я. — Вдруг она просто ранена!

— Не! — покачала головой Вера. — Носом чую — померла Лизка. Во, гляди!

Дверь квартиры Макаркиной открылась, послышались лязг и мужские голоса:

— Правее возьми...

— Заноси...

— Поверни...

— Нет, так пройдет...

Словно завороженная, я смотрела в ту сторону. Сначала из квартиры появился парень, одетый в синий комбинезон. Его руки, слегка отведенные назад, крепко сжимали ручки носилок, потом показалось нечто черное, блестящее... Мешок!

— Стой, Андрюха, — донеслось из апартаментов Макаркиных, — я тут зацепился! Понаставили мебели! Нет бы подумать, что выносить придется...

Я встрепенулась и, не дожидаясь, пока тело Лизы вытащат к лифту, опрометью бросилась вниз по лестнице.

Глава 5

Ира была на том же месте — сидела на стуле в моей прихожей.

— Что? — воскликнула она, вскакивая при виде меня на ноги. — Выяснилось недоразумение?

Я сделала вид, что усиленно ищу тапочки.

— Анечку отпустили?

— Ну...

— Разобрались?

— Э... э... э...

— Девочка домой пошла? — в безумной надежде вопрошала Ира.

— Нет, — промямлила я. — Вернее, не знаю. Я не видела твою дочь, меня не впустили в квартиру.

— Как же так? — вздрогнула Ира. — Ты сказала им про мужа-генерала?

— У Олега вовсе не такое большое звание, — пояснила я, — и потом...

— Ты обязана помочь!

— Я? С какой стати?

— Моя девочка попала в беду. Анечка такая маленькая, тихая, скромная, она мухи не обидит...

И тут мое терпение лопнуло.

— Твоя маленькая, тихая, скромная Анечка совершенно беспардонно вела себя в лифте! Сначала накричала на меня, потом толкнула в спину, да еще...

Ира вскочила, вытянула руки вперед, как бы останавливая поток моего возмущения, заговорила укоризненно:

— Нельзя быть такой злопамятной. Господь учит милосердию...

— Замечательно, — теперь я перебила ее, — вот пусть Аня и слушает его лекции. А мой муж вовсе не генерал. Более того, он уехал в Питер, надолго. Помочь ничем не сумеет.

Ирина заплакала и обвалилась на стул.

К огромному сожалению, в этот самый момент домой вернулась Томочка. Тот, кто не в первый раз встречается с нами, очень хорошо знает: моя лучшая подруга готова броситься на помощь любому человеку.

— Случилась беда? — сразу захлопотала Тамара.

Ирина, сообразив, что появился добрый самаритянин, немедленно впала в истерику.

Томуська кинулась обнимать и успокаивать Галкину. Одновременно она послала вошедшую в дом следом за ней вернувшуюся из школы Крисю за чаем, кофе, валокордином, коньяком и куриным бульоном — за всем сразу.

Я же сочла за благо исчезнуть в своей комнате.

День сегодня выдался абсолютно пустой, бестолковый, ничего продуктивного я не сделала, хоть вечером следует сесть к столу и выдать на-гора норму страниц...

Очень многие читатели спрашивают у писателя:

— Откуда вы берете все свои истории?

Вот уж вопрос, на который нет ответа! Лично я пытаюсь обратить дело в шутку и, хихикая, отвечаю:

— Знаете, самозабвенно вру и получаю за это деньги.

На самом деле я, конечно, кривлю душой. У меня очень плохо с фантазией, разработать сюжет могу с огромным трудом, и чаще всего он получается неинтересным. Уж поверьте мне, жизнь намного круче любой фантазии! Поэтому, как выражается Куприн, мне необходимо вляпаться в некую историю. Вот тогда, пережив приключения, я опишу их вдохновенно, у меня явный дар рассказчика. Но, увы, писатель обязан обладать не одним, а несколькими талантами. Например, хорошо бы литератору уметь лихо закручивать сюжет, ловко писать диалоги, вылеплять характеры. Я же со своим даром рассказчика — лишь намек на прозаика, одна его составляющая, поэтому и выпускаю книги нечасто. Приключения ведь не таятся за каждым углом! Но рукопись следует сдавать в издательство в определенный контрактом срок, поэтому мне приходится буквально приковываться к рабочему месту и выжимать из себя строки.

Я села к столу. Вот черт, давно хочу купить новое кресло! То, на котором я вынуждена сидеть сейчас, страшно некомфортное. Попробуйте работать, заваливаясь назад! И кто только придумал такую мебель — у кресла совершенно по-идиотски загнутая спинка. Да и сиденье жесткое. Ладно, попытаюсь абстрагироваться от неудобств. Итак, начнем.

«Лена вздохнула и выпрямилась, у ее ног лежало...»

Я остановилась. При чем тут Лена? Пальцы быстро перелистнули написанные первые десять страниц будущей книги. Героиню-то зовут Таней, вечно вы, госпожа Виолова, путаетесь в именах! Хорошо... вернее, плохо, но поправимо.

«Таня вздохнула и выпрямилась, у ее ног лежала...»

Я снова отложила ручку. Минуточку! Какого черта она испускает вздохи и выпрямляется? Ну не дура ли, ведь просто принимает ванну. Или я опять что-то перепутала?

Пришлось вновь копаться в предыдущем тексте. Нет, верно. Последний написанный абзац я завершила фразой: «Таня вздохнула, мыльная пена текла у нее по лицу».

Что-то героиня у меня совсем развздыхалась, а ведь в русском языке много иных глаголов.

Я вычеркнула никуда не годное предложение и попыталась продолжить написание сцены под условным названием «В душе».

«Шампунь защипал глаза. Таня взяла губку. Ловкими движениями она принялась смывать со своего роскошного, стройного, загорелого тела...»

Э нет! У меня же не эротический роман, а детектив. Значит, надо иначе.

«Раздался выстрел. Таня икнула, выронила губку, вода в ванне стала красной...»

Стоп! Я убила главную героиню! Это невозможно! Ну-ка, быстренько наведем порядок!

«Но Танечка осталась жива. Пуля прошла мимо важных вен и артерий, не задев их...»

Ручка выпала из моих пальцев. Да уж, если посмотреть на текст беспристрастным взором, то больше всего он напоминает известную детскую считалочку: «Раз, два, три, четыре, пять, вышел зайчик погулять, вдруг охотник выбегает, прямо в зайчика стреляет, пиф, паф, ой-ой-ой, умирает зайчик мой. Принесли его домой, оказался он живой!»

Ясное дело, почему мне в голову полезли глупости. Что за идиотская ручка? Она скрипит! И бумага желтая — на такой ничего хорошего не напишется! И вообще, я есть хочу, но на кухню не выйти, там Томочка утешает Иру. Идиотство! Писателю дома обязаны создать условия, а тут...

Дверь тихо скрипнула.

— Кто там? — подскочила я. — Не мешайте творить!

— Прости, Вилка, не знала, что ты пишешь! — воскликнула в щелочку Томуська.

— Уже бросила.

— Извини.

— Что ты хотела?

— Потом, не хочу тебе мешать.

Дверь стала прикрываться. Мне стало стыдно.

— Собственно говоря, не успела въехать в текст.

— Какие-то проблемы? — насторожилась подруга и вошла.

Томуська единственный человек, которому я способна сообщить правду.

— Ага, — честно кивнула я.

— А в чем дело?

— Не пишется.

— Ой, отчего?

Я почесала переносицу.

— Ну... как в том анекдоте. Закончились патроны.

Томочка заморгала, я засмеялась.

— Нет сюжета, главную героиню пристрелили в первой главе, в ванне. В общем, чума.

Подруга подошла к столу.

— Вилка, не сердись.

— Если речь сейчас пойдет о Галкиной, то лучше не заводи разговор.

— Ей надо помочь.

— Еще чего!

— Аня не виновата.

— Ой, перестань. Соседка, Вера Данильченко, заперла девицу в квартире Макаркиных после того, как увидела милую Анечку всю в крови.

— Это случайность.

— С пистолетом в руке!

— Ерунда получилась.

— Думаю, убитой Лизе Макаркиной происшествие не показалось ерундой.

— Право, Вилка... Ты послушай!

— Мне некогда, пусть Ирина идет к следователю и ему выкладывает свои мысли.

— Аню задержали.

— За дело.

— Она милая девочка!

— Ага, только бьет в спину тех, кто, по ее мнению, не слишком быстро выбегает из лифта.

— Ну, Вилка, ради меня!

Я быстро встала. Последний аргумент Томочка употребляет очень редко, лишь в крайней ситуации от нее можно услышать подобную фразу.

Следовательно, случилось нечто экстраординарное.

Увидав меня, Ира вздрогнула, а Тамара быстро сказала:

— Ирочка, повтори-ка свой рассказ.

— Зачем? — тихо спросила Галкина.

— Вилка послушает.

— Она не хочет мне помочь, — прошептала Ирина.

— Нет, нет, ты ошибаешься, — завела Томуська таким сладким голосом, что я окончательно обозлилась.

— Вилке мы с Анечкой нужны словно прошлогодний снег, — продолжала кривляться Галкина.

— Верно, — кивнула я, — глаза бы мои вас не видели, но, раз Тома просит, готова послушать. Пой песню.

— Вот, слышала? — плаксивым голосом осведомилась Ирина.

И тут Томочка очень тихо произнесла:

— Ира, на всем белом свете имеется лишь один человек, способный вытащить Аню из того дерьма, в которое она вляпалась. Прекрати кретинствовать и немедленно изложи Вилке суть вопроса. Моя подруга человек занятой, она пишет книги, снимает кино, но одновременно является и гениальным сыщиком, который всегда бескорыстно помогает людям. Не существует дела, перед которым Виола спасует. Говори.

Галкина откашлялась и завела рассказ. Я, с трудом придя в себя после щедрой порции похвалы, выданной подругой, стала очень внимательно слушать Иру. Томочка всегда бывает права, у нее невероятное чутье, обмануть ее невозможно. Неужели Аня не имеет отношения к убийству Лизы Макаркиной?

Ира Галкина воспитывает дочь одна. Биологический отец Ани, алкоголик и наркоман, много лет назад исчез безвозвратно, чему его жена только рада.

Ира выходила замуж по любви, к тому же за сына профессора, и сначала чувствовала себя самой счастливой на свете. Мало кому повезло так, как ей.

Жених — коренной москвич, с высшим образованием, его родители — не последние люди в столице. По идее, свекровь со свекром должны были скорчить презрительную мину при виде предполагаемой невестки, девочки из подмосковного городка, работающей штукатуром на стройке. Когда Леша впервые пригласил к себе Иру домой, девушка чуть не зарыдала от страха. Воображение развернуло перед ней картину. Вот дородная женщина с высокой прической, оттопырив нижнюю губу, цедит сквозь зубы:

— Сынок, кого ты к нам привел? Где нашел столь «достойную» партию? На какой помойке?

Леша, естественно, покраснеет и стушуется. Потом появится папа в черном костюме и спросит:

— Вы классическую литературу любите? В консерваторию часто ходите?

Конечно, можно соврать, закивать и воскликнуть:

— Я без ума от Достоевского и Чайковского!

Но ведь профессор легко уличит ее во лжи. Из всей русской культуры Ирочка помнила лишь эти две фамилии — она плохо училась в школе.

В общем, Ира, как могла, оттягивала момент знакомства, но потом, когда они с Лешей отнесли заявление в ЗАГС, пришлось-таки тащиться на плаху. Перед визитом Ирина одолжила праздничный костюм у Зины, своей соседки по общежитию. Та охотно дала пиджак с юбкой и, вздохнув, сообщила:

— Меня тоже в свое время на смотрины позвали. Посадили обедать, выложили около тарелки сто вилок с ножами и начали наблюдать, как я с ними управлюсь.

— Ой... — похолодела Ира, даже не предполагавшая о возможности подобного казуса. — А за фигом столько приборов?

— Вот и я так подумала, — кивнула Зинка. — Больше они меня не приглашали, нашли своему сыночку другую невесту.

Одним словом, понятно, в каком настроении Ира отправилась к Галкиным. Чужой костюм жал в груди, ноги ныли от непривычных каблуков, голова, на которой топорщились обильно политые лаком волосы, чесалась немилосердно.

Но все оказалось просто замечательно. Профессор и его жена были одеты в джинсы, на столе лежал обычный набор из вилки, ножа и ложки, в качестве угощения дали самые простецкие сосиски, и никто не стал выяснять у Иры никакие подробности о ее родителях, материальном положении и интеллектуальных пристрастиях.

Сыграли свадьбу. В качестве подарка молодые получили от добрых мамы и папы юного мужа квартиру с полной обстановкой. Ира впала в эйфорическое состояние. До сих пор она жила в отвратительных условиях — детство и школьные годы провела в дощатом домике без удобств, а в Москве у нее была лишь койка в общежитии.

Очень скоро Ира забеременела. Узнав о том, что он станет отцом, Леша обрадовался безмерно, обнял Ирину и воскликнул:

— Так, сейчас отлучусь на часок, а потом отметим радостное событие!

Сказал, схватил куртку и унесся со скоростью ветра. Наивная Ира решила, что супруг помчался в магазин за подарком, и стала терпеливо ждать Алексея. Когда тот не появился и после полуночи, Ирочка позвонила свекрови и с тревогой спросила:

— Светлана Семеновна, к вам Лешик не забегал?

— Нет, — удивилась свекровь. — А что случилось?

Испуганная Ирочка рассказала о своей беременности и разговоре с Алешей. Она очень осторожно излагала события, боялась нанести матери мужа травму, но Светлана Семеновна отреагировала странно.

— О господи! — воскликнула она. — Начинается...

Алеша вернулся через неделю, грязный, оборванный и побитый. Ире он сообщил:

— Представляешь, пошел тебе за подарком, напали трое, ограбили, увезли в Питер и бросили. Пришлось домой пешком идти.

Большинство женщин, услыхав подобную сказочку, мигом бы начали задавать вопросы. Например, такой: с чего вдруг уголовники потащили жертву в другой город? Или такой: отчего Леша не позвонил супруге или родителям и не попросил денег на билет, а предпочел брести по шпалам не одну сотню километров?

Однако наивная Ирочка так была счастлива, так радовалась, так плакала, что ни о чем Алешу не спросила.

Через десять дней муж снова исчез. Отправился в магазин за хлебом и вернулся спустя месяц — без батона, естественно, зато со сломанным носом. И снова Ира поверила святочному рассказу о неких людях, решивших изнасиловать девушку, и о том, как Алексей, увидевший негодяев, помог несчастной и оказался в больнице, а позвонить оттуда не мог, поскольку там не имелось телефона.

Однако потом Леша поутих. До рождения Ани супруг Ирины примерно сидел дома, но, едва девочке исполнилось десять дней, испарился. На этот раз по дороге в молочную кухню.

И тут к Ире приехала Светлана Семеновна. Свекровь рассказала неприятную правду: Алеша наркоман. Правда, он пытается бороться с недугом и некоторое время не прикасается к шприцу, но все равно срывается. Родители давно перестали бороться с сыном. Они очень обрадовались, когда тот решил жениться.

— Мы наивно полагали, что семья, супруга и дитя, удержат Алексея от наркотиков, — вздыхала Светлана, — да, видно, не судьба.

Ира чуть не лишилась чувств, слушая свекровь.

— Почему вы сразу мне правду не сообщили? — воскликнула молодая жена.

— Зачем вмешиваться в чужие отношения? — быстро ответила хитрая свекровь. — Нам один психолог посоветовал: пусть Алеша жену заведет и ребенка. Почувствует ответственность и, может, остепенится.

Вот тут у Иры окончательно открылись глаза: стало понятно, по какой причине ее приняли в доме профессора с исключительной ласковостью. А отдельную квартиру молодым преподнесли, чтобы просто избавиться от маргинального сынка.

— Уходите прочь! — закричала Ира. — И имейте в виду: больше Алешку я на порог не пущу. Кстати, он прописан в вашей квартире. Сюда пусть даже и не суется! А если надумаете в суд подать, чтобы метры отнять, то... в общем, ничего у вас не получится!

Светлана вскочила на ноги:

— Вот как ты заговорила... Правильно мой муж говорит: «Сколько быдло ни корми, все равно на помойку побежит». Ты же от нас только хорошее видела!

— Что? Хорошее? — окончательно пошла вразнос Ирина. — Да вы хоть понимаете, что сотворили? Моя дочь может оказаться больной, от наркомана нельзя рожать!

Свекровь ринулась к двери. Уже выходя на лестничную клетку, она обернулась и каменным голосом сообщила:

— Мы с мужем люди интеллигентные и на твою квартиру претендовать не станем. Надумаешь развестись, останешься в подаренных хоромах. Но платить алименты на девочку ты нас не заставишь. Требуй деньги на содержание ребенка с Алексея.

Все. Более Ира никогда ни мужа, ни его родственников не встречала. Анечку Галкина тянула одна. И чем больше подрастала дочка, тем яснее мама понимала: любимый ребеночек получил львиную долю папиных генов.

Девочка была эмоционально неустойчивой. Временами она обожала маму, кидалась той на шею, обнимала, целовала. Но могла и наорать на нее, обозвать дурой, устроить грандиозный скандал. Ане свойственны припадки ярости, за которыми следуют всплески глубочайшего раскаяния. Анечка словно живет на качелях, ее мотает вверх-вниз, ровного настроения у девочки не случается. Наверное, поэтому у Ани всего лишь одна подруга, Маша Левкина, только она способна вытерпеть Галкину, с остальными сверстниками отношения испорчены окончательно.

В школе Аня училась просто отвратительно, Ира из кожи лезла вон, чтобы дочь получила образование. Мать, зарабатывавшая на жизнь ремонтами чужих квартир, страстно хотела видеть Аню студенткой.

— Доча, — чуть не рыдала Ира, подписывая дневник с вечными двойками, — будь человеком, постарайся. Попадешь в вуз, потом окажешься в какой-нибудь конторе, где тихо, тепло, светло, не то что на стройке.

Но наука не лезла Ане в голову. В конце концов до Ирины дошло: девочка просто не способна ни к какой учебе, не сидеть ей в институтской аудитории. Ох, не зря врачи предостерегают от жизни с наркоманами и алкоголиками, от них рождаются умственно отсталые дети.

Глава 6

Ирина от природы была человеком не пессимистического склада, поэтому она даже в темной ситуации находила светлые пятна. Пусть Аня не выучила таблицу умножения, но она ведь не идиотка. Вон в сотой квартире живет Миша — того в инвалидной коляске, скрюченного, возят. А Анечка на ногах! Ничего, все обойдется.

Ира забрала Аню из школы и пристроила в училище.

— Слушай меня, — приказала она дочери. — Станешь маникюршей. Отличная работа! Все-таки в тепле, не на стройке. Оклад дадут и чаевые польются. А там, глядишь, мужа себе найдешь среди клиентов, сейчас и мужчины ногти чистят.

Если честно, Ира мало надеялась на то, что Анечка придется по душе кому-нибудь из новых русских, заглядывающих в салон. Девочка росла, мягко говоря, некрасивой. Она была слишком высокой (рост Ани зашкалил за метр восемьдесят) и удручающе худой: ни груди, ни попы, сплошные выпирающие кости. В придачу к мослам имелось личико с очень крупным ртом и впалыми щеками. Не радовали и глаза, чуть раскосые, улетающие к вискам. Хороши были лишь зубы — белые, крепкие, ровные, но ведь одними клыками супруга не привлечь. А на встречу со стоматологом, который потеряет голову от любви, увидав столь совершенную челюсть, надежды мало.

Аня покорно получила диплом и села в салоне «Гвоздичка» в компании с миской, пилкой и кусачками. Ира оказалась права: дочь работала в тепле и имела недурной заработок. Мать воспрянула духом — может, к девочке еще придет и личное счастье?

И оно пришло. Но совсем не с той стороны, откуда ожидалось, и было просто счастьем, без прилагательного «личное». Судьба сжалилась над глупой, вроде бы некрасивой дылдой и послала к ней владелицу модельного агентства «М-Рашен» Клару Роден.

В тот знаковый день Аня, как всегда, сидела у маленького столика возле окна. Клиент опаздывал, и маникюрша бездумно разглядывала прохожих — салон помещался на первом этаже большого торгового центра, вокруг которого толпилось множество людей.

Внезапно в поле зрения Ани попала тетка, одетая в идиотский костюм сине-красной расцветки, причем, несмотря на лето, воротник у него был из меха. Баба запихивала на заднее сиденье роскошной иномарки груду пакетов. Вдруг она бросила пластиковые мешки, подняла к глазам правую руку, дернула головой, заперла автомобиль и побежала в салон.

— Может мне у вас кто-нибудь гелевый ноготь приклеить? — завизжала тетка, врываясь в зал.

— У нас гель Аня делает, — спокойно пояснила девушка на рецепшен, — но к ней сейчас клиент придет.

— Ерунда! — взвизгнула бабенка. — Заплачу за один палец как за десять!

Аня, у которой в тот день было замечательное настроение, улыбнулась.

— Садитесь, все равно пока лентяйничаю.

Баба замерла.

— Что же вы? — поторопила ее Аня. — Идите ко мне.

— А ну, встань! — резко велела нежданная клиентка.

Аня заморгала, но потом, вспомнив, что посетитель всегда прав, вылезла из рабочего кресла.

— Супер! — хлопнула в ладоши тетка и приказала: — Пройдись.

— Куда?

— Без разницы. Туда-сюда.

Аня покорно выполнила приказ.

— Класс! — восхитилась странная клиентка. — Руку подними, вторую... Вау! Хочешь славы и денег?

— Сколько? — оторопело спросила Аня.

— Ну, сначала немного, пару тысяч баксов в месяц, — деловито заявила бабенка. — Потом возможны миллионные контракты. Давай знакомиться: я Клара Роден, владелица агентства «М-Рашен». Давно ищу девушку с твоими параметрами, подходишь на все сто, удивительное попадание в точку. Бросай кретинские пилки, поехали со мной, прямо сию секунду.

— Вы не будете делать ноготь? — попыталась разобраться в ситуации Аня.

— Насрать на когти! — рявкнула Клара. — Живо в машину!

В судьбе каждого человека непременно звучит труба судьбы, но не все слышат ее призывный сигнал. А многие, чьи уши уловили-таки мелодию, боятся сделать шаг в сторону, основной массе людей привычно жить в своем устоявшемся болоте, им боязно вылезать из него на берег и продираться сквозь колючий кустарник к неизвестному, пусть даже и светлому, может быть, завтра. Аня оказалась из меньшинства, способного на отчаянные поступки.

Несмотря на вопли администратора: «Аня, опомнись! Если сейчас уйдешь с работы, назад не возьмем!» — маникюрша быстро пошагала к двери. Она, сама не понимая почему, разом поверила Кларе.

С той минуты жизнь Ани разительно переменилась. Все, что до сих пор считалось ее отрицательными сторонами, стало неоспоримыми достоинствами. Высокий рост, полнейшее отсутствие форм, слишком большой рот и диковинные «тигриные» глаза превратили Анечку в звезду агентства. Через месяц Галкину стали буквально рвать на части — глянцевые журналы все разом захотели ее фото. Потом оказалось, что и глупость Ане на пользу. Стоило спросить у нее: «Скажи, ты любишь Моцарта?» — как на личико красавицы наползало выражение такого мучительного раздумья, что фотографы, вздрагивая от восхищения, хватались за аппаратуру.

Еще Аня была вынослива — она могла часами стоять на площадке и не капризничала ни на примерках, ни на репетициях. Странным образом, во время показов на Анечку никогда не налетали приступы ярости, и ее быстро полюбили даже завистливые коллеги-модельки. Ну, может, не полюбили, а просто испытывали к Ане некие добрые чувства. Во всяком случае, никто не засовывал ей в туфли бритвенные лезвия, не насыпал сахарный песок в колготки и не мазал парик изнутри клеем...

Ирина замолчала, потом схватила со стола стакан с водой, осушила его одним глотком и спросила у меня:

— Теперь ясно?

— Нет, — ответила я в недоумении.

— Ну, как тебе непонятно! — изумилась соседка. — Аня не могла убить Лизу! Перед дочерью маячила великолепная карьера, Анечка ждала отъезда в Париж!

— Она любила Антона Макаркина? — спросила я.

— Понятия не имею. Дочка не делилась со мной интимными тайнами.

— Но весь двор знал, что девушка просто вешалась на шею к массажисту.

— Нет! — затрясла головой Ира.

— Как это «нет»? — возмутилась я. — И потом, я очень хорошо помню возбужденный вид Ани, когда она влетела в лифт. Аня ехала вверх, явно торопилась к Макаркиным. Что ее так взбесило?

— Нет, нет! — заволновалась Ирина. — Все не так. Антон вправлял Ане спину — у дочки высокий рост, отсюда грыжа позвоночника. Это все!

— Но еще была ситуация, когда она выбежала во двор почти голой и устроила там скандал!

— Верно, Аня ждала Антона на сеанс массажа. Макаркин позвонил нам, сказал, что не успевает к назначенному времени. Аня расстроилась — спина-то болела. А потом подошла к окну, глядь — Антон идет. Ну и обозлилась, выскочила, в чем была, давай орать. Анечка порой бывает несдержанна. Но и Маркин хорош, обманывал девочку. То приду, то не приду... Я даже сказала ему: «Антон, так непорядочно поступать. Оплатили вам вперед двадцать сеансов, теперь отрабатывайте...»

Массажист начал юлить, говорил, что не предполагал серьезности работы, мол, его нанимали для простого массажа, а у девушки оказалась запущенная грыжа. Подобное лечение дороже стоит!

Но Галкина стояла на своем: подрядился — работай.

В дело вмешалась Лиза. Она пару раз звонила Ане и рявкала:

— Если думаете, что соседям положена скидка, то ошибаетесь!

В конце концов Аня возмутилась и заявила Антону:

— Вы сумму сами назвали и плату вперед потребовали. Мы не спорили, выполнили условия. И что? Очень непорядочно! Значит, так: либо вы начинаете работать с моей спиной, либо я пишу на вас заявление в налоговую инспекцию. Небось в декларации вы свои «левые» заработки не указываете.

Пришлось Антону признать поражение и отправиться к Галкиной. Три раза он честно ставил позвонки на место, но потом избрал новую тактику, сказал Ане:

— Завтра в семнадцать ноль-ноль.

Манекенщица отменила дела и ждала костоправа, а тот ровно в пять позвонил и проблеял:

— Извини, не успеваю, задержался у клиента.

В городе пробки, давай в понедельник, время прежнее...

Но и в начале недели Анечка не дождалась врача — тот снова лишь по телефону объявился и перенес сеанс на пятницу. И вот, увидав вруна во дворе, Аня взбесилась. Она вылетела полуголой из подъезда и заорала:

— Ага! Ты обманул меня! Обещал и бросил! Ну, погоди! Я тебя убью! И Лизку тоже! Как ты мог так поступить? Я надеялась, вся извелась от ожидания, просто горю! А ты... К другой шляешься, да? К другой?

Речь шла о массаже. Извелась Анечка не от сексуального желания, а от боли в спине. Фраза «К другой шляешься?» не имела никакого отношения к ревности, Аня упрекала Антона в том, что тот взял себе новую клиентку, не выполнив обязательств по отношению к ней самой. Но присутствующие во дворе бабы поняли ситуацию по-своему...

— А еще, — грустно объясняла Ирина, — Аня пару раз в халате ездила в лифте. Думала Антона дома врасплох застать, лечь у него на диване и заявить: «Не встану, пока спину не поправишь».

— Вот уж глупость, — скривилась я.

— Хорошо тебе ее осуждать! — внезапно обозлилась соседка. — Только Антону много долларов за лечение заплачено было, а хребет дочке просто выкручивало! Но злые языки наших дворовых сплетниц замололи со страшной силой, пошел слух о любовной связи между массажистом и Анечкой.

Тамара тронула меня за рукав.

— Вилка, ты только вспомни, какие про нас глупости рассказывают. Олег — генерал!

Я прикусила нижнюю губу. А ведь верно! Откуда местные сплетницы взяли такую информацию? Куприн практически никогда не надевает форму, он ни с кем не общается во дворе...

— Ну, вы еще не все знаете! — азартно воскликнула Галкина. — Такое несут! Вот Вера Данильченко, местная совесть, чтоб ей под трамвай завтра попасть и обеих ног лишиться, говорит: Виола и Тамара лесбиянки.

— Я замужем, — хором ответили мы с Томуськой.

— О-о-о! А Олег и Семен педики. Вы ловко устроились, якобы нормальные семьи... — тараторила Ирина, похоже, страшно довольная тем, что может передать нам гадкие сплетни.

Я пожала плечами.

— Глупее и не придумать. Есть дети: Никита и Кристина.

— Они из приюта.

Томочка схватилась за голову:

— Чушь! Ну ладно, Крися дочь Сени от первого брака, в ее случае я хоть понимаю, откуда ветер дует. Но Никитка! Я же ходила с животом, сидела во дворе, дышала воздухом, меня все соседи беременной видели...

— Так подушку подсунула, — продолжала Ирина, — чтобы народу глаза замылить. А Никиту усыновили. Неохота вам, лесбиянкам и педикам, в порочных наклонностях признаваться. У Вилки муж генерал, он все и придумал. А то с какой же тогда стати вы все вместе живете?

— Мы просто дружим, — пролепетала Томочка.

— Ха! Да ни одни друзья бок о бок больше недели не продержатся, перелаются. А вы столько лет общее хозяйство ведете, — отрезала Ира.

Я не нашла нужных слов в ответ, у Тамарочки тоже иссякла вербальная активность. А Ира усмехнулась:

— Я-то не верю местным кумушкам. И в отличие от них понимаю: дружба существует на свете. Только о вас по двору плохая слава ползет. Теперь подумайте о нашей ситуации. Данильченко и остальные просто оболгали Аню. Не верите мне, поболтайте с Машей Левкиной, она с дочкой дружит, как вы между собой. Всю правду Маня про Анечку знает. Моя девочка попала в ужасную ситуацию, но она никого не убивала! Знаете, что случилось на самом деле?

— Говори! — велела я. — В подробностях, медленно, постарайся не упустить детали.

Ира снова прижала кулаки к груди, продолжила рассказ...

Сегодня в первой половине дня Ане позвонила Лиза Макаркина и заявила:

— Антон больше к тебе не придет.

— А деньги? — завопила Галкина.

— Вернем, — сухо пообещала Макаркина.

— И когда?

— Приходи ровно в час.

— Сами спускайтесь, — уперлась Аня. — Нашли дуру, стану я за своими бабками носиться.

Макаркина издала смешок.

— Не дури. Антон не должен ничего знать, поэтому поднимайся. Да не опаздывай. А то ненароком Макаркин вернется и наподдаст мне. У него, правда, весь день занят, но он может пообедать заехать.

— Ты желаешь вернуть мне деньги тайком от мужа? — осенило Аню. — Но почему?

— Он считает, что совершенно прав, — хмыкнула Галкина, — дескать, такая кривая спина, очень трудная, кропотливая работа... Но я полагаю: конфликт следует прекратить. Отдам тебе личные сбережения, и забудем проблему, найдешь другого массажиста. Мне не нравятся сплетни, которые ползут по двору.

— Ладно, — повеселела Аня.

— В общем, к часу подходи, — еще раз напомнила Лиза.

Аня глянула на часы: было двенадцать. У девушки с утра болела голова, и она решила почитать. Неожиданно задремала, а когда открыла глаза и глянула на часы, те показывали начало второго.

С воплем: «Блин!» — вылетела из квартиры и вскочила в лифт, где стояла я, желавшая выйти. Поругавшись со мной, девушка доехала до нужного этажа. Очутившись у двери Макаркиных, Аня нашла ее приоткрытой. Она вошла в квартиру и, пару раз крикнув: «Лиза, Лиза!..» — заглянула в спальню.

От увиденного зрелища ноги ее приросли к паркету. Посередине красиво убранной комнаты лежало тело Лизы. То, что жена Антона мертва, Аня отчего-то сообразила сразу. Дальше у нее в памяти провал — она ничего не помнит!

Придя в себя, Аня кинулась к выходу, но тут ее ждало неприятное открытие: дверь оказалась заперта. Сначала Аня повертела ручку, потрясла ее и так и сяк, затем попыталась сконцентрироваться и вспомнить, может, сама захлопнула створку, входя к Макаркиным? Но память отказывалась ей служить. Анечка поискала ключ, его не было ни в замочной скважине, ни на полу.

Окончательно растерявшись, девушка вытащила из кармана мобильный, соединилась с мамой и залопотала:

— Ой, иди сюда, пожалуйста.

— Куда? — не врубилась в ситуацию мирно гладившая белье Ира.

— Да к Макаркиным... — заплакала дочь.

Мать стала одной рукой натягивать пуловер, второй прижимая к уху сотовый, из которого доносился плач Ани. Через пару минут до Иры дошло: случилось нечто экстраординарное, дочь попала в невероятную ситуацию.

Ирина помчалась наверх, к квартире Макаркиных. На лестничной клетке состоялся малоприятный разговор с Данильченко. Когда Верка спряталась в своей квартире, Галкина попыталась открыть дверь, за которой находилась ее дочь. Куда там, железяка даже не дрогнула! Оно и понятно, с такой без ключа нечего и думать справиться.

Во время своих бесполезных попыток бедная Ира слышала по мобильному телефону бесконечный плач Ани, ее путаные, несвязные слова о том, что произошло в квартире Макаркиных. В конце концов Аня перешла на крик:

— Мамусечка, любимая, забери меня отсюда! Мне очень страшно, аж жутко! Ой, муленька, боюсь, боюсь, боюсь...

У Иры заболело сердце.

И тут прибыла милиция. Из соседней квартиры появилась Данильченко с ключом. Ира, увидав Веру, бросилась на нагло улыбавшуюся контролершу с кулаками...

В общем, получилась очень некрасивая сцена, закончившаяся решительным заявлением начальника милицейской бригады:

— Уведите эту психопатку прочь, и пусть скажет спасибо, что подобру-поздорову домой отпустили.

Ире не разрешили поговорить с Аней и не впустили в квартиру Макаркиных.

В стрессовом состоянии, заливаясь слезами, Ира пошла по лестнице вниз. Она брела по ступенькам, не понимая, куда бежать и что делать. И тут ее осенило — муж Виолы Таракановой! Он же генерал, милиционер, пусть прикажет подчиненным отпустить Аню! Ежу понятно, что девочка ни в чем не виновата!

Глава 7

Я молча выслушала Ирину и стала ковырять пальцем клеенку. Галкина протяжно вздохнула.

— Тебе плохо? — подскочила к ней Томочка.

— Голова сильно кружится, — ответила соседка. — Прямо на сторону сносит.

— Давай мы тебя уложим, — засуетилась Томочка.

— Нет, спасибо, — прошептала Ира, — лучше проводите до квартиры.

— Думаю, тебе не следует оставаться одной, — покачала головой Тамара. — Вдруг ночью хуже станет, как врача вызовешь? Правильней будет у нас переночевать.

Ирина через силу улыбнулась и прошептала:

— Если честно, мне ужасно страшно. Только что скажут ваши мужья?

— Олег уехал в командировку, — ответила я, — раньше чем через неделю не явится.

— А Сеня даже не заметит, что у нас гостья, — усмехнулась Томочка. — Он придет ближе к полуночи, а в семь утра уедет на службу.

— Так-таки и не заметит? — с легким недоумением переспросила Ира.

Томуська кивнула:

— Один раз у нас родственник остановился, из провинции. Так Семен сообразил, что в доме лишний человек имеется, лишь в день его отъезда.

— Ничего он не сообразил, — засмеялась я, — вовсе не так дело было. Попросили Сеню: «Будь другом, отвези Николая в аэропорт». А Семен давай интересоваться: «Кого? Куда? Зачем? У нас что, Николай есть? Он кто?»

Тамарочка развела руками.

— Сеня — большой ребенок.

— Олег не лучше, — вздохнула я.

— Все-таки Олежка адекватнее, — с некоторым сомнением возразила Томочка.

— Ну уж нет, — не согласилась я.

— Олег более аккуратный.

— Ой, не смеши!

— Ты несправедлива! — с жаром бросилась защищать Куприна Томуська.

Я прищурилась:

— Вчера вечером Олег приехал из бассейна, помнишь?

— Ну да, — кивнула Тамарочка, — вошел на кухню, сел ужинать, налил майонеза на салат, а ты на него налетела с воплем: «Не смей есть калорийный соус». Ясное дело, Олежка обиделся.

— Да не о том речь! Впрочем, если начал заниматься спортом, желая потерять вес, нечего после тренировки нажираться. Но сейчас я о другом говорю. Когда Олег пришел, я сказала ему: «Отнеси пакет сразу в ванную, иначе мокрые плавки и губка в сумке протухнут».

— Ну и что? — удивилась Томуська. — Олежка, помню, спорить не стал, мирно отправился выполнять указание жены. Раскричался он потом, услыхав про майонез.

Я засмеялась:

— Ты совершенно права, Куприн потопал в ванную. Только я следом пошла и увидела замечательную картину...

— Какую? — неожиданно проявила интерес к разговору Ирина.

— Олег взял пакет и прикрепил его прищепками к веревке. Он не вынул ни плавки, ни губку, просто прицепил пластиковый мешок и, страшно довольный собой, ушел!

Ирина даже не улыбнулась, а Томочка, покусав нижнюю губу, решила, как всегда, оправдать нашего майора:

— Ну, в принципе, ты сама виновата. Дала неправильное указание. Следовало пояснить: «Вытащи мокрое...» И так далее. Пошли, Ирочка, я тебя устрою в гостевой. Может, стоит врача вызвать? Сделает тебе успокаивающий укол...

— Спасибо, пока не надо, — прошептала Галкина.

Потом она с видимым трудом встала, сделала шажок, пошатнулась и сказала:

— Впрочем, у вас снотворного не найдется? В таблетках, я уколов боюсь.

— Зато они более действенные, — сообщила я.

— Все есть, — закивала Томочка, поддерживая Иру за локоть, — сейчас принесу отличное средство, примешь и двенадцать часов проспишь. Главное, не волнуйся. Вилка поможет, она и не в таких случаях разбиралась. Верно, подружка?

Я машинально кивнула.

— Девочки, а давайте чаю выпьем, а? Где-то тут у меня было отличное средство от любой хандры...

Я встала, налила всем чаю, вытащила из буфета коробочку любимого шоколадного печенья, и мы дружно слопали всю пачку. Было очень вкусно... После чего Томуська, обняв Иру, увела ее из кухни. Что-то во всей этой истории казалось мне странным. Но никак не удавалось сообразить, что именно. Хотя...

Зачем Лиза позвала Аню в свою квартиру? Если Макаркина хотела скрыть от мужа факт возврата денег Галкиным, то логичнее было бы ей самой спуститься к соседям. Лиза ведь еще предупредила Аню, что Антон может завернуть домой на обед, и просила ее не опаздывать.

Я бы, например, поостереглась звать к себе Аню в похожем случае. Мало ли что, вдруг муж и правда явится в неурочный час и застанет в квартире неприятную ему гостью? Но Лиза позвонила Ане. Лиза позвонила Ане! Лиза позвонила Ане? Стоп!

Я же была у Лизы, получается, буквально за пару минут до ее убийства. Макаркина весьма охотно рассказывала мне про крем и совершенно не проявляла беспокойства... Ну-ка, вспоминай, Вилка, как обстояло дело!

Перед глазами мигом развернулась картина. Вот нажимаю на звонок, створка распахивается мгновенно, на пороге возникает Лиза. Она безукоризненно накрашена, волосы только что уложены и сбрызнуты лаком, тело облегает красивый спортивный костюм, совершенно новый, белоснежный. Макаркина так всегда ходит дома? При укладке, макияже и вся в белом? Она готовит борщ, не боясь запачкать красивые и явно дорогие курточку и брючки?

Ладно, едем дальше. Открыв дверь, Лиза восклицает:

— Вилка? Зачем пришла?

Немного невоспитанно задавать подобный вопрос соседке, и Макаркина понимает свою оплошность. Она тут же начинает улыбаться и говорит:

— Извини, Вилка, не ждала тебя!

В тот момент я не обратила внимания на эту ее фразу, но сейчас могу задать себе вопрос: а кого же ждала Макаркина? Отчего тщательно навела марафет? Да ни одна женщина не приблизится к плите или стиральной машине при полном параде, никто из нас не начнет пользоваться мясорубкой в белоснежном одеянии. Ладно, пусть Лиза надумала использовать свободное время для отдыха и поэтому влезла в новый костюмчик. Ну, захотелось человеку пофорсить, и все! Но накрашенные губы... Может, конечно, я ошибаюсь, но думаю, многим женщинам, как и мне, очень тяжело ходить со «штукатуркой» на личике, а тем более находиться при «полном параде» дома. Лично я не способна расслабиться с помадой на губах. Внутри включается некий мотор, в мозгу возникает мысль: раз намазалась — следовательно, пора на работу. Какая уж тут расслабуха под пледом... Понимаю, кое-кто из дам может сейчас воскликнуть: «Экая ерунда, я, например, и спать ложусь с тушью на ресницах!»

Что ж, возможно, но я, собственно, не о том. Отчего-то я сейчас пребывала в уверенности: Лиза приготовилась к приходу постороннего человека. Кого она ждала? Явно не меня, она же и не предполагала о моем визите. Так что, марафет был наведен для Ани? Не верю. Макаркина могла быстренько в коридоре сунуть Ане деньги, взять с той расписку и распрощаться с ней. Кстати, Лиза же мне говорила, что очень зла на Аню, ведь она только вчера узнала о том, что девушка пристает к ее мужу. Нет, похоже, Лиза ждала кого-то другого, ситуацию с Аней она, по логике вещей, должна была разрулить походя...

Я схватила со стола бумажную салфетку и принялась методично превращать ее в груду обрывков, что частенько делаю, пребывая в задумчивости.

Итак, как же обстояло дело?

Лиза надумала остановить скандал, вытащила из личной заначки деньги и решила отдать их Ане, дабы та прекратила свару. Мужу Макаркина ничего рассказывать не хотела. То ли берегла нервы Антона, то ли предполагала, что массажист затопает ногами и закричит: «Глупее ничего не придумала? Никаких лавэ шлюхе не давать!»

Собственно, она вообще могла решить отдать деньги девчонке спонтанно, прямо сегодня. А вот насчет остального...

Думаю, Лиза выждала удобный момент, подгадала день, когда муж гарантированно не вернется домой раньше вечера, и договорилась с неким человеком о свидании. Кто он, мне неизвестно. Может, любовник Макаркиной, а может, просто друг. Но встреча должна была произойти втайне от супруга. Почему? Ну, на этот вопрос тоже нет ответа. Впрочем, если у Лизы имелся сердечный приятель, то и спрашивать нечего, ясно без слов. Лиза не посчитала встречу с Аней важным делом, хотела просто сунуть девчонке купюры. Вот по какой причине она не пошла сама к Галкиной — боялась пропустить приход очень важного для нее гостя, для которого накрасилась и разоделась.

И тут на пороге внезапно возникла госпожа Тараканова. Лиза дала мне консультацию по поводу косметики, и я спокойно вернулась к себе. Попила кофе, послонялась по квартире, почистила картошку, оделась и решила смотаться за кремом.

Так, напряжем память. Вот я влезаю в сапожки, беру ключ, поворачиваюсь к двери и, как всегда, вижу часы, специально повешенные возле вешалки... Наша Крися регулярно опаздывает в школу. Девочка очень долго вертится перед зеркалом, надевает и снимает разные шапки, мажет губы помадой, поэтому Томочка и прикрепила к стене циферблат со стрелками. Теперь наша кокетка хоть как-то ориентируется и успевает прибежать на занятия не ко второму, а к середине первого урока.

Я тоже приобрела привычку следить за временем, покидая дом, и сейчас отлично вспомнила, в каком положении находились стрелки в момент моего ухода в торговый центр. Маленькая замерла на единице, большая дошла до цифры три. Четверть второго. Пару минут мне понадобилось на то, чтобы спуститься вниз и столкнуться с возбужденной сверх меры Аней. Значит, Ира говорила правду: ее дочка торопилась к Лизе.

Но именно в это время и случилось непоправимое. Некий гость убивает хозяйку. За что, почему... — не спрашивайте, не знаю. Потом он, забыв запереть дверь, спешно уходит. И тут появляется запыхавшаяся Аня. Вбегает в спальню, видит труп, кровь... Экзальтированная девица цепенеет, затем приходит в себя... А дальше наступает время бенефиса Веры Данильченко...

Так, так, все верно... Но теперь у меня возникли вопросы к Вере. И я, невзирая на поздний час, кинулась к лифту.

Данильченко открыла дверь и, зевая, сказала:

— О господи! Ну, у меня сегодня весь дом побывал! Чего пришла? Уже рассказывала тебе про случившееся. Нового ничего больше не произошло. Вот только Антон вернулся. Я уж и не в курсе, знал ли он про смерть жены, или его потом огорошили. Когда в глазок смотрела, вроде мужик дверь спокойно открывал, а...

— Скажи, — перебила я Веру, — ты хорошо видела Аню?

— Где? — снова зевнула Данильченко.

— В квартире у Макаркиных, — терпеливо пояснила я.

— Да как тебя сейчас.

— Она стояла близко к порогу?

— Не, у входа в спальню.

Я уставилась на Веру:

— Вроде у Макаркиных апартаменты как у тебя.

— Ага, только зеркальные, — охотно пояснила Данильченко. — У меня кухня слева, у них справа, и комнаты наоборот.

— Но коридор такой же?

— Точно.

— С поворотом?

— Верно.

— И где находилась Аня?

— Там, — ткнула пальцем в сторону входа в большую комнату Вера.

— Сделай одолжение, продемонстрируй ее позу.

— А тебе зачем? — насторожилась Данильченко.

Я кашлянула и начала самозабвенно врать:

— Понимаешь, устроилась работать на телевидение, в программу «Дело». Мы снимаем фильмы о реальных происшествиях, просим свидетелей объяснить зрителям, как развивались события. Вот, хочу посмотреть, как ты будешь выглядеть в кадре. Ясно?

— Ой! — взвизгнула Вера. — Меня покажут по телику?

— Непременно, если сейчас попытаешься реконструировать произошедшее с максимальной точностью. Где ты стояла? Давай разыграем сцену в твоей квартире, порепетируем. Я — Вера Данильченко, ты — Аня...

Сплетница суетливо забегала по прихожей.

— Ага, значит, так... Я здесь... Нет, чуть левее... Во, теперь точно.

— Дверь была нараспашку?

— Не.

— А как?

— Только приотворена.

— Щель большая? Такая?

— Ну... Ага, так правильно.

— Теперь займи место Ани.

Вера исчезла из поля моего зрения.

— Не вижу тебя! — крикнула я.

— А вот так?

— Только спина и попа, головы нет.

— Верно. В точку.

— Погоди, если ты увидела лишь зад и лопатки, то отчего решила, что перед тобой Аня?

— По джинсам. Такие лишь у нее есть — розовые, на жопе надпись красными буквами «Йес». Совсем совесть молодежь потеряла, в таком дерьме ходит, тьфу!

Я вновь распахнула дверь, вошла в прихожую и сердито сказала:

— Вера, ты рассказывала про туфли в крови, измазанные руки и жуткий револьвер!

— Ага, так оно и было!

— Но сейчас выходит, что видела лишь зад и часть спины.

— Так она повернулась, — затараторила Вера. — Я тогда прямо креститься начала и все отличненько разглядела. Мыски в крови, руки Анька вытянула, пальцы растопырила...

— Стоп, покажи.

Данильченко с готовностью ринулась вперед, я снова шмыгнула на лестничную клетку, притворила дверь и приникла глазом к щели. Сначала перед взором замаячила объемистая задница Веры, обтянутая байковым халатом, потом Данильченко возникла целиком, уже лицом ко мне. Очевидно, работница метрополитена очень хотела стать звездой экрана, потому что она старалась изо всех сил, изображая Аню.

Толстые ноги Вера поставила на уровне плеч, руки вытянула вперед, пальцы раскрыла веером, глаза выпучила, рот разинула... Выглядела она удручающе противно, Данильченко явно не обладала актерскими способностями, изобразить состояние другого человека она не могла. Но меня сейчас не волновали таланты Данильченко.

— Слушай, Вера, — заинтересовалась я, снова входя в прихожую, — Аня так и стояла?

— Угу, — кивнула баба.

— Именно в этой позе?

Данильченко переместилась на сантиметр влево.

— Ну, может, чуть сюда ближе.

— А руки?

— Чего с ними? — пожала плечами свидетельница.

— Она их впереди держала?

— Ясное дело.

— Ничего не путаешь?

— У меня память золотая, — начала злиться Вера, — склерозом не страдаю. Каждый день тренируюсь, кроссворды разгадываю. Можешь назвать столицу Ливана?

— Нет, — призналась я.

— Во! А мне запросто. Бейрут.

— Я счастлива, что ты замечательно знаешь географию, но давай вернемся к нашим баранам.

— К кому? — удивилась незнакомая с классической литературой Данильченко. — Ты, Вилка, часом, не напилась? Где тут бараны? И вообще, на кого намекаешь?

— Я о твоих руках.

— Чего не нравится? Они чистые.

— Аня развела пальцы?

— Ну.

— Веером?

— Да.

— Все?

— Что «все»?

— Пальцы. Или только на одной руке?

Данильченко вздохнула:

— Тяжело с тобой, непонятливая, словно тумба! Который раз говорю: вот так она замерла, во! На роже жуть, глаза из орбит вывалились, пасть разинула, ручонки вытянула. И как только тебя на телик взяли? Вот к нам, в метро, контролером, ни за что бы не поставили. Пока ты скумекаешь, что к чему, «заяц» через турникет перескочит.

Я моргнула и очень спокойно спросила у раскипятившейся контролерши:

— А теперь объясни мне, дуре, каким образом можно удержать пистолет в растопыренных пальцах?

Глава 8

Будучи женой сотрудника МВД, я очень хорошо знаю, какую проблему порой представляют показания свидетелей. Пословицу «Врет словно очевидец» явно придумали древнерусские менты. Хорошо помню, как прошлой зимой, придя домой, Олег со стоном сообщил:

— Боже! Ну, почему народ у нас такой странный? Все видели машину и то, что у нее имелось четыре колеса. Но на этом одинаковые показания заканчиваются. Далее следует бред. На дороге стояли: «Жигули», «Волга», «Мерседес», «Вольво», «Ока». Цвет: черный, серый, синий, зеленый, голубой. Но не красный, хотя, вероятно, оранжевый или желтый. А номер... О, его все запомнили совершенно точно! «А 830 ЕМ 97», «О 786 ГА 64», «И 110 УИ 32», «А 000 АА 411-68-86»...

— По-моему, последний набор цифр больше похож на номер телефона, — захихикала я, прервав жалобы мужа.

Олег хмыкнул:

— Это еще ничего! Один кадр знаешь какие цифры назвал?

— Ну? — насторожилась я.

— Ноль два.

— А дальше?

— Ничего! — хлопнул ладонью по столу Олег. — Ноль два, и точка. Автомобиль, который сбил человека, имел, по мнению того свидетеля, именно такой опознавательный знак. Было бы смешно, если бы не так печально. Еще хорошо, что точно известно: погиб мужчина. А то одна свидетельница уже заявила: «Отлично видела, как несчастная женщина в ярко-розовом платье катилась по дороге. Этот подонок на нее специально наехал!»

— Какое платье! — подскочила тогда я. — На дворе декабрь!

Куприн потряс головой:

— Вот именно! Мы вели за погибшим наружное наблюдение, он был в разработке, и тут бац — ДТП. Да еще в тот момент, когда новенький сотрудник, приставленный «хвостом», отвлекся. Он, конечно, получит по шее, но только из-за его оплошности получилось, что самого момента наезда никто из наших не видел. Приходится опрашивать свидетелей. Я отлично в курсе — сбит парень двадцати восьми лет, одетый в темно-синее пальто и вязаную шапку. Но эта дура стоит на своем! Она, понимаете ли, точно приметила: девушка в платье, как у Барби. Другой дурак талдычит: «Номер «ноль два». Стопудово, парни, я летчик, у меня глаз как у орла»...

Поэтому сейчас я совершенно не удивилась возгласу Веры:

— Вилка! Пистолет был!

— Но как она его держала?

— В пальцах.

— Растопыренных веером?

— Ну да, — уже не с такой уверенностью заявила Данильченко. — Но я его точно видела. У меня глаз как...

— ...у орла, — мирно докончила я начатую непутевой свидетельницей фразу. — Знаешь, у орлов, как у людей, наверняка случается какая-нибудь глаукома, вкупе с косоглазием и астигматизмом.

Данильченко заморгала, кашлянула, потом уверенно заявила:

— Где кровь, там и револьвер!

— Ага, уже револьвер. А может, нож? — прищурилась я. — Или бритва? В конце концов, и гвоздь подойдет или пила. Впрочем, открывалкой для консервов тоже можно человека здорово поранить. Отчего тебе на ум пистолет пришел? Да и был ли он в руках у Ани?

— Был, — непоколебимо заявила Вера.

— Послушай, — попыталась я вразумить очумелую бабу, — от твоих показаний зависит судьба человека, в подобных случаях следует очень внимательно относиться к своим словам. Сконцентрируйся и пораскинь мозгами.

Данильченко отставила в сторону правую ногу, выпятила нижнюю губу, потом втянула ее назад и с чувством гаркнула:

— Это Анька, что ли, человек? Да всем известно, кто она такая! Сто раз орала во дворе: «Пристрелю Лизку!»

— И кто это слышал?

— Соседи!

— Какие?

— Ну... все! Вообще! Кругом! Понятно, что пистолет она и держала.

— Ясно, — вздохнула я. — Спасибо тебе, Вера, очень хорошие свидетельские показания, четкие, прямые.

— А когда ко мне с камерой приедут? — заволновалась Данильченко.

— Скоро.

— Ты предупреди заранее, — занервничала контролерша, — сбегаю в парикмахерскую.

— Непременно, — кивнула я и ушла домой.

Утром я проспала до одиннадцати часов, встала с больной головой, дошла до ванной, глянула в зеркало и испуганно ойкнула. Парадоксальным образом цвет моей кожи снова стал темнее. Хотя, может, я просто испачкалась? Ага, во сне! В собственной кровати! О чистую наволочку!

— Ой, прости, — послышалось за спиной.

Я обернулась, на пороге ванной маячила Ира.

— Извини, пожалуйста, — тихо сказала она. — Тамара, похоже, ушла, а я не могу с вашим замком справиться. Крутила, крутила — никак не отпирается.

— Пошли, — направилась я в прихожую. — У нас там ничего особенного, просто надо еще задвижку отодвинуть.

— Извини, не знала.

— Ерунда, — махнула я рукой. — Слушай, ты вчера говорила: у Ани имеется лучшая подруга...

— Да, — тихо сказала Ирина, — Маша Левкина.

— Можешь дать ее координаты?

— Конечно, — кивнула Галкина и вытащила из кармана сотовый. — Тебе какой номер, домашний или мобильный?

— Диктуй все.

Ирина назвала нужные цифры, потом взялась за ручку двери.

— Спасибо тебе.

— Пока не за что. Если сумею выручить Аню из беды, тогда и поблагодаришь.

— Ты веришь, что моя девочка невиновна! — заликовала Ира.

— Давай не будем торопить события, — обтекаемо ответила я.

— Все равно спасибо. Вы с Тамарой меня спать в собственном доме уложили, — вздохнула Ирина, —

не всякий на подобный поступок способен. Я у вас уснула, словно младенец, отдохнула и в себя пришла. Кстати, Вилка, сколько ты с клиентов берешь?

— Я помогаю людям бесплатно.

Галкина помрачнела.

— Без денег хорошо не выйдет. Эх, похоже, зря я на твою помощь надеюсь!

Я решила оставить ее последнее замечание без внимания, молча распахнула дверь и ласково сказала:

— Не волнуйся, если сначала очень плохо, то обычно потом бывает хорошо — сто раз проверено.

Ирина безнадежно махнула рукой и ушла. Я вернулась в свою комнату и стала названивать Маше Левкиной. Сначала набрала номер ее домашнего телефона.

«Сейчас не могу ответить на ваш звонок, оставьте сообщение после звукового сигнала», — прочирикало из трубки.

Я предприняла новую попытку, но мобильный равнодушно сообщил:

«Аппарат абонента выключен или находится вне зоны действия сети».

Я вновь стала нажимать на кнопки, теперь набрав рабочий номер.

— Фирма «Армс», — звонко сообщил девичий голос. — Чем могу помочь?

— Позовите Марию Левкину.

— Минуточку.

«Ту-ту-ту», — гудело в трубке.

— Алло, отдел сбыта. Чем могу помочь?

— Позовите Марию Левкину.

— Минуточку. Простите, вас соединили не с тем номером.

Ту-ту-ту.

— Бухгалтерия. Слушаю вас.

— Позовите Марию Левкину, — терпеливо повторила я.

— Ой! На рецепшен перепутали. Сейчас, погодите.

Ту-ту-ту.

— Фирма «Армс». Чем могу помочь?

— Мне нужна Мария Левкина.

— Минуточку.

Ту-ту-ту.

— Отдел сбыта. Чем могу помочь?

— Левкину позовите.

— Секунду.

Ту-ту-ту.

— Бухгалтерия. Вам кого?

— Левкину, — заорала я, — Машу!

— Марию?

— Да.

— Левкину?

— Верно.

— Айн момент.

Ту-ту-ту.

— Фирма «Армс». Чем могу помочь?

— Вы издеваетесь? — завопила я. — Уже в третий раз прошу соединить меня с Марией Левкиной.

— Зачем же так кричать? — обиженно прочирикал девичий голосок. — Я вас состыковала с отделом сбыта, Левкина там числится.

— Но там меня переключали на бухгалтерию, а финансисты отправляли снова к вам.

— Погодите, — велела девушка и вдруг придушенно зашептала: — Так вам Левкину?

— Да!

— Марию?

— Да!!

— Левкину?

— Да!!! Ну неужели не понятно? — растеряла я остатки самообладания вкупе с вежливостью. — Мне нужна Левкина! Мария! Хоть сто раз переспросите, она не превратится в Наташу Иванову!

— Секундочку!

Ту-ту-ту.

— Иванова Наталья. Чем могу помочь?

У меня потемнело в глазах. Право, это было уже слишком. Секретарша, похоже, клиническая идиотка. Или у нее хронический отит, который привел к ранней глухоте. Я же ясно требовала Марию Левкину, про Наталью Иванову ляпнула от злости.

— Так что у вас за проблема? — ласково переспросила Иванова.

— Извините, — стараясь держаться спокойно, ответила я, — у вас в приемной странная особа сидит. Я спрашивала Марию Левкину, а она соединила с вами.

— А зачем вы ищете Машу? — вдруг совершенно человеческим, а не казенно-вежливым голосом спросила Наташа. — Представьтесь, пожалуйста.

— Виола Тараканова, — быстро назвалась я, — хотела поговорить с Левкиной по личному вопросу.

— Вы не оптовик?

— Нет, нет! Извините, даже не знаю, чем торгуете. Не хочу вас обидеть, но впервые слышу название «Армс».

— Мы занимаемся газетами, журналами и частично книгами, — вежливо пояснила Наташа.

Во мне неожиданно проснулось любопытство.

— Скажите, а детективы Арины Виоловой в ассортименте имеются?

— Только что говорили, будто хотели поболтать с Левкиной по личному вопросу, а теперь интересуетесь нашим ассортиментом, — попыталась поймать меня на лжи Наташа.

— Просто так спросила. Арина Виолова — это я.

— Вы? Но назвались Виолой Таракановой.

— Виолова — псевдоним, а Маша мне нужна, чтобы помочь Ане Галкиной. Вы скажите Марии, что Аня попала в крайне неприятную ситуацию. Ее арестовали по подозрению в убийстве.

Раздался тихий вскрик, потом Наташа зашептала в трубку:

— В шестнадцать ноль-ноль. Записывайте адрес... Знаете эту улицу? Дом восемнадцать, квартира семь. Ясно?

— Поняла! — обрадованно воскликнула я. — Вы не имеете права занимать служебный телефон для личных разговоров!

— Именно так, — громко ответила Наталья, — все личное после окончания рабочего дня.

Очень довольная тем, что хоть заочно сумела договориться с Левкиной о встрече, я вернулась в ванную, глянула на себя в зеркало.

— Мама! — невольно вырвалось у меня.

Теперь коричневый тон кожи на лице где-то потемнел, а где-то посветлел. Я стала похожа на собаку породы далматин. Правда, милое животное с бело-черной шерстью вызывает у прохожих приступ умиления и желание погладить псинку, а от меня все станут шарахаться в разные стороны. Нужно срочно принимать меры. Какие?

Я быстренько оделась и кинулась к машине. На четыре у меня назначена встреча, а до нее следует что-то сделать с лицом. Притормозив у тротуара, огляделась по сторонам, увидела вывеску «Торговый центр «Золушка» и схватила сумочку. Вот и отлично, в здании просто обязан быть магазин косметики, подберу средство, осветляющее кожу.

Как назло, в небольшом зальчике оказалось много народу. Сначала я самостоятельно пыталась разобраться во множестве банок, но быстро поняла тщетность подобных действий. «Питательная лифтинговая маска с ретинолом», «Дневной крем с гиалуроновой кислотой», «Сыворотка с провитаминами»... Нет, я существо из пещерной эпохи. До сих пор пользовалась самыми простыми, отлично известными всем бывшим советским женщинам кремами. Они, конечно, упакованы в малопривлекательные тюбики, а не во флакончик с дозатором или переливающуюся всеми цветами радуги баночку и пахнут чем-то не слишком ароматным, но стоят копейки и не содержат никаких тайн. А тут ретинол, гиалуроновая кислота, провитамины... Что это за звери? Нет, срочно нужна консультация профессионала.

Встав на цыпочки, я осмотрела помещение и увидела, что одна из продавщиц, девушка, одетая, как и все служащие, в голубую кофточку, в одиночестве разглядывает стеллаж с разноцветными бутылочками. Быстрым шагом я приблизилась к девице и попросила:

— Покажите, пожалуйста, средства, отбеливающие кожу.

— Сама гляди! — не поворачивая головы, гавкнула торговка.

От подобного хамства я обомлела, потом откашлялась, открыла рот, чтобы высказать продавщице свое мнение о ее работе, но тут девчонка сердито продолжила:

— Кругом одни идиотки! Уж третья подходит! Я че, так похожа на дуру, которая торгует этим дерьмом?

В ту же секунду я поняла свою ошибку. На разозленной до предела девушке была не голубая форма продавщиц, а такая же по цвету курточка из плащовки.

— Простите, — воскликнула я, — не хотела обидеть!

— Ладно уж, — буркнула девушка, по-прежнему не отрывая взора от шеренги лаков, — просто в другой раз глаза разуй.

Внезапно мне стало обидно за тех, кто стоит за прилавком.

— На мой взгляд, ничего ужасного не произошло. В продавщицы в основном берут молодых и симпатичных девушек. Спутай кто меня с сотрудницей магазина, сочла бы это за комплимент.

— Ну, блин, ваще! — воскликнула покупательница и подняла глаза.

Она явно собиралась перейти на крик, но неожиданно замолчала, а потом вполне нормальным тоном спросила:

— А что это у тебя с мордой? Вид жуткий.

— Ерунда какая-то, — пожала я плечами, — вот, решила отбеливающий крем приобрести.

— Э... э... э... и давно пятна пошли?

— Со вчерашнего вечера, — охотно пояснила я, — попробовала...

Но девица не дала мне довершить рассказ о маске.

— На ужин что ела? — нервно спросила она.

— Индюшатину, — удивленно ответила я. — А почему вы интересуетесь?

— Мама, — завопила вдруг покупательница, — мама!

Я было решила, что она по непонятной причине пришла в ужас. Многие из нас, оказавшись в нестандартной или опасной ситуации, машинально вспоминают родительницу. Но оказалось, что девица кличет вполне конкретную мамочку, — от витрины с пудрой к нам поспешила тучная тетка, облаченная в пальто экстремально зеленой расцветки.

— Что случилось, Аллочка? — тревожно спросила она.

Дочурка ткнула в меня пальцем:

— Во, гляди! Видишь пятна?

Родительница бесцеремонно окинула взглядом мое лицо.

— Ну?

— Она вчера котлеты ела из птицы, а потом пошла пятнами.

— И чего? — не поняла ситуацию матушка.

Я же, вместо того чтобы обозлиться на хамок, терпеливо поджидала, пока Аллочка растолкует непонятливой мамаше суть, наивно полагая, что девушка, решив мне помочь, позвала маму как даму, компетентную в вопросах косметологии. Сейчас матрона просветлеет лицом и скажет: «Ну, конечно, дорогая, все ясно. Идите сюда, видите вон ту баночку? Надежное и недорогое средство, сама им пользуюсь, берите спокойно».

Но ситуация стала развиваться не так, как я ожидала.

— И чего, Аллуся? — забубнила маменька. — Зачем мне на какую-то страхолюдину любоваться?

— Птичий грипп! — завизжала Алла и со всех ног бросилась к кассам. — Вы почему разрешаете входить в магазин всякой заразе?

— Успокойтесь, — попыталась купировать ситуацию старшая по смене, но Алла вошла в раж:

— У нее птичий грипп! Щас как кашлянет, все помрем!

Именно в эту секунду кто-то из стоявших около меня покупателей начал пшикать духами на полоску бумаги. Запах моментально проник ко мне в ноздри, и я с чувством чихнула.

В магазине повисла напряженная тишина.

— Вот! — разорвало воздух сопрано Аллочки. — Я ж говорила! Грипп! Птичий! Во всех газетах пишут! От него спасения нет! Весь Китай перемер! Теперь к нам пришло! Она вчера индейку ела!

Окружавший меня народ ринулся в разные стороны, а я, как назло, никак не могла остановиться и продолжала чихать.

— Спокойно, спокойно, — бубнила слегка побледневшая дама-менеджер. — Что вы такое говорите? Никакого птичьего гриппа в России нет. Вчера какой-то начальник по телевизору выступал и четко заявил: «Голову на отсечение даю, наши куры здоровы, как богатыри. Хотите, кусок сырой птицы прямо перед камерами съем?»

— И съел? — успела я спросить в перерыве между двумя «апчхи».

— Нет, — растерянно ответила старшая продавщица, — только пообещал.

— Раз начальство орет, что опасности нет, значит, завтра особое положение введут, — авторитетно заявил мужчина в добротном плаще. — Сколько раз нас обманывали! Дефолт помните? В десять утра по «Новостям» вожди на все голоса твердили: «Что такое? Отчего народ нервничает? У нас все отлично!» А потом чего? В полдень обменники закрылись, доллорешник хренакнулся. Абзац! Ну-ка, чего вчера тот хмырь по телику кудахтал? Нет птичьего гриппа?

— Нет, — кивнула главная продавщица.

— Во! — поднял вверх указательный палец правой руки мужик. — Значит, есть! Шагает по стране, к Москве подобрался. Вон она стоит, зараза!

Последние слова дядьки потонули в звуке шагов массы покупателей, которые спешно эвакуировались из магазина. Люди убегали молча, лишь одна экзальтированная дамочка визгливым голосом вскрикивала:

— Паша, Петя, детки, вы где? Мальчики, мама очень волнуется! Надо спешно уходить, тут смерть от птичьего гриппа! Люди, помогите найти ребят! Господи, пропали, потерялись! Что ж делать? Катастрофа! Паша, Петя, отзовитесь!

— У нас есть радиорубка, — дрожащим голосом завела одна из продавщиц, — можно объявить о пропаже малышей.

Несчастная мать — впрочем, судя по возрасту, скорее бабушка — истерически зарыдала. Мне стало жаль перепуганную тетку, ноги сами сделали шаг в сторону всхлипывающей дамы, и тут в зал вошли два мужика, очень похожие друг на друга. Оба толстые, лысые, бородатые, им явно перевалило за сорок.

— Мама, — раздраженно сказал тот, что повыше, — прекрати кричать!

— Мы задержались возле табачных изделий, — подхватил второй.

— Слава богу! — зарыдала теперь уже от радости их маменька. — Скорей, скорей! Прочь отсюда!

Мужчины переглянулись, пожали плечами, но спорить с матушкой не стали, молча подхватили родительницу и испарились. Не прошло и пяти минут, как битком набитый людьми магазин опустел. Из посетителей я осталась в торговом зале одна, за кассами в стайку сбились испуганные продавщицы.

Глава 9

Решив использовать создавшееся положение для решения своей проблемы, я приблизилась к стойке, на которой громоздилось два кассовых аппарата. Увидела большую коробку, набитую кусками мыла, сделала вздох и снова со вкусом чихнула. Затем вежливо попросила:

— Помогите, пожалуйста, подобрать средство для отбеливания кожи. Апчхи!

— Мне надо на склад сбегать! — нервно воскликнула одна девица, пятясь к стене.

— Ой, — воскликнула следом другая, — совсем забыла! В подсобке-то окно открыто! Сейчас дождь стол зальет...

Подталкивая друг друга, девчонки мгновенно скрылись за незаметной дверкой, очень удачно расположенной прямо за кассами. Мы со старшей продавщицей очутились вдвоем. Я глянула на беджик, прикрепленный к ее груди, — на нем значилось имя Анжела.

— У меня ребенок, — неожиданно произнесла она, — маленький, мужа нет. Уходите, пожалуйста.

— Неужели вы поверили глупости про птичий грипп? — возмутилась я и раскашлялась.

Бруски мыла источали едкий аромат.

— Нет! Нет! — с жаром воскликнула Анжела. — Просто... э... у нас учет.

— Я не больна. Кха-кха. Виновато мыло, оно противно воняет.

— Да, да, сейчас уберем. Извините, магазин закрыт.

Анжела выскочила из-за стойки, подлетела к стеклянной двери и перевернула висевшую на ней табличку.

— Вот! Видите? С той стороны написано: «Просим извинить. Технический перерыв». Кассу заклинило!

Мне стало смешно.

— Так учет или электроника подвела?

Анжела осеклась, затем встрепенулась и решительно сообщила:

— А все вместе!

— Очень глупо.

— Извините.

— Я совершенно здорова. Пятна на лице появились после употребления маски из смолы американской сосны. Мне ее в другом магазине бесплатно нанесли.

Внезапно Анжела хихикнула:

— Ага! Знаю такую. Ее и к нам приносили. Дурят людям голову, намешают всякой дряни, а бабы покупают.

— Зачем же фирма предлагает бесплатную пробу, если маска недейственна?

Анжела заговорщицки понизила голос:

— Женщины-то наши... совсем на голову больные... после тридцати в особенности... На все согласятся, если увидят, что похорошели.

— Вы же сказали: маска — дрянь!

Менеджер закивала:

— Верно. Она ничего не делает, там лишь краситель. А все очень просто. Приходит тетка с улицы, вползает в наш магазин, и первое, что видит, — свое отражение в зеркале... Наша хозяйка тоже не дура, просекла фишку... Думаете, почему во всех точках, где косметика выставлена, такой яркий свет, прямо глаза слепит, а?

— Не знаю, — пожала я плечами. — Наверное, чтобы лучше видно было.

— Вот-вот, угадали! — закивала Анжела. — Даже самые мелкие морщинки высвечиваются. Покупательница на себя глянет и за голову хватается. Она, может, хотела всего лишь помаду купить, а приобретает целую сумку всяких средств, и все потому, что на свое отражение при входе полюбовалась и решила, что надо положение срочно исправлять.

— Понятно, — протянула я.

— А маска эта, — тараторила Анжела, — наносится на пятнадцать минут, потом смывается специальным лосьоном. Водой нельзя, получится, как у вас, пятнами. Если же правильно смолу удалить, кожа чуть-чуть оттеняется, легкий золотистый налет остается. Вид у лица сразу посвежевший, отдохнувший.

— А где лосьон взять можно? — оживилась я.

Анжела поправила прическу.

— Ладно, попробую помочь. Идите по улице вниз, второй дом от угла, клиника «Бернардино», спросите на ресепшен Илью Германовича. Он замечательный врач-косметолог, решит вашу проблему.

— К нему небось запись, — предположила я, — на полгода вперед время расписано.

— Ступайте спокойно, — поторопила меня Анжела. — Позвоню ему сейчас, попрошу вас принять, только фамилию свою скажите.

Анжела выполнила обещание. Симпатичная брюнетка на ресепшен, услыхав фразу: «Я Виола Тараканова, хочу попасть к Илье Германовичу», мигом вручила мне крохотный листочек и ласково улыбнулась:

— Отдадите талончик доктору, кабинет номер восемь.

Круглые кресла у двери нужной мне комнаты пустовали. Я осторожно постучала в белую лакированную створку.

— Войдите, — послышался приятный баритон.

Я вступила внутрь, увидела кушетку, письменный стол, компьютер, около него мужчину и тихо сказала:

— Здравствуйте.

Илья Германович оторвался от экрана, я обомлела. Врач был красив, словно греческий бог. Таких совершенных лиц в природе не бывает!

— Рад встрече, — расцвел в улыбке Илья Германович.

— Здрассти, — повторила я в совершеннейшей растерянности.

— Садитесь. В чем причина вашего визита?

— Разве не видно?

— Что?

— Пятна!

— О! Это ерунда! Родите ребенка, и пройдет, — легкомысленно отмахнулся доктор.

Я подскочила на стуле:

— Для избавления от напасти надо обязательно произвести на свет младенца? Но у меня не все в порядке со здоровьем, дети не получаются.

— Так вы не беременны?

— Нет, конечно. А что, я похожа на женщину в интересном положении? Живот торчит? — с сомнением спросила я.

Врач погладил подбородок.

— Наверное, у вас мышцы ослабли и появилось брюшко. Давайте посмотрю на вас более внимателььно и одновременно выслушаю рассказ о беде. Кстати, гепатитом не болели?

Я откашлялась и принялась излагать историю про маску.

Илья Германович тем временем направил на мое лицо свет большой лампы и принялся методично изучать поле деятельности.

— Ну что ж, — решительно заявил он, когда я замолчала, — маска — это чистая ерунда. Купите специальный состав в нашей аптеке — сейчас выпишу рецепт — и удалите темный цвет вкупе со всеми пятнами и потеками.

— Ой, спасибо, доктор! — заликовала я.

— Но решит ли это ваши проблемы? — спокойно продолжил Илья Германович.

— Вы о чем? Пятна могут снова появиться?

— Нет, если, конечно, опять не сглупите и не попадетесь на удочку шарлатану. Кстати, в дальнейшем советую иметь дело лишь с профессионалами, людьми, которые имеют соответствующее образование. Вот.

Доктор отъехал в кресле на колесиках в сторону и широким жестом указал на стену, которую до сих пор прикрывала его широкая спина. Я щелкнула языком.

Тут и там висели окантованные золочеными рамочками дипломы. «Академия пластической хирургии, курс красоты щек. Оценка — отлично». «Международная ассоциация корректировщиков коленей. Париж. Диплом первой степени». «Американо-итальянское объединение теоретических хирургов-косметологов. Диплом с отличием». «Всемирный конкурс «Мисс совершенство». Имплантация губ. Золотая медаль». «Хрустальный лев косметологии. Обмен лица». «Платиновый скальпель. Награда собрания африкано-азиатских обществ помощи жертвам катастроф и терроризма. Пересадка носа».

— Ничего себе! — вылетело из меня.

Илья Германович слегка зарделся.

— Времени нет повесить все документы. Пациентов много, каждому помочь хочется. Будем считать, что вас сюда господь за руку привел. Сейчас в Москве развелось немереное количество мошенников, которые, не стесняясь, берутся за все и уродуют людей. А я потом исправляю ошибки! Даже выспаться некогда! Ладно, давайте подумаем о вас. Кожа вернет нужный оттенок, но грыжа никуда не денется.

— У меня нету грыжи, — растерянно заметила я, — не жалуюсь на боли в животе.

Илья Германович усмехнулся и повернул ко мне большое круглое зеркало.

— Вот, под глазами мешочки, это грыжи.

Я осторожно потрогала пальцами тонкую кожу. Надо же, никогда не обращала внимания на столь неприятный дефект.

— Некрасиво? — с сочувствием спросил доктор.

— Отвратительно, — честно призналась я.

— А еще предательски выдает возраст, — кивнул Илья Германович. — Вы, впрочем, молодец, держитесь. Я хорошо понимаю, чего вам это стоит в шестьдесят пять лет.

— Кому шестьдесят пять? — испугалась я.

Илья Германович облокотился на столешницу и бархатным голосом произнес:

— Врачу, как исповеднику, надо говорить правду. Не спорю, вы, благодаря большой проделанной над собой работе, смотритесь чудесно, но наличие запущенных грыж выдало мне ваш истинный возраст. Если уберем неприятность, никто не даст вам больше... э... э... пятидесяти.

— Я еще сорокалетие не справила!

— Я только что предупредил о необходимости откровенного разговора! Очень хорошо понимаю ваше желание казаться моложе и готов предложить вам в помощь все свои силы и умение, но лучше мне точно знать ваш биологический возраст. Поверьте, это не праздное любопытство, а профессиональная необходимость. Так сколько вам — шестьдесят четыре? Пять? Шесть? Семь? Сначала принял вас за беременную из-за гигантского живота, но теперь-то вижу, вижу — вы уже в глубоком климаксе.

Трясущимися руками я вытащила из сумочки паспорт и шмякнула его на стол.

— Смотрите!

Безукоризненно чистыми пальцами с отполированными ногтями Илья Германович перелистнул странички и воскликнул:

— О черт! Пардон, случайно с языка слетело.

— Я что, так ужасно смотрюсь? На седьмой десяток?

— Ну... э... нет... э... Меня ввели в заблуждение грыжи.

— Понятно.

— И «собачьи щечки».

Я машинально схватила себя за лицо:

— Какие щеки?

— Собачьи, — осторожно повторил Илья Германович. — Знаете, пластические хирурги — люди откровенные, нам нет необходимости кокетничать с пациентом. Так вот, про силу притяжения слышали? Ее в школе изучают.

— «Е» равняется «mc» в квадрате, — выплыла из глубин памяти какая-то формула[1].

— Верно, верно! — обрадовался доктор. — Так вот, земля притягивает к себе все, мышцы человека в том числе. Пока мы молоды, ткани упруги, проблем нет. Но после пятидесяти начинается стремительный обвис, щеки неудержимо тянет к полу. Они «стекают» с лица. Видели мопса или бульдога? Купите книгу о животных и гляньте, сразу поймете, отчего в пластической хирургии существует понятие «собачьи щечки». А еще есть «эффект пеликана».

— Кого? — прошептала я.

— Вы в зоопарке бывали?

— Давно очень, классе в пятом Кристину водила.

— Пеликана помните?

— Птицу большую? Белую?

— Верно.

— Она рыбу ест...

— В самую точку.

— Но при чем тут я? Ладно, согласна, мои щеки потеряли форму, сейчас сама вижу: они почти лежат на плечах. Ваше зеркало очень четко демонстрирует картину. Но пеликан-то здесь с какого бока?

Илья Германович погрустнел, сложил руки на груди, повесил голову, потом трагическим тоном завел:

— Знаете, я из семьи потомственных пластиков. Мой отец держал в порядке лица очень многих наших великих людей, дед работал с царской семьей, а

---

[1] Полная энергия движущегося тела определяется соотношением А. Эйнштейна: $E=mc^2$. Правда, эта формула имеет отношение к закону всемирного тяготения, открытому И. Ньютоном. (*Прим. автора.*)

прапра... омолаживал Екатерину Вторую. Поэтому, сами понимаете, особого выбора профессии у меня не имелось, пришлось продолжать династию. Нет, поймите правильно, обожаю взять... кхм... такую, как вы, и превратить ее в нормальную женщину, которой не стыдно выйти на улицу. Но есть в нашей благородной профессии огромный минус, стресс для врача. Это тяжелая обязанность сообщить пациенту страшную, ужасную, отвратительную истину о состоянии его здоровья. Знаете, какое количество медиков заканчивает жизнь самоубийством? Четверть! Двадцать пять процентов от общего числа людей в белых халатах травятся или вешаются! А все почему? Опытный специалист, профи, как я, сразу просекает, что происходит. Сидит перед тобой человек, выглядит ничего, анализы хорошие, жалоб никаких, но нутро у него... А у хорошего врача особое чувство... некое озарение... глянул на пациента и понял: он в кошмарном состоянии. И ты обязан открыть ему правду. Поверьте, это страшный момент, я всегда потом мучаюсь, даже плачу... Вот и в вашем случае... да...

— Что со мной? — одними губами спросила я. — Онкология?

— «Шея пеликана»! — выпалил Илья Германович и прикрыл глаза рукой.

Я попыталась оценить размер катастрофы.

— Это смертельно?

— Нет, конечно, элементарно убирается, — деловито сообщил хирург. — Сейчас поясню. Значит, в зоопарке бывали, пеликана видели, он рыбу ест. А куда складывает про запас селедку, ну, ту, которая временно в желудок не помещается?

— В мешок под клювом.

— Вот! Отсюда и термин «шея пеликана». У вас под подбородком этакий «мешочек» из отвисшей кожи. Да гляньте в зеркало, неужели раньше не приметили?

— Нет, — тихо ответила я, — дома нормально выгляжу, а у вас сейчас Баба-яга натуральная.

Илья Германович сочувственно закивал:

— В квартирах неправильное освещение. Да и не рассматриваете вы себя внимательно, бросаете в зеркало дежурный взгляд, и все. Изменения нарастают постепенно, женщины же каждый день собой любуются, поэтому ничего и не замечают. Вот, приди вам в голову идея три месяца не пользоваться зеркалом, а потом в него заглянуть, вы бы сразу еще и «горб вдовы» увидели.

— «Горб вдовы»?

— Ну да, это такой жировой бугор на холке. Он после пятидесяти у тех, кто за собой не следит, отрастает. Можете затылком коснуться лопаток?

Я попыталась проделать маневр.

— Нет.

— Вот! «Горб вдовы» мешает. Но, если честно, он ерунда по сравнению с «эффектом черепахи».

— Черепахи... — эхом повторила я.

— Так именуется сетка мелких морщин, полностью покрывающая лицо, шею и зону декольте. Она более неприятна, чем присущий вам «синдром медузы».

У меня закружилась голова, а Илья Германович преспокойно вещал дальше:

— Впрочем, с ним мы справимся, как и с опущенными вниз уголками губ. «Улыбка Пьеро» придает человеку обиженно-старческий вид, а глубокие носогубные складки, так называемое «выражение макаки», окончательно превращают вас в старушку. Если бы вы имели красивый, высокий бюст и элегантную форму ягодиц вкупе с тонкой талией, то могли бы смотреться не так уж плохо даже с подобным лицом, но у вас «чурковатость». Распространенная, кстати, вещь, но мы и ее элементарно убираем.

— Что такое «чурковатость»? — севшим голосом осведомилась я.

— Чурка — полено или маленькое бревно. Представляете, как оно выглядит?

— Конечно.

— Опишите.

— Ну... круглое, ровное, без выпуклостей и всяких изгибов.

— Теперь понятно? — потер наманикюренные лапки Илья Германович. — У вас груди нет, попы тоже, вследствие недоразвитости косых мышц отсутствует малейший намек на талию. «Чурковатость» в сочетании с другими проблемами превращает вас в даму позднего пенсионного возраста по виду. Кстати, вы замужем?

Не в силах произнести даже самое короткое слово, я просто кивнула.

— Проблем в браке нет? — деловито осведомился доктор. — Муж любит, каждый день приносит цветы, конфеты, осыпает комплиментами, ежеминутно готов к интимной близости?

Я помотала головой.

— Верно, — со вздохом продолжил косметолог, — я бы тоже, простите за откровенность, держался от вас подальше, любовницу завел. Знаете, не та беда, что мужчина дедушка, а то горе, что он спит в одной кровати с бабушкой!

Я моментально вспомнила про отъезд Олега в

Питер с молодой, красивой Настей Волковой, новой сотрудницей, пышнотелой дурой, решившей сделать карьеру при помощи моего мужа, и разрыдалась в голос.

Глава 10

Илья Германович бросился ко мне:

— Милая, успокойтесь! Беде легко помочь!

— Как? — простонала я. — «Шея пеликана», «собачьи щечки», «горб вдовы», «улыбка Пьеро»... Осталось лишь удавиться!

— Это слишком радикальное решение! Обойдемся простыми манипуляциями. Три-четыре пластические операции, и вы снова хорошенькая, словно сочная вишенка.

Я шмыгнула носом.

— Это долго? Сколько времени займет процесс?

Илья Германович поднял глаза к потолку.

— Ну, если торопитесь... Могу предложить альтернативу. Это наше ноу-хау. Капсула молодости. Мы помещаем пациента в специальный аппарат с абсолютно безвредным излучением — и через час сумасшедший эффект. Все подтягивается, укрепляется, разглаживается...

— Правда? — недоверчиво спросила я.

Доктор вздохнул, потом приблизился к стеклянному шкафчику, добыл оттуда бутылочку без этикетки, наплескал из нее немного жидкости на ватный диск и сказал:

— Давайте-ка я вам лицо протру...

Проделав манипуляции, врач велел:

— Посмотрите.

Я повернулась к зеркалу и в полном восторге закричала:

— Ой, спасибо! Я больше не похожа на далматинца! Как быстро! Раз — и готово!

— Теперь верите, что мы способны творить чудеса?

— Да! Да!

— Значит, придете на аппаратную процедуру?

— Конечно!

— Отлично.

— Запишите меня! Только побыстрей! Понимаете, муж в командировке, хочется похорошеть до его возвращения.

Илья сосредоточенно полистал амбарную книгу.

— Аппарат «Молодость навсегда» один на всю Москву, поэтому очередь до майских праздников забита.

— Это больше полугода ждать!

— Но, учитывая сложность вашего положения: муж, быстрое старение... Сделаю подарок, отдам свое место. Берег его для одной знакомой... Да ладно, объясню ей, простит. Приходите завтра. В девять утра.

— Спасибо! Спасибо! Спасибо!

— Пока не за что. Вот квитанция, оплатите в кассе консультацию.

— А сколько стоит процедура в аппарате? — только сейчас догадалась спросить я.

— Пока не могу назвать точную цифру.

— Почему?

— Она зависит от силы тока. Я буду наблюдать за изменениями вашего организма и корректировать пучок. Как правило, мы берем от трех до пяти тысяч...

Я заликовала. Подобную сумму вполне могу потратить на себя, на свою красоту и молодость.

— ...евро, — докончил Илья Германович. — Но

имейте в виду, в особо запущенных случаях счет может возрасти и до десяти тысяч.

— У меня столько нет!

— А сколько есть? — склонил голову набок врач.

— ...э... э...

— Можно платить в рассрочку, мы всегда идем навстречу клиентам, — заулыбался хирург. — Пятьсот евро в месяц — совершенно не обременительная сумма. В общем, так, возьмите на рецепшен телефон и позвоните вечером. Обдумайте ситуацию, взвесьте свои возможности и скажите: придете завтра или нет. Только сообщите обязательно, чтобы место не пропало, у нас за каждые десять минут драка. А еще имейте в виду: старение вашего организма зашло слишком далеко, помочь сможет лишь аппарат «Молодость навсегда». В других клиниках просто натянут кожу, перекосят лицо, вкачают комкающийся гель, будете вынуждены таскаться к ним до конца жизни два раза в неделю. А мы, честные и опытные врачи, решаем проблему радикально, за одно посещение.

Тяжело дыша, я выпала в коридор и побрела к рецепшен.

Симпатичная брюнеточка выдала мне чек.

— Еще мне нужен ваш телефон, — пролепетала я.

— Мой личный?

— Нет, конечно, клиники. Илья Германович просил позвонить и сказать, приду ли завтра на аппаратное лечение. Он нашел местечко... Только... с деньгами у меня... того...

Брюнеточка округлила глаза, потом быстрым шепотком сказала:

— Вы торопитесь?

— Не слишком, — пожала я плечами, — а что?

— На той стороне улицы кафе, подождите меня там.

— Хорошо, — удивленно ответила я.

В небольшом заведении оказалось на редкость уютно, и кофе, который принесла милая официантка, источал замечательный аромат. Не успела я отхлебнуть глоток и оценить вкус напитка, как в кафешку ворвалась брюнетка. Сев на стул, она безо всяких церемоний заявила:

— Я Рита, а тебя как зовут?

— Виола, но лучше Вилка.

— Что, развел тебя Илюша на аппарат? Не верь! Дерьмо!

— «Молодость навсегда» не помогает?

— И машина ерунда, и Илюха сволочь, — сообщила Рита. — Он меня увольняет, сегодня последний день сижу. Решил кого-то из своих любовниц на рецепшен посадить, а значит, пошла ты, Ритуся, вон... Ну, погоди, Илья! Сейчас я все тебе расскажу! Зеркало в кабинете у Ильи слегка кривое, оно изменяет черты лица. «Молодость навсегда» — обычный, блин, ящик, правда, с лампочками. Гудит, моргает... народ в экстазе! И потом, у нас ведь какой менталитет: раз дорого — значит, хорошо. Поваляешься в аппарате, отдашь бабки, Илюха тебе новое зеркальце подставит, с другим дефектом, оно тоже меняет лицо, но в лучшую сторону. Илюша у нас психолог — лучше некуда, мигом нужных баб вычисляет и раскручивает. Не верь ему! Не ходи на процедуру!

— А «собачьи щечки»? — горестно воскликнула я. — И потом, он мне цвет лица мигом вернул.

— Тьфу, — стукнула кулачком по столу Рита, — ну какие вокруг дуры! На, смотри.

Изящной рукой Рита вытащила пудреницу и сунула мне под нос зеркальце.

— Лицо как лицо, — спокойно продолжила она.

— И верно, — протянула я. — Вот только морщины на лбу...

— Ну и что?

— Они мне не нравятся.

— Вколи ботокс.

— А это что такое?

Рита усмехнулась.

— Запиши телефон. Это опытный врач, причем, в отличие от Илюшки, с настоящим дипломом. Ты себе представить не можешь, что он тут творит! В этой клинике целая шобла сидит, дурит народ по-черному. На, держи, это моя визитка, многих в косметологии и пластике знаю. Понадоблюсь — звони, помогу советом. Вообще-то...

Быстрая речь Риты была прервана звонком мобильного. Недовольно поморщившись, девушка схватила трубку.

— Да ну? — воскликнула она спустя секунду. — А он чего? Вау! Давай приезжай! А мне плевать, последний час там сижу. Ага! Перед уходом весь комп очищу, пусть посуетится, урод! Я сейчас еще одной женщине глаза открыла, клиентки его лишила. Пустячок, а приятно. Ну, жду! — Сунув мобильный в карман, вскочила. — Мне пора.

— Спасибо, — с чувством произнесла я.

— Звони по тому телефону и ко мне обращайся без стеснения, — повторила Рита и умчалась.

Я допила великолепный кофе, положила визитку в кошелек, расплатилась и пошла на улицу.

Наташа Иванова оказалась стройной, длинноногой блондинкой с большими синими глазами.

— Вы Арина Виолова? — с некоторым сомнением спросила девушка.

— Верно. Это мой псевдоним, по паспорту Виола Тараканова.

— Но на фотографии, которая помещена на книге, совсем другая женщина!

Я усмехнулась:

— Всегда вздрагиваю, если мне говорят: «Узнали вас по снимку на обложке».

— А чем докажете, что вы та самая Виолова? — нахмурилась Наташа.

Странное поведение девушки стало раздражать.

— Мне нет никакой необходимости что-либо доказывать. Я ведь хотела побеседовать не с вами, а с Машей Левкиной, ближайшей подругой Ани Галкиной. Наверное, я неправильно поняла ситуацию, отчего-то решила: Маша сейчас у вас.

— Что с Аней? — воскликнула Наташа. — Вы по телефону сказали: «С Галкиной беда».

— Ее арестовали.

Наташа прижала руки к груди:

— Господи? За что?

— За убийство. Подробностей не знаю. И вообще, позовите наконец Машу!

— Она умерла, — тихо ответила Иванова.

— Когда?

— Неделю назад.

— От чего? Левкиной же не сто лет было!

— Под автобус попала.

— Под автобус? — подскочила я. — Как же такое случилось?

Наташа отошла к окну и очень тихо ответила:

— Она на остановке стояла. Времени было около семи вечера, самый час пик. Подошел автобус, народ в него полез, давка, толчея, сами понимаете. Еще теперь турникеты придумали, пока в салон попадешь, напихаешься локтями, а у водителя расписание, вот он и поехал, не посмотрел, что не все успели сесть. Наверное, Машу в этот момент кто-то толкнул, она не удержалась, упала и прямо под заднее колесо угодила. В общем, насмерть. Виноватого не нашли, да и искать особо не стали, посчитали за несчастный случай.

Я попыталась переварить информацию.

— Аня не знала о кончине Маши?

Наташа продолжала смотреть в окно, на мой вопрос она не ответила.

— Вот странность... — недоумевала я, — Ирина, мать Ани, сказав, что Маша лучшая подруга ее дочери, посоветовала мне поговорить с ней. Неужели Галкина не в курсе несчастья? Родители Маши ничего не сообщили Ане? И потом, вы... похоже, дружили с Машей, знаете Аню...

Наташа обернулась:

— Ну, маме-то Аня точно правду не сообщила, потому что они с Машей незадолго до несчастья поругались и решили больше никогда не встречаться.

— Почему?

Наташа хмыкнула:

— В двух словах не объяснить. Просто перестали понимать друг друга.

— Но ведь они общались давно?

— Со школы, — коротко ответила Наташа. — Анина мама поменяла место жительства, переехала на другую квартиру, Анька пришла в нашу школу, и ее посадили рядом с Машей.

— Погодите, получается, вы тоже учились вместе с ними.

— Ну да, — слегка недовольно ответила собеседница.

— Значит, вы сумеете мне рассказать...

— Нет, — резко ответила Наташа, — не сумею.

Меня удивило выражение злости, появившееся на симпатичном личике, но, поскольку альтернативы не имелось, я решила попытаться наладить контакт с Наташей.

— Аня попала в беду!

— Этого следовало ожидать.

— Почему?

— Ну... она постоянно лезла невесть куда. Делала глупости, очень жадной стала... А что случилось? — наконец-то проявила любопытство Наташа.

— Аню обвиняют в убийстве Лизы Макаркиной, жены массажиста, соседа...

— Так и знала, что Галкина плохо закончит! — с явным злорадством воскликнула Наташа. — Ну, прямо офигеть!

Я, сообразив, что у девушек были непростые отношения, попросила:

— Наташа, расскажите мне об Ане.

— Ничего я не знаю, — быстро ответила девушка. — А что, Анька призналась?

— Нет. Более того, она категорически отрицает факт своей причастности к преступлению.

— Ага.

— Ее мама в шоке.

— Понятно.

— Она попросила меня помочь дочери.

— Угу.

— У меня получается распутывать всякие узлы,

я не раз выручала людей, по глупости попавших в беду.

— Ясненько, — буркнула Наташа и снова отвернулась.

Странное поведение Ивановой окончательно меня разозлило, и я решила пойти ва-банк:

— Знаете, Наташенька, я являюсь хорошим детективом.

— Ага.

— Подмечаю несуразицы, нестыковки, вижу странность поведения людей.

— Угу.

— Вот сейчас, например, очень удивлена.

— Чем?

— Я позвонила в фирму «Армс» в поисках Маши. Ирина дала мне несколько телефонов Левкиной, но и мобильный, и домашний молчали. Понимаете?

— Неудивительно, — тихо ответила Наташа, — Маша-то умерла.

— А на работе меня последовательно соединяли с разными отделами. Отчего же на рецепшен не ответили: «Левкина погибла»?

Наташа пожала плечами:

— Видимо, начальство запретило.

— А зачем направляли в разные отделы?

— Наверное, не хотели терять клиента. Рассудили просто: Левкиной нет, но товар-то продавать надо.

— Ну вот, теперь все ясно... кроме одной крохотной детальки... Почему вы позвали меня к себе в гости?

Наташа заморгала.

— Не захотели терять клиентку? — мило повторила я ее слова.

Иванова кивнула.

— Нелогично, — улыбнулась я. — Тогда следовало пригласить незнакомку на работу. Но вы отчего-то шепотом...

— Наше руководство, не стесняясь, говорит о том, что прослушивает телефонные переговоры, — оборвала меня Наташа. — Тех, кто занимается на службе пустопорожней болтовней, грозят уволить при первой возможности.

— Следовательно, вы все-таки собирались поговорить со мной о личном?

Наташа замерла безо всякого движения у подоконника, а я продолжала наседать на нее:

— Я пришла, как договорились. Причем это вы пригласили меня! Но вы вдруг переменили решение и сейчас ждете с нетерпением, когда надоедливая гостья уйдет вон. Вроде хотите что-то рассказать или узнать у меня, но боитесь и никак не сообразите, что лучше: начать откровенничать или молчать. Судя по растерянности, в которой сейчас пребываете, для вас плохо все.

Наташа вздрогнула и вдруг жалобным голосом спросила:

— Аньку посадят?

— Не знаю, но чем больше думаю над произошедшим, тем яснее понимаю: все очень непросто. Скажите, Наташа, у Ани был роман с Антоном, мужем Лизы Макаркиной? Собственно говоря, это единственный вопрос, который я хотела задать Маше.

Иванова села к столу.

— У них... да... то есть... нет, не роман, просто очень близкие отношения... и не с ним...

— Наташенька, пожалуйста! — взмолилась я. — Если расскажете правду, поможете своей подружке!

— Мы в последнее время не дружили.

— Учились в одном классе, работали рядом...

— Подумаешь. Я из-за Аньки Машу потеряла! И теперь вот вся трясусь! Потому что не знаю, куда все девать!

— Что?

Наташа подперла рукой щеку.

— Ладно, расскажу вам. Если занимаетесь делами Аньки, то и карты вам в руки, я же избавлюсь от ответственности.

Подавив множество возникших вопросов, я лишь кивнула. Потом не удержалась и добавила:

— Начинайте, я готова избавить вас от груза информации.

Глава 11

Наташа и Маша дружили с первого класса, вместе ходили в школу, на пару возвращались домой и делали уроки. И у одной, и у другой девочки родители день-деньской пропадали на работе, поэтому никто не мешал школьницам проводить время весело. Впрочем, и Наташа, и Машенька ничего особенного не совершали, по большей части, выполнив задания, отправлялись в кино или садились у телевизора. Наташа искренно считала Машу самым близким человеком, а Машенька не уставала демонстрировать свою любовь к подруге. Левкина отлично шила, мастерить юбочки и блузки она научилась очень рано, примерно в третьем классе, и частенько радовала подругу обновками. Наташа не обладала талантом портнихи, зато она имела твердую руку и выполняла за Машу работы по черчению и рисованию. С семи лет до тринадцати девочки ни разу не поссорились, ощущали себя почти сестрами. Но потом в их классе появилась Аня Галкина, и все пошло наперекосяк.

Наташа очень хорошо запомнила день, когда впервые увидела Аню. В тот понедельник их классная руководительница, учительница русского языка Раиса Измайловна, рассердилась на подружек-болтушек и рявкнула:

— Иванова остается на месте, а Левкина пересаживается вперед, устраивается прямо передо мной, иначе тишины в классе не добиться!

Маша скорчила недовольную физиономию. Парта, придвинутая к столу педагога, как правило, пустовала. Школьники находили всевозможные предлоги, чтобы не усаживаться в непосредственной близости от Раисы Измайловны.

— Левкина! Поторопись! — повысила голос русичка.

Делать нечего, пришлось Машеньке, прихватив портфель, устраиваться на «лобном месте». Не успела Левкина как следует умоститься и начать оглядываться на Наташу, как в классе появилась директор школы, Лилия Максимовна.

— Здравствуйте, дети, — царственно кивнула она.

Ученики встали.

— Садитесь, — махнула рукой Лилия Максимовна, — и знакомьтесь. У вас теперь будет новая подружка — Аня Галкина. Анечка, не прячься в коридоре, никто тебя не съест, иди сюда.

Послышались тихие, робкие шаги, и в класс вошла долговязая девочка.

Первым чувством, которое испытала Наташа при виде новенькой, оказалась жалость: Аня выглядела уродкой — слишком высокая, болезненно худая, до синевы бледная. К тому же руки у новенькой болтались, как плети, ноги косолапили.

— Надеюсь, вы примете Анечку в свой коллектив, — произнесла директриса и добавила: — Имейте в виду, Галкина долго болела, и сейчас ей будет трудно.

— Конечно, Лилия Максимовна, — закивала Раиса Измайловна, — дети все понимают. Садись, Аня, на лучшее место, на первую парту, возле Маши Левкиной. Кстати, Маша, вот тебе поручение — бери шефство над новенькой.

— Хорошо, Раиса Измайловна, — кивнула Маша.

Домой девочки пошли втроем. Вот так все и началось.

Через полгода Наташа с тоской констатировала: Аня теперь закадычная подруга Маши. Левкина отдалилась от Ивановой, все реже приходила в гости, а потом у Галкиной начали появляться новые кофточки и юбчонки.

— Сшей мне платье, — попросила один раз Наташа по старой памяти Машу.

— Ой, некогда! — отмахнулась Левкина.

— Да, ты теперь только Аньке вещи шьешь, — пожаловалась Иванова, — вечно вы вместе, а я... на обочине.

— Никто тебя не прогонял, — засуетилась Маша. — Хочешь, пойдем с нами в кино?

— С вами — нет, а с тобой — да, — решительно заявила Наташа.

Левкина быстро обняла подругу.

— Не злись, я люблю тебя больше всех!

— А шьешь Аньке, — горько отметила Наташа.

— Всего пару блузок сварганила, — призналась Маша, — ерунда.

— А мне ничего.

— Полный шкаф наделала!

— Когда это было...

Маша упрямо нахмурила лоб:

— Раиса Измайловна велела Аньку опекать. Не могу же я классную ослушаться! Давай дружить втроем.

— Мне Аня не нравится, — уперлась Наташа, — она противная.

— Ты ее не знаешь, — ринулась в бой Маша, — Галкина хорошая.

— Когда спит зубами к стенке.

— Дура!

— Сама такая!

Многолетняя дружба лопнула. На следующее утро, войдя в класс, Левкина демонстративно прошла мимо парты, за которой тогда сидела вместе с Наташей, и сказала Оле Репниной, соседке Галкиной:

— Слышь, Ольк, давай поменяемся. Тебе фиолетово, а нам с Аней охота рядом сидеть.

Репнина согласно закивала, взяла портфель и подошла к Ивановой.

— Если Машка теперь с Анькой, то я тут сяду, идет?

— Мне однофигственно, — стараясь казаться равнодушной, пожала плечами Иванова.

Отношения прервались. Даже на переменах Маша не приближалась к Наташе, она «ходила» с Аней, буквально заглядывала некрасивой однокласснице в рот, переняла ее ужимки и даже походку. Маша теперь точь-в-точь, как Аня, выбрасывала ногу от бедра, шагая вперед всем телом. Только у Ани, очевидно, имелся некий дефект суставов, отчего она и обрела несколько диковатую, но своеобразную походку, а Маша, старательно подражавшая новой подруге, смотрелась полнейшей идиоткой.

Наташа страдала, наблюдая за тем, как трансформируется Левкина, ей очень хотелось встряхнуть Машу и сказать: «Эй, оглянись! Ты что, очумела?»

Но Иванова сама себя удерживала от этого поступка, понимая, что ничего хорошего все равно не получится.

Потом мать забрала двоечницу Аню из школы, отдала ее в какое-то училище, и Наташа воспрянула духом. Ну вот, и очень правильно, что она ни разу открыто не поцапалась с Анькой, делала хорошую мину при плохой погоде. Теперь Маша вернется к Ивановой, и их дружба засияет новыми красками.

Но снова вышло не так, как надеялась Наташа, — Левкина не сделала ни одного шага навстречу бывшей лучшей подруге. После окончания учебы пути девочек окончательно разошлись.

Прошло несколько лет, Наташа устроилась на работу в торговую фирму «Армс». Первая, кого увидела Иванова в большом кабинете, тесно заставленном столами, была Левкина. Маша изменилась, слегка пополнела, стала блондинкой, но была вполне узнаваемой.

Наткнувшись взором на бывшую одноклассницу, Иванова сначала испытала радость, а потом дискомфорт. Она очень хорошо помнила, какое презрение демонстрировала к ней в выпускном классе Маша, и сейчас не очень понимала, как ей следует поступить. Улыбнуться? Поздороваться? Просто кивнуть? Молча занять место у компьютера?

Маша сама решила проблему. С радостным криком «Натка!» она кинулась на шею Ивановой, работа отдела была временно парализована.

— Господи, это же Наташка! — безостановочно объясняла Левкина коллегам. — Мы учились в одном классе. Вот супер, снова вместе!

Иванова перевела дух. Кажется, Маша решила возобновить дружбу, забыть детские обиды.

В обеденный перерыв Наташа поинтересовалась:

— А как Аня? Вы встречаетесь?

Маша помотала головой.

— Были не разлей вода, а теперь врозь? — не удержалась от ехидного вопроса Наташа.

Левкина вытащила из ящика стола несколько помятый глянцевый журнал.

— Во! Узнаешь?

Иванова посмотрела на фото манекенщицы, облаченной в свадебное платье.

— Нет. А кого мне тут узнавать надо?

— Это же Аня.

— Где?

— Да вот, — ткнула пальцем в снимок модели Маша.

— И правда... — пробормотала Наташа. — Скажите пожалуйста! Была уродка, ходила крюком — и что получилось!

Левкина сунула издание назад в стол.

— Такому шагу специально обучают, а Аньке он от природы достался, — вздохнула она. — У Галкиной теперь карьера на подиуме.

— Она же дура! — не удержалась Наташа.

Неожиданно в глазах Маши мелькнула тоска вперемешку со страхом.

— Нет, это не так, — бормотнула она. — Галкина умная. Просто всякая там наука ей в голову не лезет, но в житейских вопросах она всем нам фору даст.

— Вы поругались? — принялась любопытничать Наташа.

— У Аньки теперь времени мало, — грустно сообщила Маша. — Говорит, на части ее рвут: показы всякие, тусовки...

— А что ты с ней не ходишь на вечеринки?

— Рожей не вышла, — довольно грубо ответила Маша и перевела разговор на иную тему.

Домой Маша и Наташа, как в школьные, догалкинские годы, отправились вместе. Дружба, внезапно прерванная, столь же внезапно возобновилась. Каждый день, правда, в кино бегать не получалось, но выходные проводили вместе и на работе сидели за соседними столами.

Наташа ощущала себя счастливой. Только сейчас она поняла, как тяжело ей было без Маши, — близкой подруги у Ивановой после разрыва с Левкиной так и не завелось.

Целых четыре месяца длилась идиллия. И вот — дело было в пятницу — Маша вдруг сказала:

— Не могу в субботу с тобой встретиться.

— Мы же хотели вместе по магазинам пошляться, — заныла Наташа.

Маша слегка заколебалась, потом сообщила:

— Извини, сразу тебе не сказала. У меня есть кавалер, он моряк, в Москву прилетает из Владивостока на пару дней всего.

— Ой, конечно, гуляй с ним, — закивала Наташа, — я же не знала.

Если честно, ей было немного обидно, что Маша не желает знакомить ее со своим парнем. Но и эгоисткой быть нельзя — если любимый человек подруги прибывает лишь на уик-энд, пару следует оставить наедине.

Наташа постаралась заглушить обиду, и Маша, страшно повеселев, побежала к начальнику. Потом, заговорщицки шепнув Ивановой: «Отпросилась на часок пораньше», — смоталась с работы.

Наташа от тоски пошла в курилку — для тех, кто балуется табаком, в «Армсе» оборудовали балкон, вернее, лоджию. Иванова облокотилась о парапет и машинально глянула вниз. Со второго этажа ей очень хорошо были видны «Жигули», припаркованные непосредственно у парадного входа в фирму. Около машины прогуливалась тощая девица. Она странно выбрасывала вперед ноги, и через секунду Наташа сообразила: по тротуару бродит не кто иная, как Аня.

Наташа вцепилась пальцами в светлый кирпич. Дверь хлопнула, из «Армса» выскочила Маша. Она обняла Аню, затем девушки шмыгнули в легковушку. «Жигули» чихнули и помчались по проспекту.

Иванова осталась стоять с разинутым ртом. Тут только до нее дошло: Маша обманула, никакой моряк из Владивостока к ней не приехал, Левкина просто решила провести выходные с Галкиной.

Дружба рухнула во второй раз, но теперь уже из-за нежелания общаться со стороны Ивановой.

В понедельник Левкина как ни в чем не бывало спросила:

— Как отдохнула?

— Чудесно, — язвительно ответила Наташа. — Похоже, вам с Анькой тоже было неплохо.

Маша порозовела.

— Мы столкнулись случайно, я так удивилась!

— Ты меня обманула, наврала про любовь из Владивостока.

— Просто не хотела тебя расстраивать, — попыталась выкрутиться Маша, — знаю же, как ты к Ане относишься. Не дуйся.

— Очень обидно! — с чувством произнесла Иванова. — Я-то думала, что мы подруги!

— Я не давала обещания иметь дело лишь с тобой, — парировала Маша.

— Значит, не прекратишь общение с Галкиной? — нахмурилась Иванова.

— Нет, — отрезала Левкина.

— Выбирай: или я, или она!

— Аня мне таких условий не ставит.

— Ну и катись к ней! — всхлипнула Наташа.

Дружба скончалась в судорогах. Стало еще хуже, чем в школе, ведь по работе Ивановой и Левкиной приходилось взаимодействовать друг с другом. Ну не могли же они пойти к начальству и, словно маленькие девочки, заныть: «Рассадите нас по разным углам, мы больше не дружим».

Поэтому на службе Наташа и Маша демонстративно улыбались друг другу, но в свободное время не встречались и не созванивались.

Потом Наташа заметила, что у Маши стали появляться красивые вещи: новые джинсы, пуловеры. Впрочем, пополнение ее гардероба отметили и другие сослуживцы, а когда Маша заявилась на работу с сумочкой от известной фирмы, основная сплетница «Армса» Юля не вытерпела и напрямую поинтересовалась:

— Где взяла вещичку?

— Любовник подарил, — улыбнулась Маша. — Теперь гадаю, идти за него замуж или нет.

Отдел бросил работу, сотрудницы принялись живо обсуждать ситуацию.

— Он тебе предложение сделал? — с легкой завистью поинтересовалась Катя Малышева.

— Пока только подарки таскает, — засмеялась Маша. — Одежку покупает, сережки принес, а вчера вот сумочку приволок.

— Похоже, твой обожатель — олигарх-бандит, — констатировала Юля. — Такая сумочка на пару тысяч баксов тянет.

Маша старательно рассмеялась и, покосившись на демонстративно уткнувшуюся в компьютер Наташу, сообщила:

— Самый обычный мужчина, моряк.

— Интересно... — не успокаивалась Юля. — Может, твой моряк — переодетый миллионер? Ну откуда у обычного парня такие бабки?

— Успокойся! — шикнула Маша. — Ладно, признаюсь: это подделка. Мы ее в переходе у метро совсем задешево приобрели.

— А-а-а, — протянула Юля, — тогда ясно. Только за фигом тебе нищий идиот, который дрянь вместо хорошей вещи покупает?

— На тебя не угодишь, — хмыкнула Маша. — По-твоему, если олигарх, то обязательно бандит, а если честный парень без денег, то нищий идиот? Пойду-ка я пообедаю. Кто со мной?

Все сотрудники гурьбой отправились в буфет, в просторной комнате осталась лишь одна Наташа. Поколебавшись несколько минут, Иванова встала, подошла к сиротливо стоящей на столе сумочке Левкиной — виновнице общего беспокойства — и, расстегнув «молнию», заглянула внутрь. Некоторое время назад Наташа прочитала одну статью в любимом глянцевом издании. Журналистка, отметив, что столица наводнена поддельными аксессуарами модной фирмы, привела в материале отличительные приметы настоящей вещи. В частности, советовала обратить внимание на фурнитуру и подкладку.

Очень скоро Наташа удостоверилась: симпатичный «бочоночек» из кожи светло-коричневого цвета — самая настоящая фирменная вещь. Более того, потерявшая всякий стыд от этого открытия Иванова обнаружила в небольшом, закрытом на «молнию» кармашке две бумажки. Одна из них являлась обычным чеком на сумочку, и Иванова ахнула, увидав цифру «68 000 рублей», а вторая представляла собой скидочный талончик. Сумка стоила еще дороже, но постоянной покупательнице скостили десять процентов. Наташу заколотило от злости, когда она увидела фамилию клиентки: Галкина Анна.

Наташа села на место и уставилась в монитор, но в голову вместо работы лезли всякие мысли, по большей части тревожные. Откуда у Маши деньги? Левкина после смерти мамы жила с сильно пьющим отцом, особого достатка у них в доме отродясь не водилось. В какую аферу Аня втянула Машу? Отчего-то Наташа сразу сообразила: неожиданное материальное благополучие Левкиной каким-то образом связано с Галкиной. Версию о таинственном, сногсшибательно богатом моряке из Владивостока Иванова отвергла сразу.

Но как бы ни хотелось Наташе знать правду, она не приставала с вопросами к Левкиной. С одной стороны, понимала: Маша не станет откровенничать, с другой — она не желала возобновлять отношения с предательницей.

Как-то, незадолго до Машиной гибели, Наташа после рабочего дня поздно вечером вернулась домой. На дворе разбушевалась осенняя непогода, и Иванова, закутавшись в плед, мирно читала книжку.

Звонок, долетевший из прихожей, не обрадовал девушку. Гостей она не приглашала, подруг, способных свалиться на голову без предварительной договоренности, не имела. Поэтому нервное треньканье могло означать лишь одно: за дверью стоит мама, которая после того, как дочь перебралась жить в однокомнатную квартиру умершей бабушки, приобрела привычку прикатывать в самый неподходящий момент с пакетом продуктов.

Старательно навесив на лицо радостную гримасу, Наташа распахнула дверь и попятилась. На пороге маячила Маша.

— Можно войти? — тихо спросила Левкина.

— Ну ладно, — скрепя сердце разрешила Наташа и довольно нелюбезно спросила: — Чего надо? Говори живей, я устала, отдохнуть хочу.

Маша шлепнулась на пуфик и вдруг зарыдала. Да так горько, что у Наташи мигом пропали и злость, и обида.

— Что случилось? — кинулась она к Маше.

— Ой, плохо!

— Давай врача позовем, — засуетилась Иванова.

— Нет, нет, я здорова! Просто все плохо. Очень! И зачем я туда влезла...

— Куда?

Дрожащими пальцами Маша расстегнула злополучную сумочку и вытащила конверт. А из него явилась на свет пачка фотографий.

Левкина сунула верхний снимок подруге:

— Любуйся!

Наташа машинально посмотрела на карточку и взвизгнула:

— Ой, мама!

Ей было от чего испугаться. Фотография запечатлела Машу, но в каком виде! Обнаженная шея девушки, высовывавшаяся из слишком открытой кофты, была испещрена рубцами, некрасивый шрам тянулся через щеку, нос смотрел на сторону.

— Господи! — опомнилась от первого ужаса Наташа. — Это ты?

— Я! — шмыгнула носом Маша.

— Но... как... когда... что с тобой случилось?

Левкина вытащила из кармана сигареты и неожиданно усмехнулась:

— Муж из ревности изуродовал. Всю изрезал, видишь, какой Рембрандт получился. Пришлось пластические операции делать.

— Ты была замужем? — захлопала глазами Наташа. — Почему никогда не рассказывала?

Маша смяла в пальцах ни в чем не повинную сигарету.

— Помоги мне.

— С удовольствием! Но что делать?

— Сейчас объясню, — кивнула Левкина. — Слушай внимательно. Замужем я не была, никто меня не бил...

— Ничего не понимаю, — совершенно растерялась Наташа. — А фото?

— Это грим. Шрамы сделал специалист. Весьма неприятная процедура, — пожала плечами Маша, — кожа потом вся горит. Но действует снимок безотказно, клиенты пачками бегут.

— Куда?

— На операцию.

— Какую? — пыталась разобраться в происходящем Наташа.

— Лучше я по порядку... — тихо сказала Маша.

Глава 12

Отношения Маши и Ани еще в школьные годы складывались непросто. Маша — тихая, спокойная, очень положительная девочка — испытывала настоящий восторг от разбойничьих ухваток Ани, а у той в жизни имелось много тайн. Анечка не собиралась посвящать в них Машу, но иногда Галкина случайно роняла такие фразы, что Маша подскакивала. Один раз школьницы мирно болтали, не обращая внимания на работающий телевизор, и вдруг Аня хмыкнула:

— Ну и дурь несет!

— Кто? — удивилась Маша.

— Да докторша эта на экране, про аборты. Слышишь? Если сделать операцию, то потом плохо будет, типа разболеешься... Ну не дура ли! А вот я эту ерунду спокойно перенесла. И не больно совсем: укол поставят, и спишь себе спокойно.

Маша захлопала глазами.

— Ты делала аборт?

Аня осеклась, потом быстро ответила:

— Не, подруга рассказывала.

Но Левкина не поверила Галкиной. В душе очень послушной и правильной Маши подняло голову восхищение: ай да Аня! Вот кто живет как хочет!

Спустя некоторое время Аня поинтересовалась:

— Сколько тебе мама на карманные расходы дает?

— Совсем немного, — призналась Маша. — У нас с деньгами плохо, только на чай и булочку получаю. И еще, конечно, на проездной. А тебе?

— Мне вообще ничего, — захихикала Аня. — У Ирки снега зимой не выпросишь. С собой на занятия бутерброд пихает.

— Но у тебя всегда есть на кино!

— У тебя тоже, — парировала Аня.

— Я на завтраке экономлю.

— А я зарабатываю.

— Как? — залюбопытничала Маша.

— Хочешь тоже попробовать?

— Ага.

— Тогда пошли после школы в одно место, — предложила Аня.

Не подозревавшая ни о чем плохом, Маша отправилась с подругой в самый центр Москвы. Там Аня зашла в какой-то обшарпанный дом, вынесла пару распечатанных пачек сигарет и велела:

— Теперь сядешь на Пушке.

— Где? — не поняла Маша.

— В скверике на Пушкинской площади.

— Зачем?

Аня ухмыльнулась.

— За ерундой. Устроишься на лавочке с бутылочкой фанты. Воду не пей, поставь на лавку, слева от себя. К тебе станут подходить люди и говорить: «Валя, угости сигареткой». Вот им давай по одной штучке из пачки. Только будь внимательна, если кто просто скажет: «Закурить нет?» — отвечай: «Я не балуюсь». Сигареты предназначены лишь для тех, кто по имени обратится, Валей назовет. Понятно?

— В принципе, да, — слегка растерянно ответила Маша, — только непонятно, зачем...

— А ты без принципа обойдись, — заржала Аня, — не умничай. Хочешь денег?

— Очень.

— Тогда начинай.

Все получилось так, как обещала Аня! К скамейке часто подруливали люди, в основном молодые. Левкина очень быстро раздала сигаретки, а потом, уже по дороге домой, получила от подруги довольно крупную купюру.

— Это твоя доля, — сказала одноклассница.

— Ой, как много! — ахнула Маша.

— Не нравится?

— Просто странно, отчего они у нас сигареты стреляли, — наивно проговорила Маша, — рядом-то, в двух шагах, ларек стоял.

Аня согнулась пополам от смеха, потом заявила:

— В ларьке пачками торгуют, а мы поштучно угощали, от доброго сердца.

— А-а-а, — протянула Маша. И снова задумалась. — Все равно непонятно. Откуда тогда деньги?

Аня постучала подругу кулачком по лбу:

— Ау, войдите! Совсем дура? Это трава.

— Трава? — еще больше недоумевала Маша. — Какая? Одуванчики, подорожники?

Аня буквально захлебнулась от хохота.

— Нет, — еле справившись с собой, сумела произнести наконец школьница, — травка.

Тут только до Маши дошло, чем она занималась.

— Ой, мама... — прошептала девочка. — А если нас поймают? Что тогда будет?

— Плохо будет, — радостно пообещала Аня. — Но не боись, не попадемся, я счастливая.

И правда, дело сошло им с рук. Но через некоторое время Аня сказала:

— Все, накрылась малина! Сели ребятки, а мы с тобой ни при чем.

Маша пригорюнилась. Ничего дурного в торговле травкой она не находила, это же не героин, ЛСД или кодеиносодержащие препараты. Так, ерунда, сено, от которого всего лишь пробивает на глупое хихиканье.

— Значит, остались без денег, — резюмировала Левкина.

Аня почесала затылок.

— Придумаем, как заработать.

И вот через неделю Галкина сказала подружке:

— Мань, приходи вечером к школе.

— Зачем? — удивилась Левкина.

— К полуночи приходи, — уточнила, не ответив на вопрос, Аня, но потом, правда, прибавила: — Мите помочь надо.

Заинтригованная Маша прибежала в указанное время на школьный двор. Стоял теплый май, Аня, одетая в легкое платье, пряталась под большим раскидистым деревом. Было тихо, в окружающих домах уже не светились окна, в ближайшем на одном из балконов вспыхивал красный огонек — кто-то курил, наслаждаясь хорошей погодой. Затем окурок упал почти к ногам Ани.

— Слышь, Мань, — сказала Галкина, — ты ведь Митю Ерина знаешь?

— Нет, — ответила Левкина.

— Ну как же! Из десятого.

— Может, видела на переменах, только не в курсе, что он Ерин, — пояснила Маша. — У нас десятиклассников-то тьма! Четыре класса, в каждом по тридцать человек.

— Верно, — буркнула Аня. И тут же сообщила: — Митя моя любовь, на всю жизнь! Ему надо помочь. Видишь форточку открытую?

— Да, — осторожно ответила Маша, — в кабинете директора.

— Можешь в нее влезть?

— Запросто. Только зачем?

Аня потерла руки.

— Попадешь к Лильке в комнату, откроешь ящик письменного стола — она его не запирает, — вынешь оттуда большой заклеенный конверт и назад. Только свет зажигать нельзя и шуметь не надо, иначе сторожиха услышит.

— Мне надо украсть из стола директора пакет? — испугалась Маша.

— Там контрольные городские по русишу, — спокойно пояснила Аня, — Митька ее на «два» написал. Его теперь до экзаменов не допустят, а если работы пропадут, то все их переписывать станут.

— Но почему я? — только и сумела спросить перепуганная Маша.

— Ты маленькая, а я слишком длинная, — туманно объяснила Аня. — И потом, у меня рука болит, не подтянусь. Давай, не дрожи. Принесу Митьке контрольные, он со мной ходить станет. Неужели не поможешь лучшей подруге? Я от любви умру! Если не достану Митьке диктант, он к Нинке Леоновой уйдет.

Дальнейшие действия Маши можно было оправдать лишь ее юным возрастом. У подростков снижено понимание опасности, их легко можно убедить совершить идиотский поступок при помощи слов: «Что, слабо?» или «Неужели дружба для тебя ничего не значит?».

Юркая Маша ловко выполнила поручение Ани. Пакет она нашла сразу, мгновенно схватила его и спустя несколько минут отдала Галкиной. Аня моментально вцепилась в добычу.

— Ну, Машка, покедова, — заявила она и была такова.

Утром Левкину встретили возбужденные одноклассники. По школе бродили сотрудники милиции, расследовали неприятный инцидент: ночью некто проник в кабинет Лилии Максимовны и украл большую сумму денег, которую директриса собиралась потратить на ремонт ветхого школьного здания. Деньги ей накануне вечером вручил некий благодетель из родителей.

Маша похолодела. Тут только до нее дошло, что конверт, который она взяла из стола, когда лазила в директорский кабинет ночью, был слишком толстым и подозрительно узким. Диктант-то пишут на обычных листках в линеечку! Значит, она в темноте перепутала, схватила не то, что надо!

В полном ужасе Маша понеслась в класс, надеясь встретить Аню. Но той на месте не было. Левкина провертелась весь урок, словно на горячей сковородке. Вторым занятием была литература. Классная, войдя к детям, сказала:

— Сегодня, как я вам и обещала, городская контрольная. Вижу, вижу, Кротов и Синякова отсутствуют. Но симулянтство им не поможет, явятся в школу и все равно будут писать диктант, иначе не поставлю четвертные отметки.

— Еще Галкиной нет, — быстро подсказала классная ябеда, староста Лена Линькова.

— Аня у нас больше не учится, — миролюбиво ответила Раиса Измайловна, — она ушла.

Класс зашумел, Маша вцепилась пальцами в край парты, потом невольно вскрикнула:

— Как не учится? Куда ушла?

Раиса Измайловна с удивлением глянула на девочку:

— Ты разве не в курсе? Вы ведь, кажется, подруги. Еще неделю назад ее мама документы забрала, Анечка теперь в училище знания получать станет.

Вот это был удар! Наверное, следовало страшно обидеться на подругу, которая ни звука не проронила об изменениях в своей судьбе. Но Машу заботила совсем иная проблема: конверт!

Между третьим и четвертым уроком Маша принялась искать десятиклассника Митю Ерина и легко обнаружила парня.

Левкина осторожно приблизилась к юноше и завела разговор:

— Прости, ты Аню Галкину знаешь?

— А тебе че надо? — не пошел на контакт Ерин.

— Ты Аню вчера видел?

— Отвянь.

— Она тебе конверт отдала? — упорствовала Маша.

— Отвали, мелочь.

— Сам видишь, ошибка вышла, — лепетала Левкина, — верни его. Не хочешь лично отдавать, просто подкинь. Ночью, через форточку!

Ерин повертел указательным пальцем у виска.

— Того, да? Или с бодуна в школу приперла?

— Отдай, — тихо настаивала Маша.

— Что?

— Конверт.

— Какой?

— Ну... тот... длинный.

— Офигеть! Нет у меня ничего.

— Не ври! — возмутилась Маша.

— Ну ваще прям! — вытаращил глаза Ерин. — Слышь, детка, бросай колоться, а то уже тресняк пришел вместе с мозгоедой! Иди домой, поспи. Какой конверт?

— Я вручила его Ане Галкиной, — попыталась прояснить ситуацию Маша.

— Вот у нее и забери, — логично ответил Митя.

— Но Аня понесла диктант тебе, — настаивала Маша.

Ерин помотал головой, забормотал:

— Ниче не понимаю. Аньку знаю, прощелыга еще та! Была у нас в гостях, потом мама хватилась, сережек нет, золотых. В вазочке на серванте лежали. Хотел Аньке морду набить, припер ее к стене, а она, наглая такая, спокойно заявила: «Ничего не брала, докажи обратное. Я сама сейчас к твоей маме пойду и расскажу, чем Митечка в спальне на родительской кровати занимается, пока предки на работе. Водишь невесть кого, а на меня решил свалить».

Маша не стала слушать болтовню Ерина, она ринулась к Ане домой. Ткнулась носом в запертую дверь и стала поджидать подругу во дворе. Та явилась за полночь, увидела Машу и недовольно сказала:

— Ну и вляпались мы из-за тебя.

— Что я сделала? — оторопела Маша.

— Конверт сперла.

— Минуточку, а кто меня просил его украсть?

— Я говорила о диктантах, а ты перепутала, схапала деньги! — воскликнула Аня. — Жуткая история получилась!

— Давай назад купюры подбросим, — предложила Маша.

— Супер идея! Где же мы их возьмем?

— В конверте.

— Он у Ерина.

— А Митя уверял, будто нет у него ничего, — растерянно сообщила Маша.

Аня всплеснула руками.

— Ты с ним разговаривала?!

— Разве нельзя?

— Нет, конечно! — быстро затараторила Аня. — Я-то тебе поверила, мигом Митьке добычу приволокла. Он ее взял и ходу домой. Там увидел, сколько бабок в конверте, и присвоил. Все ясно, теперь ни за что не признается.

— Надо пойти к Лилии Максимовне и честно рассказать о случившемся, — предложила Маша.

— Ой, дура! Тебя посадят!

— Меня? — ужаснулась Левкина.

— Ну не меня же, — пожала плечами Аня. — Кто в кабинет влез?

— Я, — растерянно ответила Маша.

— Ясно?

— Но послала меня ты!

— Верно, только вела речь о диктанте, а что получилось?

— Я случайно перепутала, в темноте!

— Объясни все ментам, когда денег нет, — протянула Аня.

— Они у Ерина.

— Это доказать надо.

— Ты же ему отдала конверт! — твердила, словно заевшая пластинка, Маша.

— Свидетелей нет, — равнодушно сообщила Галкина. — Я одно скажу, а он другое: «Не видел, не слышал, не знаю». Кому верить? А в твоем случае совсем плохо. Возьмут отпечатки пальцев и увидят: Левкина ящик стола открывала! Отмывайся потом, не отскребешься! Ментам надо только дело закрыть, вора поймать.

Маше стало дурно.

— Чего делать-то? — прошептала она.

Аня принялась накручивать на палец прядь длинных волос.

— У тебя вроде гастрит? — спросила она.

— Ага, — кивнула Левкина.

— Иди домой, ложись в кровать, пусть бабка «Скорую» вызовет. Увезут в больницу, авось там пересидишь, — посоветовала Аня. — Во мне не сомневайся, я молчать стану, ни за что тебя не выдам.

Перепуганная Маша снова послушала Аню и очутилась в клинике. В школу Левкина пришла через два месяца после разыгравшихся событий — она симулировала боль в желудке настолько удачно, что ее после лечения отправили в санаторий, пить минеральную воду.

Не успела Маша вернуться, как на ее бедную голову свалились невероятные сведения. Лилия Максимовна умерла — у директрисы случился инфаркт. Спонсор, вручивший школьной начальнице деньги на ремонт, впрямую обвинил даму в воровстве.

— Почему она конверт в столе оставила? — орал он в милиции. — Чего в сейф не убрала? К себе домой не унесла? На охрану понадеялась? Да у них бабка с тряпкой на должности секьюрити! Все подготовила: форточку распахнула и ушла, а ночью вернулась и сама у себя конверт сперла!

Несчастная Лилия Максимовна пыталась оправдаться. Но ее слова звучали более чем глупо: деньги сунула в стол, потому что сейф не работает, замок заклинило. Домой не понесла, потому что там муж-алкоголик, любую копейку находит. В кабинете спокойно, оттуда никогда ничего не пропадало. Про форточку просто забыла...

Следователь молча выслушал Лилию Максимовну и сказал:

— Хорошо, пока ступайте домой. Жду завтра, продолжим разговор.

Ночью с несчастной женщиной случился инфаркт, и она умерла. Вместе с Лилией Максимовной скончалось и дело. Денег не нашли.

Глава 13

Маша не помнила, как она закончила школу и поступила в колледж. Левкину постоянно мучила совесть, лишь спустя несколько лет она стала слегка забывать ужасную историю. С Аней Маша перезванивалась раз в год. У Галкиной началась полоса бешеного везения — ее взяли на работу в модельное агентство, фотографии Аньки замелькали в журналах. Жизнь разводила подруг в стороны, и вдруг Маша, подходя к своему дому, приметила во дворе Галкину.

— Ну, привет, — затараторила Анька, — ваще меня забыла! Нос задираешь!

Маша окинула взглядом шикарно одетую бывшую одноклассницу.

— Чем же мне гордиться?

— Колледж закончила, образование имеешь, — без тени улыбки сообщила Аня.

— Зато ты, похоже, отлично зарабатываешь, — констатировала Маша. — Шуба шикарная. Мне такую не купить.

— Послушай, — оживилась Аня, — могу тебе помочь! Хочешь манто?

— От подобного никто не откажется! — усмехнулась Маша.

— Пошли поболтаем, — позвала Галкина. — Тут кафешка недалеко, народу никого.

И снова Маша, как в детстве, подпала под обаяние Ани. Наверное, учитывая прежний опыт общения, ей бы следовало сказать: «Прости, времени нет. Да и без шубейки вполне можно прожить счастливо». Но Маша, словно загипнотизированная, последовала за Аней. За кофе Галкина без утайки рассказала об источнике своего благополучия.

Увы, в России на подиуме не слишком-то можно заработать. Чай, не Америка, не Франция и не Италия. Заплатят модельке пару сотен баксов, та и рада до полусмерти. О тысячных и миллионных контрактах речи нет, единственный способ сколотить состояние — попасть на Запад, стать любимой «вешалкой» какого-нибудь Джекобса, Лагерфельда или Дольче с Габбаной, вот тогда окажешься не только в шоколаде, но и в халве с орехами, да в мармеладе вкупе с вареньем. Только у капитанов фэшнбизнеса непонятно устроены мозги и совсем криво поставлены глаза. Обычную девушку с милым личиком они не замечают, а вот страшное существо со взглядом шизофренички, удравшей из поднадзорной палаты, хватают в объятия с криком: «Вот она, моя муза!»

Да, Аню приметила Клара Роден, хозяйка агентства «М-Рашен». Она изо всех сил пыталась пропихнуть перспективную, на ее субъективный взгляд, девушку на мировые подиумы. Но, увы, волонтеры, разыскивающие красавиц по всему миру, не приходили в восторг при взгляде на мордашку Ани.

— Что-то есть, — вяло твердили они, — но отталкивает. У девушки отрицательное обаяние.

В конце концов Клара признала свое поражение и сказала:

— Аня, все, забудь про Париж. Возраст подпирает, так что давай потихоньку зарабатывай тут да, пока мордашка свеженькая, ищи мужа и рожай детей.

Галкина расстроилась. Вдобавок ко всему у нее сильно заболела спина — слишком длинный позвоночник, лишенный крепкой мышечной поддержки, выкручивало в разные стороны. Наконец мать нашла хорошего массажиста, причем по соседству, и позвала того к Анечке.

На первом же сеансе Антон Макаркин сделал пациентке очень больно, девушка зарыдала в голос. Доктор попытался ее утешить:

— Понимаю, неприятно, но иначе толку не будет. Придется потерпеть, зато потом забудешь про грыжу.

Однако с Анечкой случилась натуральная истерика. Захлебываясь слезами, она вдруг рассказала симпатичному врачу про свои надежды стать топ-моделью и про их крушение, пожаловалась на малые заработки и плохие перспективы.

— Еще год мне остался, два, три... хорошо — четыре, — хлюпала носом Аня. — Но это предел! А дальше? Куда деваться? Стоять в магазине и торговать платьями? Демонстрировать их в бутиках тем, кому по жизни повезло?

— Замуж иди, — улыбнулся Антон, — ты легко найдешь жениха.

— Вокруг одни гомики, — еще громче зарыдала Аня. — Где нормального мужика взять? Визажисты, парикмахеры... Ну, ни одного натурала!

— Вас же небось на тусовки зовут, — предположил врач, — там поищи. Мужчин много!

Аня вытерла кулаком глаза.

— Ага! На потрахаться охотников армия стоит, но в ЗАГС никто не торопится.

Макаркин кивнул:

— Понимаю. Что ж, остается тебе лишь один путь: добиваться в жизни успеха самой. Стань обеспеченной, знаменитой, вот тут женихи толпой принесутся.

Галкина опять заплакала.

— Издеваетесь, да? Как мне богачкой заделаться?

— Денег заработай.

— Я всего-то и умею, что по «языку» ходить. Во всем мире моделям миллионы платят, а у нас три копейки! — взвыла Аня.

— Во всем мире тоже по-разному, — трезво ответил Антон. — Ладно, могу помочь. Одевайся, пошли!

— Куда? — всхлипнула Аня.

— К моей жене, — пояснил Макаркин. — Она в клинике работает, давно ищет такую девушку, как ты.

Аня захлопала ресницами.

— Денег хочешь? — усмехнулся Макаркин.

Моделька закивала.

— Тогда шевелись, — велел массажист.

Работа, которую предложила Лиза, оказалась не такой уж и простой. Макаркина была медсестрой в клинике пластической хирургии. Чем больше женщин решалось на глобальные операции, тем ощутимей был заработок Лизы. Но, во-первых, конкуренция на рынке устранения морщин сейчас огромна, а во-вторых, тетки, вроде бы уже собравшиеся сделать липосакцию, круговую подтяжку или вшить имплантаты, сразу не соглашались на хирургическое вмешательство. Потенциальные клиентки, побеседовав с врачом, уходили из кабинета, обронив обтекаемую фразу:

— Хорошо, я подумаю, а потом позвоню.

Дамы колебались, каждая хотела получить максимально чудесный вид при минимальных затратах. Следовало убедить женщин, что клиника под названием «АКТ»[1] — лучшая из лучших, а цены в ней — ниже некуда.

Поэтому в «АКТ» существовали волонтеры — несколько женщин разного возраста, в задачу которых входило одурманивание колеблющихся. Аня стала такой единицей, а работала она в паре с Лизой Макаркиной.

Врач беседовал с клиенткой, Лиза внимательно изучала бумаги дамы, потом звонила Галкиной и давала ей «наводку»:

— Двадцать пять лет. Хочет вшить силикон, надеется женить на себе любовника, у которого уже есть супруга.

Далее наступал бенефис Ани. Ей следовало под благовидным предлогом познакомиться с клиенткой, изобразить из себя бывшую пациентку и сказать:

— Я вот поставила себе третий размер, смотрите, какая теперь грудь красивая. Просто смешно! Два года прожила с мужиком, он между мной и женой бегал, а стоило имплантаты вшить, тут же развелся и мне обручальное кольцо принес.

Анечка, естественно, догола не раздевалась, обтягивала свитерком накладные поролоновые прелести и выглядела самым шикарным образом.

Для пущей убедительности в распоряжении Ани имелись жуткие фото, «улучшенные» при помощи

---

[1] Название выдумано, любые совпадения случайны. *(Прим. автора.)*

фотошопа и грима. На одной карточке у Галкиной был уродливо-кривой нос, на другой слишком тонкие, маленькие губы, на третьей отвислые щеки и второй подбородок, на четвертой не грудь, а ушки спаниеля... В общем, беда на любой вкус. Обычно ловкого использования в разговоре полученной от Лизы Макаркиной информации, а в крайнем случае показа фото с лихвой хватало для убеждения клиентки.

Аня явно обладала недюжинными актерскими способностями. Никто из разговаривавших с ней женщин не заметил подставы, Галкина вызывала доверие. Все видели в ней милую девушку, страшно благодарную врачам клиники за обретенную красоту и желающую теперь на весь свет раструбить о замечательных специалистах.

С каждой клиентки, сделавшей операцию, Аня получала неплохие деньги — пять процентов от общей суммы чека. Лиза «откусывала» десять. То есть если клиентка относила вечером три тысячи долларов в кассу, то утром в лапки Ани падало сто пятьдесят американских рублей, а Лиза огребала триста.

Конечно, месяц на месяц не приходился, но заработок, если высчитать средний, получался очень хороший.

— Могу устроить тебя на такое же место, — завершила рассказ Аня.

Маша с сомнением покосилась на подругу:

— Не очень-то я умею людей обдуривать... К тому же у меня есть работа.

— Но вечер-то у тебя свободный! — стала убеждать ее Аня. — «АКТ» круглосуточно работает, самый наплыв после восьми вечера и в выходные. И никто никого не обдуривает, врачи у нас — золотые руки.

— Зачем тогда нужны «зазывалы»?

— Так конкуренция какая! — воскликнула Аня. — Все почти на одном уровне работают, вот и сражаются за пациентов.

Маша заколебалась.

— Ты только попробуй, — искушала Аня. — Не получится — уйдешь. Чего теряешь-то? Знаешь, за сколько я на шубку накопила? Три недели всего побегала!

Левкина ахнула и воскликнула:

— Хорошо!

— Чудесненько, — засуетилась Аня, — можем начинать.

И снова, как в случае с диктантом, получилось не так, как рассчитывала Маша. Правда, на сей раз обошлось без чужих смертей, просто платили Левкиной меньше, чем она ожидала. Деньги для Маши Лиза передавала Ане. Сначала Маша была в восторге, она приоделась, набрала денег на шикарную сумку, но потом «зарплата» стала меньше, меньше, меньше...

Через несколько месяцев вполне успешной «службы» Маша возмутилась:

— Мне обещали иные суммы, а получаю ерунду.

— Время неудачное, — попыталась успокоить Машу Аня, — народ небось на отпуск копит.

Но у Левкиной зародились подозрения. К тому же она теперь довольно часто бывала в клинике, сидела около кабинета, поджидая клиенток, и мало-помалу познакомилась с администраторами на ресепшен. То, что в «АКТ» служат зазывалы, было известно многим сотрудникам, поэтому с Машей ласково здоровались и иногда, после удачного рабочего дня, одобрительно говорили:

— Ты сегодня молодец.

«Молодцом» Маша оказывалась часто, вот только на ее заработках это никак не отражалось. В конвертах, которые вручала Аня, теперь лежало пятьдесят, редко сто долларов. И Маша решила проверить кое-какие свои предположения. Для начала она спросила самую милую девочку на рецепшен, Фаину Тимофееву:

— Скажи, пожалуйста, на что подписалась Олеся Владимировна Горкина? Она у тебя только что чек взяла.

— Куча всего! — заговорщицки прошептала Фаина. — На четыре тысячи баксов вышло.

Маша кивнула и стала ждать зарплату. В конвертике оказалось сто долларов. Возмущенная Левкина высказала Ане все, что про нее думает. Галкина округлила глаза.

— Понимаешь, — протянула она, — я ведь понятия не имею, сколько тебе положить должны. Конверт Лизка дает, я тебе его вручаю, и все. Это Макаркина химичит. А, тогда понятно, с каких средств она себе новую машину купила! Ну, спасибо, Машка, открыла ты мне глаза! Буду думать, как Лизку прижать! Значит, так, Машунька... сидим пока тихо, сама ничего не предпринимай. Макаркина в «АКТ» огромную власть имеет! Знаешь, почему?

Маша помотала головой.

— Наивняк! С ней Арон Георгиевич, наш хозяин, живет.

— Да ну? — удивилась Маша. — Он же женат на Ларисе Семеновне, анестезиологе.

Анька захихикала.

— Одно другому не помеха. Но если мы сейчас на Лизку наедем, работу потеряем. Ты пока не суетись, я раскину мозгами...

Маша внезапно замолчала. Наташа сначала смотрела на бывшую лучшую подругу, потом довольно сердито сказала:

— Суперски! Научила тебя Аня хорошему... Теперь понимаешь, как ловко она тебя дурила? Никаких контрольных в ящике стола директора не было, деньги несчастной Лилии Максимовны Анечка себе прибрала, да и у тебя «гонорар» приворовывала. Наконец-то сейчас поняла истину?

Маша подняла голову.

— Знаешь, Натка, — тоскливо сказала она, — лучше бы мне Аньку вообще было бы не знать.

Иванова пожала плечами:

— Я тебя предупреждала. Еще в школе. Но ты словно ослепла и оглохла! Меня ты отшвырнула, причем не один раз, за Анькой бегала. Теперь вот рыдаешь от обиды.

Маша обхватила руками голову.

— Натка! Мне так гадко!

— Что еще? — насторожилась Иванова. — Давай уж, выкладывай. Я, правда, на тебя здорово обиделась, только все равно считаю подругой. Хоть ты и предательница, да близкий человек!

Маша открыла сумочку и стала в ней рыться.

— Вот, — протянула она потом Наташе конверт, — спрячь.

— Что это?

— Там фото.

— Чьи?

— Ты этих людей не знаешь.

— Зачем же мне их снимки хранить? — недоумевала Наташа.

Левкина схватила подругу детства за запястье.

— Пока не могу тебе всего рассказать. Очень хочу Аньке отомстить. Я поняла, как она меня использовала раньше и что проделала сейчас. Аня меня за идиотку держит, но я не дура! Просто с детства приучена доверять людям и, если считаю человека другом, автоматически верю ему.

— Галкина тебя столько обманывала, — фыркнула Наташа, — но тем не менее ты за нее держалась, я же ни разу тебя не подвела, а как ты со мной поступила?

Маша заплакала.

— Прости, прости, прости...

— Ладно, — сменила гнев на милость Ната, — чего уж там. В отличие от Галкиной я не подлая.

Маша вытерла рукавом глаза.

— Ты кофточку испачкала, — заботливо указала на появившиеся на ткани черные пятна Наташа, — тушь размазала.

Но Левкина не обратила внимания на эти слова.

— Очень мне захотелось Аньке за все отомстить! — вдруг резко воскликнула Маша. — Впервые в жизни подобное чувство испытала и сначала с ним боролась. Это же неинтеллигентно — человеку вред от злости делать.

— Ну ты и дура! — всплеснула руками Наташа.

Маша помотала головой:

— Да нет. Так живу. Просто сейчас хочу объяснить, отчего озлобилась. Очень тебе доверяю, иначе б никогда не принесла снимки. Спрячь их, это бомба под Аню, они ей дико нужны. Знаешь, совсем недавно, но до того, как я с ней поругалась, Аня рассказала мне невероятную вещь...

— Какую? — вздохнула Наташа. — Что может быть еще невероятнее?

Маша всхлипнула.

— Аня вдруг разоткровенничалась со мной, коньяку хлебнула...

— Так она еще и пьет! — возмутилась Наташа.

— Да ты послушай... — взмолилась Маша.

В общем, состоялся у двух подруг такой разговор.

Аня вдруг заявила:

— Ненавижу Ирку! Всю жизнь она меня пилит, грызет, поучает, а сама... Врала мне напропалую, якобы ее муж постоянно квасил, оттого она его бросила. Но на самом деле никакого мужа небось не имелось, а меня Ирка маленькой из детдома взяла!

— Врешь, — ахнула Маша.

— Не, правда. Я кое-какие документы нашла, — довольно спокойно сообщила Аня. — И еще фотки интересные. Понимаешь, мы раньше в другом районе жили, там у меня приятели имелись, отличные ребята. Но Ирке они не нравились, и она меня в квартире запирала, все орала: «Не смей с придурками дело иметь!» Только я убегала. А потом мы перебрались на новую квартиру. Денег не было, жили, честно говоря, просто в нищете. Ну да тебе это неинтересно. Короче говоря, наткнулась я на бумаги, а там и снимочки имелись. Вот эти. Ясно стало: я детдомовская. Очень мне эти фотки нужны, да дома держать стремно, спрячь их пока у себя. Ладно?

Аня замолчала.

— А дальше что? — полюбопытствовала Маша. — Ну, схороню я их...

Подруга пожала плечами:

— Пока ничего, а там посмотрим. Удочерили меня. Во сука Ирка!

— Что же плохого? — попыталась вразумить подругу Маша. — Тебя выбрали из сотен других, значит, полюбили. Я бы Иру, наоборот, сильней, чем родную, уважала.

— Много ты понимаешь! — с жаром воскликнула Аня. — Сама нищая, зачем же еще ребенка брала, а? Ладно, забудем тему. Ирка меня терпеть не может, я же вижу. И чем дальше, тем больше. Анекдот. Ну да я ей отомщу! Смотри не потеряй фотки, они очень для меня ценны...

Маша закончила рассказ и примолкла. Потом снова заговорила:

— Вот отчего, Натка, я тебе их принесла. Умоляю, спрячь!

Плохо понявшая, что к чему, Наташа кивнула и забрала конверт. Маша ушла, так и не попив чаю. Последние слова, сказанные Левкиной на пороге, прозвучали странно:

— Если я за снимками не вернусь, ты их сожги. Мало ли чего!

Я молча выслушала рассказ Наташи и уточнила:

— Вы их уничтожили?

— Фото? Пока нет.

— Можете мне показать?

Наташа встала, почти подбежала к батарее, расположенной отчего-то не у окна, а посередине стены, сунула руку за чугунную гармошку, вытащила белый прямоугольник и воскликнула:

— Отдам вам с одним условием: постарайтесь использовать полученное против Ани! Очень надеюсь, что ее надолго засадят в тюрьму. Не одни же дураки в милиции работают, разроют правду про Галкину, выяснят, какая она мухлевщица. Небось они с Лизой деньги не поделили.

— Лиза Ане в матери годится, — вздохнула я.

— Еще скажите, что бабушка, — хмыкнула Наташа. — Так как, отнесете фотки ментам? Могу заплатить вам за услуги. Главное — пусть Аньку уличат!

— В чем? Снимки столь компрометирующие?

— Вроде ничего особенного. Но Маша, когда отдавала мне конверт, была уверена — с их помощью можно сильно напакостить Ане, — пояснила Наташа.

— Где Аня добыла карточки?

Наташа сморщила нос.

— Понятия не имею. Маша вроде ничего про это не рассказывала. Ну что, договорились, поставите ментов в известность? Отдайте фотки в отделение, пусть Аньке вломят на полную катушку.

— Отчего вы сами это не сделали? — возмутилась я. — Почему молчали, узнав, что Маша попала под автобус? После вашего рассказа у меня сложилось нехорошее впечатление, будто Левкина узнала тайну Ани, потому и погибла. В давке человека легко толкнуть под колеса поехавшего транспорта. Неужели вас не насторожила внезапная смерть Маши?

— Нет, — одними губами прошептала Наташа.

Я внезапно поняла: Иванова врет.

— Нам сказали про несчастный случай, — синея, продолжала Наташа. — Мне сначала страшно стало, вдруг Галкина про фотки узнает, еще ко мне припрется... Очень хотелось выкинуть снимки, только это вроде еще страшней. Подумала так: коли придет Анька и потребует конверт, отдам его. Скажу: «Знать не знаю про содержимое. Машка просто велела хранить, а чего там, мне неинтересно. Забирай, коли твои». А если уничтожу, то как отбрешусь? Аня не поверит и меня, словно Машу... То есть... с Машкой-то случайность. А я... Теперь вот об Анькином аресте вы сообщили... В общем, отнесите конверт ментам, и пусть Галкину лет на двадцать посадят!

Я аккуратно убрала конверт в сумку. «Чем лучше узнаю людей, тем сильней люблю собак». Кому из великих принадлежит данное высказывание? Да уж, четвероногое может быть агрессивным, злобным, бешеным, в конце концов! Но двуличным никогда. Подлость — исключительно прерогатива людей. Наташа Иванова дружила с Левкиной, считала ее близким человеком, страдала, когда Маша переметнулась к Ане, очень хотела вернуть прежние взаимоотношения. Но, узнав от Левкиной много интересного про махинации Ани, не бросилась к следователю, когда лучшая подруга попала под автобус, не подняла людей на ноги, не кинулась к Ане или Лизе Макаркиной с воплем: «Знаю, знаю, Машу убили вы, убили за то, что она сунула нос в ваши дела!»

Конечно, такое поведение многие назвали бы глупым... А Наташа решила поступить умно: она сохранила конверт, предполагала отдать его Ане, чтобы купить себе спокойствие. Наташа ненавидит Галкину, считает ту хитрой и подлой, разрушившей ее дружбу с Машей Левкиной, осуждает Аню за жадность, низость. А сама? Иванова после «несчастного случая» с Машей испугалась и решила, что фото — ее индульгенция. Но, услышав от меня об аресте Галкиной, Наташа мигом сует детективу конверт. Иванова мечтает утопить Аню, она не понимает, что такого особенного в снимках, но надеется на их эффективность. Может, конечно, Иванова и считает, что так отомстит за Машу, но мне отчего-то кажется: она просто решила отыграться за свои обиды и, узнав об аресте Галкиной, пожелала посильнее пнуть поверженного врага.

Наташа настолько обрадовалась беде, произошедшей с Аней, что поверила мне безоговорочно, не усомнилась в словах впервые увиденной Виолы

Таракановой. Хотя, может, приступ доверия ко мне вызван тем, что я писательница? Вот уж глупо! Все литераторы ловко умеют врать. Собственно говоря, они поэтому и пишут книги. Прозаик легко придумает правдоподобную историю.

Но не стану сейчас указывать Наташе на ее ошибки, надо срочно уходить. Похоже, больше ничего интересного я не услышу, а очень хочется изучить содержимое конверта.

Глава 14

Сев в машину, я моментально вскрыла конверт и вытащила снимки. На первый взгляд на них не имелось ничего примечательного. Одна фотография, черно-белая, запечатлела милую девочку-подростка. Симпатичное, почти детское, пухлощекое личико обрамляли прямые, похоже, светло-русые волосы (снимок плохо передавал цвет). По виду ребенку было лет четырнадцать-пятнадцать. Худощавая фигурка в ситцевом сарафанчике устроилась на подоконнике, за спиной девочки виднелся дом и край вывески — читались только буквы «...олодок». Последняя буква упиралась в такую странную для Москвы вещь, как ставни: на фасаде здания имелось окно, которое закрывали то ли деревянными, то ли железными створками.

Второй снимок запечатлел уже двух школьниц, похоже, сестер. Одной из них явно была девочка с первого фото, вторая выглядела младше лет на пять. Она казалась какой-то сонной и совершенно некрасивой: одутловатое лицо, слишком маленькие глаза, тонкие, сердито сжатые губы. Руки малышка сложила на коленях, ладошки стиснула в кулаки, и весь вид ее говорил о желании защищаться от людей, спрятаться в скорлупу. Первая же девочка сияла радостной улыбкой и смотрелась на фоне угрюмой сестры настоящей красавицей.

Дальнейшее изучение снимков не добавило ничего интересного. Оборотная их сторона была чистой, никаких надписей, типа «Катя и Маша. 1986 г., поселок Кратово», не имелось. Зацепиться было решительно не за что. Единственной приметой являлся кусок вывески «...олодок». Если сообразить, как называется магазин или кафе, то легко вычисляется подоконник, на котором сидит смеющаяся девочка, — он находится в доме напротив, наверное, на первом этаже...

Положив фото на сиденье, я поехала домой, и так и этак вертя в голове собранную информацию. Пока я не нашла ничего утешительного для Ани. Ирина уверяла, что ее доченька, делающая успешную карьеру на подиуме, настоящий ангел. Ни о какой интимной связи между ней и Антоном речи не идет. Она просто пошла к соседям, чтобы вернуть деньги за непроведенные сеансы массажа, и... случилась беда.

Родителям свойственно преувеличивать достижения детей и возводить в квадрат их таланты. Похоже, Анечка творила дивные дела, о которых и не подозревала наивная Ирина. Старшая Галкина полагала: доченька отлично зарабатывает на подиуме, а та служила зазывалой в клинике «АКТ». Говорят, обманутый муж самым последним узнает про выросшие ветвистые рога. Но, думаю, мать, обожающая свое дитятко, может никогда и не услышать о том, что творит «крошка», выйдя за порог родной квартиры. Так что к Ирине за какими-либо разъяснениями обращаться бесполезно, Аня не откровенничала с мамой. Ира пребывает в шоке от ареста дочери, и лучше не трогать старшую Галкину. Тем более что сейчас напрашивался вывод: Аня могла убить Лизу. Из-за денег. Но не из-за тех, которые ей был должен за несостоявшиеся сеансы массажа Антон Макаркин, — женщины не поделили прибыль, полученную в клинике.

Вот что: надо поговорить с Антоном. Правда, сейчас доктору не до болтовни с соседями — погибла его жена. Впрочем, можно попытаться. Очень аккуратно, найти благовидный предлог... Макаркин стопроцентно знает правду, но, очевидно, в этом деле имеются некие компрометирующие Лизу детали, поэтому новоиспеченный вдовец крепко держит язык за зубами. И повод у него для молчания убедительный: Лиза скончалась, супруг не желает чернить память покойной. Нет, мне просто необходимо повидаться с ним! Кстати, можно показать ему фотографии, вдруг Антон сообразит, кто изображен на них. Или пока не следует никому демонстрировать снимки?

Так и не придя ни к какому решению, я доехала до дома. Вошла в квартиру и скривилась — в прихожей интенсивно пахло рыбой. Противный дух объяснялся просто: значит, сейчас на кухне варятся креветки. Этих отвратительных крючкообразных рачков обожает Ленинид, а Томочка всегда идет у него на поводу.

Я уже рассказывала о том, какая метаморфоза случилась с папенькой. Из никому не известного бывшего уголовника, бомжа, а в последнее время столяра он трансформировался в звезду экрана. На беду, я взяла его на актерский кастинг своего сериала, и Ленинид схватил птицу счастья за хвост[1].

К слову сказать, многосерийный фильм у нас получается, на мой взгляд, кошмарным. Правда, зрители увидели первый пакет из семи лент, и никто, кроме меня, не пришел в ужас. Народу понравились перестрелки, чернокожие любовницы, драконы с лекарством от рака и инопланетяне, сражающиеся с динозаврами. Я же нервно вздрагиваю при каждом просмотре. Поверьте, никогда не писала подобного идиотизма, от меня в сериале осталось лишь имя в титрах — «Арина Виолова». В моих книгах нет и намека на гигантских черепах, разъезжающих по Москве на велосипедах, и я не придумывала сумасшедшего парня, белолицего блондина, убивающего негра, своего брата-близнеца. Больше всего боюсь, что зрители через некоторое время, простите за каламбур, прозреют и закидают экраны своих теликов гнилыми помидорами, при этом вопя:

— Ну и дура же эта Виолова! Вот же хрень какую понаписала!

Так вот я заранее хочу их предупредить. Дорогие мои, автор, по книге которого снимают бесконечно долгое кино, имеет к нему такое же отношение, как вы к английской королеве. При этом вы, если пороетесь в своей семейной истории, то, вполне вероятно, найдете в ней некоего пятиюродного дедушку шестой племянницы восьмой тети, который ужасно давно абсолютно случайно столкнулся с королевой Викторией во время какой-нибудь церемонии. Но если говорить обо мне, то я абсолютно точно не имею

---

[1] Ситуация подробно описана в книге Дарьи Донцовой «Кекс в большом городе», издательство «Эксмо».

ни малейшего отношения к идиотизму, который демонстрируют по ящику как бы от моего имени.

Отчего же я, как многие писатели, не начинаю ругаться с продюсерами и режиссерами? Ну, во-первых, из элементарной жадности — мне за использование имени заплатили малую толику. Во-вторых, после выхода сериала издательство «Марко» отметило некоторый рост продаж детективов Арины Виоловой (пусть и не настолько большой, как рассчитывал главный редактор, но все же). И, в-третьих: сериал сделал из Ленинида звезду.

Папенька играет вдохновенно. Правда, на мой взгляд, грубо и резко, но зрители вкупе со съемочной группой в восторге. Все рецензенты взахлеб твердят: «Плохую экранизацию глупых книжонок спасает лишь исполнитель роли бандита Крутова. Ленинид очень хорош, естественен, талантлив...» И далее следуют три страницы хвалебных песен в сопровождении фото папеньки.

В то, что Ленинид — отец писательницы Арины Виоловой, не верит никто. «Удачный пиар-ход ловкой писаки»; «Арине трудно отказать в фантазии. Жаль, что она не использует свой дар в книгах»; «Микки-Маус — тоже отец Виоловой» — это лишь малая толика насмешек, упавшая на мою голову после пресс-конференции, на которой я сообщила:

— Исполнитель одной из центральных ролей — мой отец.

Услыхав сенсационное заявление, журналисты сначала взвыли, а потом стали требовать:

— Дайте ваши детские фото с папой!

— Расскажите, как он вас водил в школу!

— Поподробней о детстве!

Я очутилась в совершенно идиотском положении. Ну не отвечать же борзописцам правду — что папашка большую часть жизни провел на зоне, а встретились мы с ним и начали общаться не так уж и давно[1].

Начальник пиар-отдела «Марко» Федор от всего этого схватился за голову, и утром в газеты ушел пресс-релиз, мирно разъясняющий ситуацию: Ленинид-де философ, он посвятил большую часть своей жизни изучению религий Востока, ездил в Индию, долгие годы провел в Тибете, затем перебрался в Китай. Дочь он воспитывал посредством писем, каждый день отправлял ей по пятнадцать страниц наставлений. Можем показать архив, однако фото нет.

Но не прокатило. Пишущая публика принялась чесать о меня когти, с клыков журналюг капала ядовитая слюна. «Виолова хочет примазаться к славе Ленинида», «Интеллигентный актер не дает комментариев...», ну и так далее. Отчего-то все посчитали меня нахалкой, а папашку милым, тихим и просто очень талантливым мужчиной.

Ситуация взбесила меня до крайности, но, сами понимаете, никаких адекватных действий предпринять я не способна. Ленинид же цветет и пахнет, он воспринимает шум вокруг себя как справедливую оценку собственного таланта. Если вспомнить поговорку про огонь, воду и медные трубы, то приходится признать: последние изменили папеньку до неузнаваемости.

Для начала Ленинид принялся натягивать на себя невероятные шмотки, представая перед нами в прикиде взбесившегося тинейджера, потом стал по-

---

[1] История Виолы и Ленинида рассказана в книге Дарьи Донцовой «Черт из табакерки», издательство «Эксмо».

говаривать о покупке машины. Любые мои замечания или дружеские советы он воспринимает с гримасой и отвечает с неподражаемо-презрительной улыбкой на губах:

— Доча! Яйца курицу не учат. Сначала достигни моих заработков и славы, а там и погутарим.

Кроме того, я терпеть не могу креветки! В сыром виде они вызывают у меня жалость, в отварном мерзко пахнут. Ленинид же, заявившись в гости, притаскивает пакет с морскими гадами и командует:

— Ставьте на огонь кастрюлю, ща полакомимся от пуза!

В общем, теперь, надеюсь, всем понятно, отчего сегодня я, войдя в квартиру, первым делом скривилась. Постаравшись натянуть спокойно-приветливое выражение на лицо, я вошла на кухню. Так и есть — папашка, одетый в сильно мятую зеленую рубашонку, восседает за столом, посередине стоит миска, наполненная мерзкорозовыми тварями.

— А где Томочка? — поинтересовалась я.

— Ну, во-первых, здравствуй, — церемонно кивнул Ленинид.

— Привет, — начала невесть по какой причине злиться я.

— Если пребываешь в плохом настроении, — продолжил наставительно папенька, — то нечего к нам домой заявляться. Незачем остальным членам семьи хороший вечер портить.

— Минуточку! — еще больше рассердилась я. — Давай-ка уточним: это ты у нас в гостях!

— Не, — меланхолично сообщил наш телегерой, — теперь пока тут поживу.

— С какой стати?

— Эх, добрая ты, доча, — укоризненно завел Ленинид. — Чисто Белоснежка! Всех пригреваешь, ласково обнимаешь, всем приют даешь!

— Белоснежку, насколько помню, злая мачеха выгнала из дома, — зашипела я. — Ее гномы к себе пустили, сама-то она квартиркой не обладала. А у тебя вполне симпатичная жилплощадь имеется, можешь там и оставаться.

— Ну, доча, — загундосил Ленинид, — я творческая личность, великий актер, раскрывшийся в силу трагических обстоятельств лишь во второй половине жизни. В первой — себя искал, душу по кусочкам складывал, теперь народу свет несу. А супруга моя, женщина плебейская, чуть что за скалку хватается, у нее ни тонкости моральной, ни красоты физической. Мне с ней неудобно и стыдно. В общем, развод!

— Странно... — пробормотала я и, стараясь не дышать, прошла мимо стола к балкону. Решила — приоткрою дверь, авось креветочный дух выплывет наружу.

— Обычная трагедия, — со слезой в голосе сообщил папашка, — сплошь и рядом случается. Мужчина добился успеха, баба осталась на месте. Возьмем историю: Лев Толстой, Достоевский, Чайковский... все были несчастны...

Я приникла носом к щели — ей-богу, бензиновый смог Москвы лучше вони, царящей на кухне, — и перебила папеньку:

— Лев Толстой не понимал свою жену Софью, но они прожили вместе много лет, Анна Достоевская верой и правдой служила мужу, и он писал в своих дневниках: «Я не заслужил такого счастья, как моя супруга», а Чайковский имел нетрадиционную сексуальную ориентацию, отсюда и все его терзания. Да бог с ними, с классиками, многие из них разводились и ругались с женами, как обычные смертные. Меня смущает в твоей ситуации лишь одно: почему Наташка отпустила муженька живым. Насколько знаю нашу бывшую соседку, а ныне родственницу, она просто обязана была отходить тебя после заявления о разводе тем, что первое попадет под руку: табуреткой, стулом, разделочной доской, сковородкой.

Ленинид выбрал самую сочную креветку, облизнулся и быстро пояснил:

— А мы не обсуждали проблему. Нацарапал ей записку, покидал вещи в чемодан и...

— Сбежал, — подытожила я.

— Ушел с достоинством, — отбил мяч Ленинид. — Просто решил обойтись без свар.

Плавную речь папашки, сопровождаемую самозабвенным чавканьем, прервал резкий звонок в дверь.

— Кто там? — занервничал Ленинид.

— Отложенный скандал, — ухмыльнулась я. — Наташка в компании со скалкой и сковородкой.

Ленинид изменился в лице.

— Не ходи.

Дзинь, дзинь, дзинь... — неслось из прихожей.

— Не открывай, — нервничал папашка.

— Она так не уйдет, — предостерегла я.

Дзинь, дзинь, дзинь.

— Скажи, что меня тут нет! — воскликнул «великий актер» и шмыгнул под стол.

— Врать некрасиво, — назидательно ответила я. — Да и глупо при том, что на столе маячит миска с креветками. Думаешь, Натка дура? Да она сразу просечет, что ты здесь.

Ленинид вынырнул из-под скатерти, схватил

плошку и, снова прячась вместе с посудой, прогудел:

— Ну, доча... Я тебе лучше живым пригожуся. Да и сериал без меня никуда! О рейтинге подумай!

— Сиди молча, — велела я, — попытаюсь купировать беду. Только, сам знаешь, если Натуля войдет в вираж, ее не остановить.

Глава 15

Распахнув дверь, я попятилась. На пороге дыбилась дородная фигура со скалкой в мощной руке.

— Его нету! — живо воскликнула я. — Даже не заходил, никогда не слышала о вашем будущем разводе, извини, сижу работаю, не до гостей!

— Прости, Вилка, — пропищало чудище, — побеспокоила, но беда у меня!

Тут только до меня дошло, что одето оно не в плащ или куртку, а в линялый от многочисленных стирок халат и обуто в растоптанные тапки и это вовсе не Наташка, а Инна из тридцать восьмой квартиры. Вот скалка у нее в лапе настоящая, круглая и толстая.

— Что случилось? — перевела я дух.

— Толька напился.

— Эка удивила! Он у тебя всегда нетрезвый.

— А вот и нет, — замотала встрепанной головой Инна. — Зашила его, три месяца ходил ни в одном глазу. Дома я всю водяру вылила, на работе у него одно бабье. Где взял ханку?

Я молча глядела на Инну. Пусть говорит вволю, пусть Ленинид посидит под столом в обнимку с миской креветок, пусть потрясется от страха, пусть вспотеет, пусть! Впрочем, ему небось ничего не слышно, и это плохо...

— Ты можешь шарахнуть скалкой по вешалке и заорать: «А ну, иди сюда»? — прервала я соседку.

Та изумилась:

— Скалкой? Где мне ее взять?

— Да в руке держишь!

— Ой, и правда! Вот как разнервничалась, схватила и не заметила. А зачем лупить по твоей вешалке?

— Тебе трудно?

— Да нет.

— Тогда начинай.

Инна треснула скалкой по указанному месту. Удар пришелся прямехонько по моей сумке, висящей поверх куртки.

— А ну, — завизжала Инна, — вали сюда! Сволочь! Подонок! — Потом, уже нормальным голосом, она осведомилась: — Хорошо?

— Замечательно.

— Ой, сумка твоя упала, и все высыпалось... Но ты сама хотела!

— Конечно, потом подберу, а сейчас говори, что у тебя стряслось.

— Пошли покажу! — попросила Инна. — Ты детективы пишешь, скумекаешь, что к чему.

Я окинула взглядом выпавшие из моего ридикюля шмотки. Ладно, вернусь и соберу их. Попросила соседку:

— Ну-ка, поругайся еще чуть-чуть, поори громко.

Пока я надевала туфли, Инна старалась изо всех сил — колотила скалкой по вешалке и визжала:

— Урою всех! Насмерть! Убью на фиг!

— Хватит, — шепнула я, — пошли. Теперь до утра не вылезет.

— Кто? — тихо спросила Инна.

— Да Ленинид, — захихикала я, запирая дверь. —

Он решил: его жена прибежала со скандалом, залег под стол. Так ему и надо!

— Козлы! — с чувством произнесла Инна. — Ну скажи, пожалуйста, какой толк от мужиков, а? Возьмем, к примеру, моего Тольку. Сначала вокруг него мать, чтоб ей грыжу получить, скакала — обстирывала, кормила, поила. Потом он на мне женился. И че вышло? Теперь я у плиты кручусь, над утюгом дохну. На фиг мне муж? Денег больше его зарабатываю, так за каким чертом таз с цементом пру, а?

— У вас ремонт? — удивилась я. — Зачем осенью начали?

— Не, это я так про Тольку. Напьется и пойдет куролесить, орет: «Я в доме хозяин! Всем цыц!» Смотрю на него, и смех разбирает. Козел, а не хозяин. И чего с ним живу, а? Пришла бы сегодня домой, в квартирке тихо, спокойно, чисто. Села бы, усталая, у телика, чайку попила. Мне твой сериал нравится, там Ленинид такой зверь! У-у! А что получилось? Дверь распахнула... Мама родная! Все вещи разбросаны, сам хозяин пьяный совсем. И ведь, что удивительно, водкой не несет от него. Я все предусмотрела: дома пузырей нет, в кармане у Тольки пустыня...

— Наверное, деньги на обед в рюмочной потратил, — вклинилась я в поток жалоб.

— Толька в шаге от квартиры работает, — бойко пояснила Инна, — охранником его пристроила в магазин, где косметикой торгуют. Там одни девки, никакой выпивки, он домой на обед приходит. И лежит сейчас веселый. Вилка, ты его растряси, а? Мне знать надо, где он водяру нашел.

— Приятели угостили.

— У него их нет.

— Собутыльники бывшие пожалели, стакан налили.

— Ой, не смеши! Они ж за каплю удавятся! Да и негде им столкнуться. Может, где дома припрятал? Откуда взял деньги? Нет, я просто с ума сойду...

Мне стало смешно — вспомнился один случай.

Несколько лет назад, когда мы с Олегом еще не были женаты, Куприн ждал меня во дворе. Дело было зимой, мой милиционер замерз, решил войти в подъезд и, встав у окна, высматривать опаздывающую любимую. Это сейчас Олег черствый и невнимательный, букет цветов он дарит супруге лишь на Восьмое марта, да и то не всегда, чаще всего норовит сделать полезный презент: приносит кастрюлю или сковородку. Хозяйственный — тюльпаны-то завянут, а чугунина останется навечно. Но в момент жениховства Олег вел себя безупречно — в гости без хорошей бутылочки, конфет и каких-нибудь вкусностей не являлся.

Вот и в тот день у него имелся коньячок вкупе с шоколадным «Ассорти», лимонами и «Эдамом». Пусть никого не удивляет напиток — мы с Томочкой не любим ни игристое, ни прочие вина. У меня от любого алкоголя, кроме того, что придумали в известной французской провинции, моментально начинается изжога, а Томуську от «дамских» градусов схватывает мигрень. Но речь сейчас не о наших пристрастиях. В общем, Олег маячил у окна довольно долго, потом увидел меня, открыл форточку и крикнул:

— Стою в подъезде!

Я вздрогнула от неожиданности, поскользнулась и тут же шлепнулась. Куприн, естественно, ринулся к невесте на помощь. Случись подобный казус сегодня, Олег бы не пошевелился, спокойно подождал жену у лифта, а потом начал бы ворчать: «Вечно под ноги не смотришь».

Но в качестве жениха Куприн, повторяю, был безупречен, поэтому кинулся поднимать возлюбленную. Впрочем, дело уже катило к свадьбе, заявление лежало в ЗАГСе. Олег не потерял головы — он решил не брать с собой сумку с продуктами. Но ведь оставить в подъезде, на подоконнике, выпивку с закуской невозможно! И мой будущий муж проявил осторожность вкупе с креативностью: мгновенно оценив обстановку, он открыл электрощиток, сунул туда сумку, а потом помчался к терпящей бедствие невесте.

Когда через четверть часа Куприн почти внес меня в подъезд, на подоконнике уютно устроилась троица сильно помятых парней. Между ними стояла пустая бутылка из-под самого дешевого пойла и лежали остатки колбасы.

— Можешь подождать секундочку? — с невероятной заботливостью спросил Олег.

Я кивнула. Жених прислонил невесту к стене, потом приблизился к щитку, распахнул железные дверцы, и на свет явились коньячок вкупе с закуской.

— Пошли домой, дорогая, — заулыбался Куприн.

Слов, чтобы описать, какое выражение наползло на лица алкашей, у меня нет. Сначала «юноши младые со взором горящим» оцепенели, а потом, издав вопль, которому легко позавидуют воинственно настроенные индейцы, рванули вверх по лестнице. Подъезд наполнил стук и густой мат — маргиналы открывали все щитки подряд в поисках припрятанных в них деликатесов.

С тех пор меня никогда не удивляет вопрос, часто звучащий из женских уст: «Ну, где он мог найти выпивку?»

Да везде! Подфартило парню, влез в ящик с пожарным краном, а там дастархан... Продолжая причитать, Инна впихнула меня в свою скромную квартирку. Толик сидел у стола, положив голову на скрещенные руки.

— Эй, козел, — мило обратилась к супругу жена, — гость у нас, проснись!

— Че ругаешься? — пробубнил Толя, пытаясь выпрямиться и удержать явно слишком тяжелую сейчас голову. — Здорово, Тамарка!

— Я Вилка.

— Один хрен, путаю вас, похожи больно... — Толя икнул и снова рухнул лбом в столешницу.

— Видела? — подбоченилась Инна. — Ваще никакой. А теперь понюхай, чем пахнет?

Я потянула носом воздух и констатировала:

— Не водкой.

— Во!

— И не портвейном.

— Точно.

— Что-то душистое. Коньяк?

— Откуда у него средства? — взвизгнула Инна и бросилась трясти мужа. — Балбес, урод, говори, где ханку взял? Спер? Имей в виду, посадят, я к тебе не приду, сухарей не принесу, загибайся в камере! Надоел! Долдон!

— Ясное дело, — вдруг почти трезвым голосом ответил Толик, — вы, нонешние бабы, не жены декабристов.

Мне снова стало смешно. Недавно услышала по радио очередную шуточку. «Она поехала за ним в Сибирь и испортила мужу всю каторгу». Интересно, осужденные за антиправительственное выступление дворяне были рады увидеть своих супружниц? История отчего-то умалчивает об этом факте. Во всяком случае, в школьных учебниках, из которых я черпала знания, весьма подробно описано, как нежные дамы страдали в пути, останавливаясь в простых трактирах. Лично у школьницы Таракановой тогда возникла масса вопросов: тетеньки не шли пешком, волоча ядро на ноге, их не били, не унижали, не оскорбляли. Дамы совершали путь в карете, мучаясь оттого, что вместо медвежьей полсти их ноги прикрывало ватное одеяло. И потом, они жили в обычных избах, имея при себе горничную и кухарку. Можно ли считать подобные условия ужасными? Рядом любимый муж, в печи горит огонь, есть картошка и помощницы, которые приносят воду, стирают белье и варят суп. Да подавляющее количество русских баб посчитало бы такую каторгу невероятной удачей! А что опальным дворянкам было делать в Петербурге? Их бы никто в гости не позвал, замуж не взял — общество побоялось бы царского гнева. Так что поездка в Сибирь была для них спасением.

Толик опять икнул, по кухне поплыл аромат.

— Духи! — воскликнула я. — Такие есть у Кристины, название забыла... Он пил парфюм, французский!

— Совсем ты, Вилка, того, — вздохнула Инна. — Хоть представляешь, в какую цену крохотный флакончик идет? Толяну, чтобы ужраться, сто таких наперстков надо, и где ему...

Но я уже подошла к подоконнику, отодвинула тяжелую портьеру и увидела около стопки пожелтевших от старости газет огромный флакон — просто бидон! — наполненный светло-желтой жидкостью. Те, кто посещает парфюмерные лавки, сейчас поймут, о чем идет речь: подобные «бутылки» многие фирмы выпускают в рекламных целях, для украшения витрин и торговых залов.

— Матерь божья! — всплеснула руками Инна.

Я быстро протянула к флакону руки, ловко скрутила пробку-дозатор и сказала:

— Ага, тот самый запах.

— Эй, эй, эй! — заволновался Толик. — Это что ж получается? Штука с прыскалкой снимается?

— Ну да, — пожала я плечами. — А ты не знал?

— Не-а, — жалобно протянул алконавт. — Прикинь, как устал! Пшикал и пшикал себе в рот, чуть не помер, пока пробрало! Сначала еле-еле из магазина вынес, а потом измучился: жал, жал на пробку, а в пасть — чуть попадает, один запах.

Лицо Толика приняло самое разнесчастное, обиженное выражение. Стараясь не расхохотаться, я глянула на обомлевшую Инну:

— Понятно? Пойду домой.

— Ну, ща тебе мало не покажется... — процедила соседка, поворачиваясь к супругу.

Толик в очередной раз икнул, вздрогнул и начал медленно сереть. Мне даже стало жалко предприимчивого алкоголика. Ей-богу, он уже натерпелся по полной программе. Представляете беду? Ухитрился спереть три литра духов, а открутить пробку не догадался — нажимал на распылитель, мучился в ожидании кайфа. А сейчас получит от обозленной Инны скалкой по башке.

— Лучше скажи ему спасибо, — усмехнулась я.

— За что? — уперла кулаки в бока Инна. — С какой радости?

— У тебя теперь парфюма на полжизни хватит, — объяснила я. — И еще: станешь во дворе чистую правду говорить — что муж принес, соседки от зависти скамейки погрызут, будешь фломастером уровень остатка отмечать перед уходом, и отлично.

В глазах Инны мелькнула растерянность.

— Слышь, Вилка, тебе, часом, картину повесить не надо? Или дверцу у шкафа поправить? Еще утюг починить могу... — деловито предложил протрезвевший от страха перед расправой Толик.

— Спасибо, — вежливо ответила я, — дома свой починяльщик сидит, креветки лопает.

Вернувшись назад, я обнаружила папеньку в прихожей. Ленинид с интересом разглядывал фотографии, вынутые из конверта.

— Слышь, доча...

— Ты зачем берешь чужие вещи? — налетела я на «звезду».

— Они на полу лежали, — начал оправдываться папенька, — сумка упала.

— Чей ридикюль свалился, твой?

— Нет, — слегка растерялся папашка. — Я такое не ношу, не моя вещичка.

— Некрасиво хватать чужое без спроса.

— Хотел собрать.

— Не надо.

— Помочь думал.

— Благодарствую за заботу! — рявкнула я, отнимая у Ленинида снимки.

— Слышь, доча...

— Мне некогда!

— Хотел спросить...

— Потом! — продолжала злиться я. — Фу, теперь от конверта рыбой несет!

— Доча...

— Я пошла работать.

— Погоди...

— Некогда!

— Скажи...

— Все!!! — заорала я и влетела в комнату к Кристине.

Что говорить, вечер прошел бездарно. Вместо того чтобы искать, где расположено заведение «...олодок», я занималась всякой глупостью: сначала выслушивала идиотские речи зазвездившегося папашки, а потом уличала несчастного Толика.

Кристины дома не было. Впрочем, сей факт меня не удивил. Наша Крися — человек активный, она бегает по всяким секциям и студиям, в частности, занимается в театральном кружке. Наверное, сегодня у нее репетиция, а Томочка поехала встречать девочку — Томуська очень беспокоится, когда Крися поздно возвращается домой. Никита же спокойно спит в своей кроватке. У мальчика, активного и шумного днем, совершенно беспробудный сон — в квартире может палить пушка, он ни за что не проснется.

Я села к компьютеру. Признаюсь честно: пользователь из меня фиговый. Правда, под руководством Криси я освоила некоторые азы: умею посылать и получать письма, способна работать в «Ворде», а еще могу воспользоваться справочной системой «Яндекс». Вот сейчас я и собралась проделать последнюю операцию.

Пальцы принялись нажимать на клавиши. В конце концов высветился ответ: «Недостаточность сведений для поиска». Я решила повторить попытку и вновь набрала «...олодок».

— Доча... — просвистел за спиной Ленинид.

Я вздрогнула:

— Это ты?

— Че? Напугал?

— Нет.

— Не хотел.

— Ладно.

— Ты злишься?

— Да.

— На что?

— Зачем полез в сумку?

— Так она упала.

— Пусть.

— Хотел подобрать шмотки.

— Не следует совать нос в чужие вещи.

— Думал помочь.

— Я не просила.

— Значит, если на кухне картошка горит, мне не выключать?

Я подскочила на неудобном стуле:

— Как? На плите что-то готовится?

— Нет.

— Тогда к чему вопрос?

— Для примера.

Монитор мигнул и выдал новый текст: «Не обнаружено».

Ленинид принялся кашлять. Мое раздражение достигло точки кипения.

— Картошку, конечно, следует немедленно выключить, а сумку трогать не следовало!

— Понял.

— И уж совсем невоспитанно вскрывать письма!

— А я и не вскрывал.

— Не ври, снимки были у тебя в руках.

— Это же не письмо!

— Верно, но все равно нетактично.

— Думал, там твои фотки, интересные, хотел просто посмотреть. Слышь, доча...

— Ничего не желаю слышать, — буркнула я, решив обратиться в «Рамблер».

— Злая ты!

— Знаю.

— Грубая!!

— Ага.

— Нехорошая!!!

— Вся в тебя, — усмехнулась я. — Яблочко от яблони. Вот только в тюрьме не сидела, потому что чужое не тырила. Сделай одолжение, оставь меня в покое.

— Че, теперь дуться до Нового года станешь? — с отчаянием воскликнул папенька. — Лады, не буду больше креветки варить.

Мне стало грустно. Ну какой смысл растолковывать папеньке его ошибки? Все равно не поймет. С таким же успехом можно пытаться обучить медведя игре на арфе.

— Все в порядке, просто устала, — сказала я.

— Давай чайку принесу?

— Нет, спасибо.

— А может, макарончики сварить? Твои любимые итальянские гнезда «Макфа»? Я и соус могу к ним сделать. Грибной! Макарончики с соусом — просто пальчики оближешь!

— В другой раз — обязательно!

— Кофейку сварганю?

— Нет!!!

— Ну что ж ты так орешь.

— Отстань!!! Уйди!!! Не мешай!!! — затопала я ногами.

— Ладно, доча, покедова, — тихо ответил папенька, — коли понадоблюсь, на кухне сижу.

Мне стало стыдно.

— Извини, что-то у меня голова разболелась.

— Это у тебя от голода. Давай я тебе все-таки макарончики сварю с соусом.

— Ну, хорошо, уговорил.

Буквально через пятнадцать минут мы сидели с Ленинидом на кухне и ели итальянские гнезда «Макфа» с грибным соусом — одно из моих любимых блюд, которое мог приготовить даже папенька.

— Понимаешь, — решила я загладить свою вину перед Ленинидом, — там на одном снимке кусок вывески виден. Можно прочесть только «...олодок».

— И че?

— Хочу найти полное название места. Снимок старый, информации в компе нет.

— А зачем тебе? — проявил интерес папенька.

— Нужен адрес, — туманно ответила я.

— Так я подскажу! — радостно воскликнул Ленинид. — Пельменная «Холодок» в Марьиной Роще.

Глава 16

Сказать, что я удивилась, это не объяснить ничего.

— Откуда знаешь? — вылетел из груди вопль. — Сведения точные?

Папашка встал из-за стола, перешел в гостиную, плюхнулся в кресло, скрестил ноги и, навесив на лицо выражение философской задумчивости, протянул:

— Жизнь моя, доча, — роман. Вот только времени нет описать ее в деталях. Может, попозже, когда уж не сумею более людям радость своим талантом великого актера приносить, тогда и сяду за стол, расскажу молодому поколению, тем, кто не страдал так, как я, не испытывал...

— Короче, — рявкнула я, — отчего уверен, что на фото пельменная «Холодок» в Марьиной Роще?

Папенька сначала обиженно поджал губы, потом покачал головой:

— Экая ты...

— ...грубая и неласковая. Знаю. Быстро отвечай на вопрос.

— Так на карточку поглядел, — начал объяснять Ленинид. — Чем дольше зырил, тем сильнее удивлялся: во, еще жив «Холодок»! Иль снимочек старый? Теперь цветные делают, а он черно-белый. Посмотри на угол дома... Там доска памятная, верно?

Я сбегала за фотографией, уставилась на нее, напрягая зрение.

— Ну... табличка какая-то вроде...

— Не, доча, тама написано: «В этом доме жил видный деятель искусства В. Тараканов».

— Тараканов?

— Ага, — заулыбался папенька. — Я все шастал мимо и думал: «Может, отец мой?» У меня-то детство горькое было, родителей не знал, в приюте рос. Никто меня, как тебя, не баловал...

Я скосила глаза к окну. Людям свойственно неверно оценивать события даже годовалой давности, а уж то, что происходило десять, двадцать, тридцать лет назад, и вовсе покрывается толстым слоем пыли забвения. Интересно, Ленинид и впрямь считает, что жизнь крохотной Вилки, девочки, воспитываемой алкоголичкой-мачехой, текла счастливо? Хотя не все было так плохо во времена моего детства, Раиса по-своему любила падчерицу и даже пыталась в меру возможностей радовать ребенка нехитрыми подарками[1]. Но у нас сегодня не вечер воспоминаний. Что там еще папенька вещает?

— Будь тот деятель не Тараканов, — мирно журчал Ленинид, — я б и не запомнил. Прусь, бывалы-

---

[1] История жизни Виолы Таракановой описана в книге Дарьи Донцовой «Черт из табакерки», издательство «Эксмо».

ча, к Прыщу, налечу глазами на табличку, и так горько делается. Эх, кабы знал папаша, что его сыночек голодает, холодает...

— Твое отчество Иванович, — напомнила я.

— И че? В приюте придумали, — не растерялся папанька. — Нет, теперь точно знаю: В. Тараканов, деятель искусства, отцом мне приходится, иначе откуда у меня великий талант актера?

Тут мое терпение кончилось, я стукнула кулаком по столу и велела:

— Говори внятно, без дури! Что за пельменная «Холодок»?

Ленинид крякнул и завел рассказ. Приводить тут полностью его речь нет резона, поэтому вычленю главное.

Надеюсь, помните, что папашка большую часть жизни... как бы это помягче выразиться... являлся «лицом, которое посягало на чужую собственность с целью получения наживы». Меня немного смущает в данной формулировке слово «лицо», потому что Ленинид воровал руками, убегал ногами, прятал чужие кошельки на груди... Не одно «лицо» участвовало в безобразии, остальное тело тоже старалось. В общем, папенька «работал» банальным вором, пер не только бумажники, но и вещи. А потом ехал в Марьину Рощу, в пельменную «Холодок». Многие уголовники знали: там, в углу, за маленьким столиком сидит мужик неопределенного возраста, с малоэстетичной кликухой Прыщ. Думается, в паспорте у него стояло иное имя, но папашка знал скупщика краденого лишь по «погонялу».

Прыщ был редкостным скупердяем: за часы, стоившие двадцать рублей, он давал один целковый. Но Лениниду было некуда деваться, иных каналов сбыта «заработанного» папенька не имел, приходилось брать предлагаемый мерзким Прыщом «гонорар» и уходить.

Жил скупщик через стенку от пельменной, в том же доме, на первом этаже. Хорошо зная своих «приятелей», Прыщ опасался воровства, а потому поставил на окно снаружи железные ставни и всегда закрывал их, уходя из дома или ложась спать. Створки служили неким маяком: если открыты — Прыщ в квартире, закрыты — ступай в пельменную, он сидит там.

Пока я молча переваривала информацию, Ленинид трещал, словно сорока, вываливая ворох совершенно ненужной информации столетней давности:

— Денег у Прыща было — лом. Не знал, куда девать. Все скупал, а уж куда дальше отправлял, то никому не ведомо. Поговаривали, правда, что к нему коллекционеры ходят, а кое-кто и заказы делает: видели у приятелей картину или безделушку какую, попросили продать, ни хрена не договорились — и к Прыщу. Ну а тот любое дело устаканить мог. Да уж! Я пару раз с ним таких чуваков видел... в ондатровых шапках, вот[1]. Но правильно говорят: бог шельму метит. Вроде все у Прыща имелось, только сына он потерял. Пропал парень, не нашли! Во как случается! Я так удивился: вроде барыга, а чуть не рыдал. Оказалось, приехал я к нему буквально через пару часов после того, как парень невесть куда подевался. Не поверишь, доча, Прыщ по фатерке метался и в голос выл: «Принц! Где мой принц? Верните принца!»...

---

[1] Мужской головной убор из ондатры считался в СССР показателем не только невероятного материального благополучия, но и высокого социального статуса. Такие ушанки продавались лишь в спецмагазинах для элиты. *(Прим. автора.)*

Ленинид, слегка ошарашенный поведением циничного барыги, кашлянул и сказал:

— Слышь, Прыщ, ты успокойся, воды попей. И ваще, о каком принце речь ведешь?

Скупщик вздрогнул, замолчал, потом вдруг почти нормальным голосом ответил:

— Не знаешь разве? У меня Павлуха пропал, сынок любимый. Я его запер, должон же отец сына уму-разуму учить, а он удрал! Эх, горе горькое!

Ленинид разинул рот, слушая более чем странные речи Прыща. То, что у барыги имеется сын Павел, не являлось секретом, как и то, что Павлик был абсолютно криминальной личностью, виртуозным мошенником на доверии, способным обмануть самого дьявола. Учитывая генетику, таланты юноши не вызывали удивления. Впрочем, детальных подробностей об отпрыске Прыща Ленинид не знал, просто слышал, что тот имеет сына, а теперь еще выяснил и шокирующую деталь: чадолюбивый папаша именовал дитятко «принцем». Вползет же в голову подобная дурь!

— Ну, прикинь, доча, — хмыкал сейчас папенька, — смехотища какая!

— А где сейчас Прыщ? — перебила я Ленинида.

Папенька пожал плечами:

— Помер небось. Он старше меня был. На сколько, не скажу. Впрочем, может, и жив еще. По нему возраст не определить было. Вообще-то красивый мужик, только противный шибко.

— Можешь адрес пельменной сказать?

Папашка кивнул:

— Легко. Там заплутать трудно: от Рижского вокзала на автобусе, потом левее принять, мимо рынка, свернуть вправо, потом опять налево, и вот он, дом. Адрес на бумажке напишу...

— Ой, а чей это чемодан в коридоре стоит? — раздался вдруг удивленный голосок Кристины.

— Это Ленинид решил у нас погостить, — быстро ответила я и ушла к себе, оставив папашу объясняться с Крисей.

Утром невидимая сила вытолкнула меня из кровати ровно в восемь. Быстро проглотив кофе и проигнорировав бутерброды, я понеслась к машине. Очень надеюсь, что дом, где когда-то располагалась пельменная «Холодок», находится на прежнем месте. Может, в здании найдутся старожилы, пенсионеры, которые, глянув на фото, воскликнут: «Ба! Это же Таня, дочь Вани!»

Если полагаете, что двадцать лет слишком большой срок и все давным-давно поумирали, то ошибаетесь. Те, кому было сорок, превратились всего лишь в шестидесятилетних, а это не возраст по нашим временам, кое-кто сейчас и в восемьдесят бодрячком смотрится. А еще в столице много людей, которые за всю жизнь ни разу не сменили место жительства — как их принесли из роддома в квартиру, так в ней и обитают. За примером ходить недалеко, я сама львиную часть жизни провела в блочной пятиэтажке, в крохотной квартиренке, где прошло детство. Вырвались мы с Томуськой из маленьких комнаток относительно недавно, но связи с малой родиной не теряем, часто навещаем тамошних друзей, поэтому лично меня, приехав в наш старый двор, обнаружить очень легко.

Нужную улицу я нашла относительно быстро, вот только пейзаж на ней сильно отличался от картины, нарисованной папенькой. Рынка не имелось, вместо него громоздился бетонный девятиэтажный монстр, исчезли деревянные бараки, на их месте тоже выросли дома. Я сначала приуныла, но упорно продолжала катить вперед. Внезапно перед глазами возникла школа — не «самолетик» современной постройки, а здание из красного кирпича — такие возводили в столице в начале пятидесятых годов. Приободрившись, я нажала на газ, повернула налево, направо, снова налево и не сдержала радостного вопля. Вот же он, низкий, широкий дом, на углу висит небольшая мемориальная доска: «В этом здании с 1948 по 1955 г. жил и работал видный деятель культуры В.М. Тараканов», а рядом пустует железная корзиночка — очевидно, в нее предполагалось класть цветы.

Я вышла из машины и стала внимательно осматривать фасад. Никакой вывески не видно, впрочем, отсутствует и пельменная, первый этаж занимает библиотека.

Решив изучить пейзаж получше, я вытащила фотографию. Судя по всему, девочка сидит на подоконнике первого этажа дома, расположенного напротив. Если встать чуть левее, то здание должно находиться за моей спиной... Но, увы, сейчас там громоздилось строение из светлого кирпича, совершенно не похожее на жилой дом. У входа золотом горела табличка «Медицинский центр». Наверное, ранее тут и стоял дом, но его снесли, жители разъехались кто куда, а на образовавшемся пустыре возвели поликлинику, трансформировавшуюся в наши непростые капиталистические времена в коммерческое предприятие.

На меня напало уныние. Сначала я расстроилась, но потом встряхнулась и вновь обратила свое внимание на здание, где теперь располагалась библиотека.

Так, если ориентироваться по снимку, то вывеска «Холодок» заканчивалась около водосточной трубы, дальше должны идти ставни.

Что ж, труба вот она, на том же самом месте. Я подошла вплотную к стене и обнаружила в ней ржавые железки. Пальцы нащупали холодный металл, я уставилась на порыжевшие подушечки. Горячо! Я явно вижу остатки петель, на которых двигались ставни. Значит, Ленинид не ошибся и ничего не перепутал.

Пальцы снова дотронулись до штырьков...

Дверь библиотеки распахнулась, наружу вышла довольно полная женщина со старомодным начесом на голове.

— Позвольте полюбопытствовать, — вежливо, но твердо заявила она, — что вы ищете под нашими окнами?

— Просто стою, — мирно ответила я. — А что, нельзя?

— Нет.

— Почему?

— У нас дорогие книги!

— Я на них не покушаюсь.

— Тогда зачем изучаете подход к хранилищу?

— Разве за этим окном не квартира?

— А в чем дело? — заволновалась женщина.

— Но раньше тут висели ставни...

— Верно. А вы откуда знаете?

— Вы помните железные створки? — обрадовалась я.

— Конечно, — кивнула библиотекарша. — Их еле-еле срезали. Помнится, рабочие очень ругались. Но с какой стати вы интересуетесь ставнями? Откуда про них знаете? Знакомы с Теодорой Вольфовной?

Я старательно улыбнулась.

— Меня зовут Виола Тараканова, под псевдонимом Арина Виолова я пишу детективы.

— Майя Леонидовна, директор библиотеки, — машинально представилась дама. Потом осеклась и совсем иным тоном воскликнула: — Погодите! «Гнездо бегемота»!

— Верно, это одна из моих книг.

— У нас ее зачитали до дыр, — по-детски радостно сообщила Майя Леонидовна. — Ой, что же я вас на пороге держу! Входите, пожалуйста! Чай, кофе? Девочки, скорей сюда, смотрите, какая радость! Бегите живенько, взбодрите чайничек.

Можно я не стану описывать вам церемонию встречи писательницы Виоловой с работниками читального зала и абонемента? Хорошо хоть в просторных хоромах не имелось ни одного посетителя.

Около часа я терпеливо отвечала на вопросы библиотекарш. Долго ли пишется книга? Почему ваяю детективы, а не занимаюсь настоящей литературой? Правда ли, что все мои сюжеты взяты из жизни? Имею ли мужа? А деток? Ой, бедняжка, почему не хотите рожать? Кого читаете? Любите готовить? Какой пирог? Клюквенный? Дайте скорей рецептик...

В самый разгар «пресс-конференции» на пороге просторной кухни, где происходило действо, возник трясущийся от старости дедушка и дребезжащим голоском, без всякой агрессии, мирно поинтересовался:

— Девоньки, чегой-то у вас перерыв не вовремя, до обеда еще два часа. Нам подождать или как?

«Девочки», самой младшей из которых явно стукнуло шестьдесят, всплеснув руками, побежали на рабочие места, и мы с Майей Леонидовной остались вдвоем.

— Еще кофейку? — засуетилась директриса. — Прямо праздник сегодня! Не балуют нас писатели своим вниманием, уж и не помню, когда последний раз приходили.

— Давно тут библиотека открыта? — стала я осторожно прощупывать почву.

— Она здесь всегда была, — закивала Майя Леонидовна.

— А мне казалось, ранее в помещении работала пельменная «Холодок».

— Верно, мы находились левее, — бойко ответила начальница, — занимали всего сорок метров. Затем письма жильцов дома возымели действие, пельменную, слава богу, прикрыли, ее помещение отдали нам.

— Почему «слава богу»? — прикинулась я идиоткой. — По-моему, очень удобно, когда рядом находится предприятие общественного питания. Можно не готовить, не думать о продуктах — зашел, поел, никаких забот.

Майя Леонидовна закатила глаза.

— Виола Ленинидовна, милая! Да ведь тут просто шалман гудел! Жуткое место! Крики, песни! Одно название «Пельменная», а на самом деле распивочная, место встречи сброда-алкоголиков, уголовников. Марьина Роща, увы, издавна имела славу хулиганского района, и пресловутый «Холодок» был здесь своеобразным центром. Бедная Теодора Вольфовна... Вот уж кто пострадал больше всех! Угораздило же ее выйти замуж за Валерия Павловича. Хотя, говорят, любовь зла.

— Кто такая Теодора Вольфовна? — вылетел из меня новый вопрос.

Майя Леонидовна прищурилась, потом шутливо погрозила мне пальцем.

— Ох, Виола Ленинидовна... Мне книги Арины Виоловой, хоть они и несерьезное чтение, очень нравятся. Я все сообщения о вас в газетах изучаю и сейчас понимаю: новый детектив пишете, да?

— Верно, — кивнула я, — похоже, вы проницательны без меры.

— И след привел к Валерию Павловичу?

— Не знаю, кто он такой, — честно призналась я. — Но у меня есть фото, вот смотрите. Еще я в курсе, что квартира за железными ставнями принадлежала некоему Прыщу.

Майя Леонидовна задумчиво принялась перебирать снимки, потом отложила тот, где были запечатлены две девочки.

— Боюсь ошибиться... — пробормотала она.

— Вы знаете школьниц?

— Ну... стопроцентной уверенности нет... Очень похожи... Старшая Марина. А вот как ее сестру звали, не вспомню. Такое имя простое... Оля? Нет. Маша? Хотя... Катя! Да, Екатерина, точно! Марина и Катя. Старшую дочку мать, очень романтичная женщина, назвала в честь поэтессы Цветаевой.

— Майя Леонидовна, — взмолилась я, — умоляю, расскажите подробно, пока ничего не понимаю!

— Попытаюсь, — кивнула директриса. — Вы только учтите, много лет прошло, могу вспомнить не все подробности.

Глава 17

Майя Леонидовна с самого рождения обитала в доме, где находилась библиотека. Ясное дело, она знала многих жильцов близлежащих зданий, а когда, получив соответствующее образование, сама стала работать в библиотеке на выдаче книг, и вовсе перезнакомилась с большинством обитателей района.

В советские годы купить в магазине нужную литературу могли далеко не все. Произведения некоторых авторов — Пикуля, например, — были в остром дефиците, и если все же удавалось заполучить заветный том, то к нему в нагрузку следовало прихватить сборник стихов какого-нибудь Пупкина под бодрым названием «Широко шагает рабочий класс». О том, чтобы раздобыть детективы Агаты Кристи или Чейза, люди даже не мечтали. Малоинтересный журнал «Звезда Востока», в котором, как явствует из названия, публиковали произведения авторов из Средней Азии, раскупался в одно мгновение только потому, что после поэм и романов о сборщиках хлопка и зверствах басмачей в 1920 году, в самом конце имел рубрику «Зарубежный детектив». Еще криминальные романы печатали журналы «Смена», «Подвиг» и «Искатель», но купить их было практически невозможно. Не лучше ощущали себя и те, кто любил классику и современных романистов, работавших в духе Льва Толстого и Федора Достоевского. Журнал «Дружба народов», опубликовавший прозу Булата Окуджавы, смели с прилавков за один час. А «Москва», где появился труд Булгакова «Мастер и Маргарита», так и не дошел до киосков, его получили лишь счастливые подписчики, да и то не все, множество экземпляров элементарно разворовали на почте. При этом учтите, что подписаться на нужное издание тоже было делом непростым. В организациях квитанцией на «Новый мир» радовали лишь особо отличившихся сотрудников, да и то после того, как лучшие кадры оплатят годовой абонемент на газету «Правда».

Впрочем, и среди газет имелись малодоступные,

любимые, такие, как «Вечерняя Москва» с желанным кроссвордом и программой телепередач и «Литературная газета» (или, просто и ласково, «Литературка») с ее последней страницей, на которой регулярно выступали лучшие юмористы и сатирики.

Книги в семьях берегли. Фраза «Иван Иванович взял у нас третий том из собрания Чехова и не отдал» звучала более драматично, чем «Иван Иванович предал Родину». В «стенках», на самом видном месте, около добытых в тяжелом бою хрустальных бокалов производства братской Чехословакии и фарфорового сервиза «Мадонна», сделанного в Германской Демократической Республике, теснились шеренги томов, в основном у всех одинаковые — «зеленый» Чехов, «голубой» Куприн, «серый» Лев Толстой, «оранжевый» Майн Рид, «коричневые» Бальзак и Золя... Впрочем, цвет переплетов мог меняться. Совсем шикарно, например, смотрелось собрание сочинений Горького, в суперобложке с фотографией хмурого Пешкова. Книгами гордились, их не давали читать малознакомым людям из боязни лишиться томика, и уж совершенно невозможно было разрешить ребенку принести в школу, на урок литературы, «Войну и мир» или «Мцыри» из домашнего собрания. Кстати, украсть книгу считалось не слишком зазорным.

Теперь понятно, почему в СССР были столь распространены библиотеки? Ими пользовались учащиеся, их родители и пенсионеры, последние частенько просиживали в читальных залах, «глотая» новинки в толстых журналах. Самым лучшим посетителям, особо себя зарекомендовавшим, многолетним знакомым, библиотекари могли сделать царский подарок: вечером, в девять часов, после закрытия читального зала, товарищу давали журнал на дом со строгим приказом принести его утром, к открытию. Вечер и ночь вы могли провести, слившись в экстазе с обожаемым «Новым миром» или «Дружбой народов».

Библиотеки были не только местом, где обменивали книги, там общались с единомышленниками, встречались с писателями, организовывали кружки и студии.

Книгохранилище, где трудилась Майя Леонидовна, а в те годы просто Майечка, не являлось исключением. Маленькая зарплата компенсировалась возможностью всегда иметь под рукой любимые книжки и огромным кругом общения. Те, кто полагает, что в библиотеку приползают лишь старики, ошибаются. К стойке, за которой восседала Майя, частенько подходили молодые люди, и мужа себе девушка нашла именно среди читателей.

Из толпы посетителей Майя особо выделяла двоих — милую, интеллигентную Теодору Вольфовну Блюм и слегка странноватого историка Федора Сергеевича Константинова.

Теодора обожала любовные романы, вещь, еще более редкую в советской действительности, чем детективы. При почти полном отсутствии новинок Теодора утешалась Бальзаком, Мопассаном, Золя и советской литераторшей Людмилой Уваровой. Майя ничего не знала о семейной жизни Теодоры, но считала ее одинокой, справедливо полагая, что замужняя женщина не станет просиживать часами в библиотеке.

Очень скоро Блюм превратилась в активистку, потом она стала на общественных началах приводить в порядок каталог. Ласковая, приветливая, всегда более чем просто, но опрятно одетая Теодора ни разу не обмолвилась ни словом о своей семье. Вернее, она весьма охотно рассказывала о своих родителях и даже о дедушке с бабушкой, но о муже и детях молчала, следовательно, их и не имелось. И потом, каждый день, ровно в шестнадцать часов, Теодора входила в библиотеку и сидела в ней до закрытия. Ну какой супруг потерпит подобную вольность? Теодора была таким же постоянным атрибутом книгохранилища, как ящики, в которых находилась картотека, или бюст Ленина при входе.

Федор Сергеевич Константинов тоже прибегал в библиотеку почти ежедневно. Он жил напротив, буквально в двух шагах, и позволял себе некоторую вольность в одежде — приходил в домашнем, чем смущал Майечку. Старый историк внешне походил на сумасшедшего, хоть и являлся профессором, известным ученым, примерным семьянином и отцом двух девочек. Стоило послушать, с каким выражением Федор Сергеевич просил Майю:

— Милая барышня, дайте мне литературу вот по этому списку.

Кстати говоря, в отличие от некоторых несознательных людей Константинов никогда не задерживал книг. Если профессор заболевал, тогда с пакетом в библиотеку приходила его жена Розалия, очень приятная дама, большая любительница поэзии, весьма романтичная особа.

Как-то раз Майечка набралась наглости и попросила Федора Сергеевича выступить перед читателями с лекцией. Константинов не отказал. Мало того, что он потратил два часа, растолковывая легенды и мифы Древней Греции, так еще и не пожалел времени на подготовку к выступлению — подобрал и принес слайды, продемонстрировал их собравшимся.

У Константинова, как уже говорилось выше,

было две дочки. Младшую Майя почти не видела, зато старшую, Марину, ежедневно — та очень любила сидеть на подоконнике, смотря вдаль.

Времена стояли идиллические, об организованной преступности люди ничего не слышали, квартира Константиновых находилась на первом этаже, но никаких решеток там и в помине не имелось. Марина маячила на подоконнике и зимой, и летом. В холодное время года рама была закрыта, а вечером Розалия задергивала плотные шторы. Но, уходя домой и запирая двери библиотеки, Майя чувствовала на своей спине чужой взгляд и машинально оборачивалась. Улица пустовала, в окнах дома напротив кое-где горел свет, а у Константиновых всегда было темно (Розалии не нравились посторонние взоры, которые случайные прохожие бросали в ее комнаты). Но Майя понимала: Марина сидит на подоконнике, и это она сейчас глядит на библиотекаршу.

Шло время. Майя, стремительно сделав карьеру, стала директором. Теодора, слегка постарев, попрежнему проводила каждую свободную минуту в библиотеке, Константинов старательно работал, писал монографии, Марина не потеряла привычку мечтать на подоконнике. Ни в чем плохом девочка замечена не была. Если Майя Леонидовна, приметив хрупкую фигурку на улице, приветливо махала рукой и говорила: «Здравствуй, деточка», то Мариночка вежливо отвечала: «Добрый день». Сама она, будучи очень хорошо воспитанной девочкой, разговора не начинала. В библиотеке Марина не бывала, зато ее младшая сестричка, став школьницей, иногда забегала за учебной литературой.

В общем, ничто не предвещало несчастья, гром грянул буквально с ясного неба.

В начале мая, как раз после своего дня рождения, Майя Леонидовна пришла на работу первой и села в крохотном кабинетике. На дворе стояла редкая для Москвы теплая, безветренная, сухая погода. Столичные жители радовались непривычному теплу уже неделю, и Майя Леонидовна не являлась исключением — она открыла окно кабинета, которое выходило не на улицу, а во двор, и принялась перекладывать бумажки на столе.

Внезапно послышались громкие голоса, потом крик. Майя Леонидовна покачала головой и вышла в коридор. Она предположила, что по библиотеке носятся здоровенные лбы-школьники, которых можно было бы считать взрослыми, если бы не их поведение.

Но в подведомственном учреждении оказалось пусто, вопль летел с улицы. Директор вышла на крыльцо и увидела невероятную картину. По узкому тротуару бежал Федор Сергеевич Константинов, облаченный в пижаму и домашние тапки, в правой руке профессор сжимал длинный брючный ремень.

— Убью! — вопил всегда корректный ученый. — Насмерть! Мой принц! Это она! Теперь понятно! Больше некому!

Майя Леонидовна ахнула. Но тут из подъезда дома напротив выскочила Розалия в криво застегнутом халатике и кинулась за супругом. Через пару шагов со ступней Розалии соскользнули шлепки, но женщина, не обратив на это внимания, понеслась дальше босиком.

От вида дамы Майя Леонидовна совершенно обалдела. Пробежка ученого в пижаме выглядела, конечно, по-идиотски, но профессор и в библиотеку мог притопать в ней или в разных тапках. А один раз и вовсе случился конфуз. Как-то зимой Константинов, заявившись за литературой, снял в гардеробе пальто, спокойно повесил его на вешалку, вошел в зал и... услышал взвизг библиотекарш.

— Что случилось? — начал ошарашенно оглядываться профессор. — Я напугал вас?

— Э... э... — забормотала красная от смущения Майя Леонидовна, — э... в общем... простите, конечно... но вы забыли надеть брюки.

Федор Сергеевич уставился на свои ноги, обтянутые серо-голубыми кальсонами с трогательно болтавшимися у щиколоток завязочками, потом схватился за голову и спешно ретировался. Так что рассеянность ученого переходила все границы, но была известна, поэтому вид историка в пижаме не потряс Майю. Но, глянув сейчас на Розалию, она испытала шок.

Не успела директриса переварить увиденное, как профессор, покачнувшись, упал на тротуар. Жена бросилась к мужу.

— Помогите! — заорала она. — Врача!

Возле Константинова стала собираться толпа. Майя Леонидовна сбегала к телефону, вызвала «Скорую» и ринулась на улицу.

Напомню, что дело происходило давно, москвичи, не знавшие перестройки, перестрелки и капиталистических отношений, были менее боязливы и более социально активны, чем ныне, «Скорая» ездила по городу, еще практически не знавшему, что такое пробки, а автолюбители, услыхав тревожно воющий глас сирены, мгновенно пропускали машину с «мигалкой».

В общем, «Скорая» прибыла быстро, профессора положили на носилки и увезли. Майя повела рыдающую Розалию домой.

Собственно, директриса думала передать даму дочерям и уйти — Майя Леонидовна совсем нелюбопытна. Она женщина интеллигентная и хорошо понимает, что посторонний человек при стрессовой ситуации в семье является ненужным раздражителем.

Но в квартире Константиновых на первый взгляд было пусто. Дверь оказалась незапертой — она стояла нараспашку.

— Марина! — позвала Майя, поддерживая Розалию. — Подойди сюда, маму надо уложить в кровать!

Но ни один звук не нарушил тишины квартиры.

— Марина! — повысила голос директор. — Ты где?

— Ее нет, — неожиданно спокойно ответила Розалия. — Это из-за нее Федя теперь умрет.

— Ваш муж непременно поправится, — быстро сказала Майя, — сейчас врачи все лечат.

— Разбитое сердце не склеить, — сообщила Розалия. Она высказалась в своем обычном духе, жене профессора были свойственны патетические фразы. Но затем из уст дамы начали вылетать совсем иные речи: — Сволочь! Неблагодарная дрянь! Мерзавка! Надеюсь, она помрет под забором! Ах, ...! ...! ...!

— Вы о ком? — слегка испугалась Майя, и не предполагавшая, что интеллигентная, изысканная и душевно тонкая любительница стихов Цветаевой знакома с площадными выражениями, которыми изъяснялись постоянные посетители «Холодка».

Розалия молча пошла по коридору. Забыв о правилах приличия, изумленная Майя Леонидовна безо всякого приглашения побежала за хозяйкой. Комната, куда в конце концов попала библиотекарша, ее просто ошеломила.

На стенах не имелось и сантиметра пустого пространства. Повсюду висели картины: пейзажи, натюрморты, портреты. В стеклянных «горках» теснились фарфоровые статуэтки; а еще тут имелись часы, сразу четыре штуки. Как раз в тот момент, когда Майя очутилась в похожей на музей гостиной, послышался мелодичный звон. К нему присоединился бой других часов, затем раздались гулкие низкие звуки и дребезжащее треньканье. Механизмы почти одновременно отмечали наступивший час.

Майя Леонидовна невольно попятилась, в голове возникла мысль: «Не хотела бы я жить в подобном месте. Слишком темно, пыльно и шумно».

Словно услыхав не высказанную вслух фразу, Розалия пояснила:

— Федор — коллекционер. Поэтому шторы открывать нельзя, от яркого света портятся полотна, а с пылью я устала бороться, только вытру, она снова села. Форточки стараюсь не распахивать, а толку...

— Что же собирает ваш муж? — машинально поинтересовалась Майя.

Розалия опустилась на диван.

— Все, — устало ответила она.

— Как это? — удивилась директор библиотеки.

— Что увидит интересное, то и покупает, — тихо пояснила Розалия. — Да вы садитесь...

Майя Леонидовна приблизилась к креслу, обитому синим атласом, и замерла — увидела, что между поручнями натянут желтый шнур.

— Туда нельзя, — пояснила Розалия, — это раритетная вещь, предположительно семнадцатый век.

— Да? — растерялась директриса и огляделась. — А куда можно пристроиться? Тут повсюду веревки.

— На диванчик, — прошептала Розалия, — он советского производства, ценности не представляет. Господи! Как мне это надоело! Федор... деньги... Марина...

Из уст Розалии полился сначала сбивчивый, отрывистый, но потом вполне связный рассказ. Майя Леонидовна, которой пришлось слушать ее нервные излияния, лишь удивлялась тому, насколько справедлива фраза «чужая душа — потемки».

За внешне благополучным фасадом семьи Константиновых скрывалась беда. Так слой макияжа маскирует морщины и пигментные пятна, а смой «штукатурку» — и увидишь подлинное личико красавицы.

Федор Сергеевич был коллекционером.

«Эка напасть! — воскликнет сейчас большинство женщин. — Мой-то — горький пьяница (или наркоман), тянет все вон из дома, детские игрушки у метро продал, вот где горе! А тут коллекционер! Приличный человек».

Дорогие мои, вы просто не знаете, что иной собиратель намного хуже сидящего на игле наркомана. Вернее, он ему родной брат. В большинстве семей коллекционеров складывается абсолютно парадоксальная ситуация: есть нечего, дети голодные, одежда истрепалась, о хорошей мебели, ремонте, даче и машине нельзя даже и мечтать, потому что папа все деньги тратит на хобби. Зато кругом развешаны полотна стоимостью в десятки тысяч долларов. Продав маленький холст, можно безбедно прожить год, а то и два, но снять его со стены и выставить на аукцион нельзя. Малыши пьют чай без сахара, никогда не видят фруктов, мама десятый год носит ситцевое платьице, а папа, радостно потирая руки, приносит новую акварель, приговаривая:

— Ничего, можно перловку месячишко-другой поесть. Зато глядите, какая красота! Между прочим, еще и отличное вложение капитала, через двадцать лет цена вещи возрастет во много раз.

Только есть и одеваться несчастной супруге и деткам надо сейчас, ну невозможно объяснить семилеткам:

— Вы ни мяса, ни рыбы, ни яблок не просите, папа коллекцию пополняет. А потом, лет через ...дцать, наедитесь досыта!

Коллекционирование — страшная страсть, по мне, так легче иметь дело с алкоголиком или бесшабашным игроком в покер, чем жить около человека, собирающего раритеты.

Глава 18

Короче, в среде коллекционеров есть свои ненормальные. Константинов принадлежал к их числу, он собирал все: картины, часы, статуэтки, книги, даже мебель, отказаться ни от чего не мог. Нормальные собиратели, разыскивая нужный им позарез сервиз, спокойно проходят мимо мебели. Не потому, что не знают ей цену, а потому, что она не входит в сферу их интересов. Коллекционер, ставящий на полки бесконечные фигурки собак, не польстится на изображение кошки. А собиратель, обожающий табакерки, будет равнодушен к портсигарам.

Мир истинных собирателей, людей, готовых ради получения вожделенной вещицы продать душу дьяволу, узок. Почти все коллекционеры знакомы между собой или слышали о том, кто что собирает. Поэтому если в руки некоего любителя старины попадает ненужный ему, неподходящий по теме предмет, то очень часто человек берет телефон и говорит в трубку: «Иван Иванович, Иван Петрович беспокоит. Тут мне предлагают прижизненное издание Пушкина, но, сам знаешь, не мое. Вот, о тебе подумал».

Такое поведение считается правильным, хотя, естественно, отнюдь не все проявляют подобную интеллигентность. Кое-кто звонит «коллегам», просто желая избавиться от залежалых вещей, оказавшихся в руках по воле случая.

А еще многие обладатели скульптур, картин или старинной посуды стараются никому не показывать своих собраний. В мире коллекционеров развито воровство.

В семидесятых годах Москву потрясло громкое дело. В своей квартире был убит врач N. О покойном шла слава филателиста, содержимое его кляссеров[1] являлось тайной, N демонстрировал лишь обменный фонд, но все равно досужие языки безостановочно сообщали о собрании N все новые и новые подробности. Потом медика задушили, под подозрение мигом попала жена покойного — следователь легко узнал, что у дамы с мужем были плохие отношения, речь шла о разводе. В конце концов вдову арестовали, осудили и отправили на зону. Скорей всего, несчастной бабе пришлось бы сидеть весь срок, но, по счастью, у нее имелся любовник, который, засучив рукава, кинулся выручать свою обожэ. Спустя год после убийства был обнаружен истинный преступник: коллекционер М, который захотел завладеть одной из марок и нанял вора. К сожалению, в тот момент, когда уголовник шарил на полках, в квартиру внезапно вошел хозяин.

Но вернемся к семье Константиновых. Розалия, в отличие от очень многих жен, во всем поддерживала мужа, ее не смущали более чем скромная жизнь, необходимость существовать на копейки, нищенская одежда и скудное питание. Женщина не ныла, не просила шуб и поездок в Крым, не ходила в па-

---

[1] К л я с с е р — альбом для марок. *(Прим. автора.)*

рикмахерскую, не мечтала о даче или машине, она полностью растворилась в муже. Если честно, ей не были особо нужны и дочери, всю свою любовь Розалия отдавала Федору. С людьми, которые смели критиковать профессора, Розалия моментально порывала все отношения. Подобная тактика привела к тому, что у семьи не осталось ни друзей, ни приятелей, а дети не имели права приводить в дом одноклассников, Розалия во всех школьниках подозревала воров.

Последним у Константиновых перестал бывать Леонид Грачев, тоже профессор и собиратель, только, в отличие от Федора, он не распылялся — его интересовали лишь старопечатные книги. Грачев приятельствовал с Константиновым с незапамятных времен. Думаете, дружба с многолетним стажем не способна лопнуть в две секунды? А вот и нет.

Однажды Федор, сверкая от возбуждения глазами, начал демонстрировать Лене молитвенник, приобретенный накануне у какого-то старика.

— Смотри, — восклицал Константинов, — состояние отличное, семнадцатый век!

— Тебя обманули, — с громадным сочувствием сообщил Леня, — это новодел, в Германии ляпают.

— Нет, нет.

— Да, да, — закивал Леня, — ты бы, прежде чем колоссальные деньги отдавать, со мной посоветовался, не первый год книгами занимаюсь и фальшак с полувзгляда различу. Ты сейчас держишь в руках подделку, могу назвать ее приметы. Да хоть на бумагу глянь!

Федор молча встал и ушел. Леонид решил, что приятель бросился звонить нечестному продавцу, и тут в беседу влезла Розалия.

— Как ты смеешь говорить глупости! — воскликнула она.

— Понимаю, слышать такое неприятно, но в данном случае лучше знать правду, — мирно парировал Леня. — Думаю, молитвенник надо вернуть.

— Ага, себе хочешь забрать...

— Господи, конечно, нет. Зачем мне дрянь?

— Книга подлинная.

— Увы, нет!

— Самая настоящая.

— Ты ошибаешься.

— У Федора замечательно наметан глаз.

— Боюсь, ты преувеличиваешь способности мужа, талант оценщика — не главное его достоинство, — вздохнул деликатный Леонид.

— Ты просто позавидовал Феде! — взвилась Розалия.

— Нечему.

— Как же, такая уникальная вещь, и не твоя...

— Фальшивка!

— Раритет.

— Подделка.

— Подлиннее не найти.

— Глупость.

— Редкостная удача, — не сдавалась Розалия.

И тут у Леонида лопнуло терпение.

— Да как ты не понимаешь! — заорал он. — Ох, не хотелось бы Федьку добивать... Все равно скажу: твой супруг вообще фиговый собиратель, его постоянно вокруг пальца обводят, народ Константинову под видом ценностей частенько всякую дрянь сдает. Знаешь, как его наши кличут? Мусорщик!

Розалия побледнела.

— Врешь!

— Нет, правда, — слегка сбавил тон Леонид. —

Зря я молчал... Все боялся Федора обидеть, а следовало ему раньше глаза открыть.

— Уходи, — прошептала Розалия.

— Не будь дурой, послушай меня.

— Убирайся!

— Я как друг...

— Нам не нужны подобные друзья! — отрезала супруга Константинова.

Леонид нахмурился:

— Не понял...

— Вон из нашего дома! — четко произнесла Розалия. — Неужели не ясно? Могу повторить: пошел отсюда!

Леонид вскочил.

— Ладно! Но напоследок сообщу: все, что Федька приволок в дом, — полнейшее дерьмо. На стене, вон там, не Коровин. Эту картину многим пытались всучить, но обломалось. Мазню сработал студент-художник, состарить холст легко, вот Федька и клюнул. Кресло, на которое он никому садиться не разрешает, вовсе не помнит императора Павла, и вон те фигурки сделаны пару лет назад, а не в восемнадцатом веке. Федька идиот, лопух, нахапал дерьма и радуется, а над ним все смеются. Так-то!

Выговорившись, Грачев ушел, не постеснявшись напоследок хлопнуть дверью, а Розалия бросилась утешать мужа. Она ни на секунду не поверила злым словам Леонида. Ясное дело, что бывший лучший друг переполнился завистью, сам хотел бы заполучить чудесный молитвенник и большинство раритетов, имевшихся в квартире Константиновых. Федор — выдающийся человек, остальные собиратели жалки и нелепы, их коллекции бедны, несуразны и ничтожно малы. Если речь заходила о Федоре, Розалия начисто теряла способность разумно мыслить.

Полностью поглощенная мужем, она мало внимания уделяла детям, мать из Розалии была никакая, старшая и младшая девочки росли словно сорная трава. И вот странность: дочери у Константиновых получились тихие, спокойные. Молчаливая Марина без возмущения ходила целый год в одном платье, отлично училась в школе и не доставляла родителям никаких хлопот. Розалия никогда не проверяла уроков и не интересовалась, что делает девочка в свободное время. Но, очевидно, Мариночке достался правильный генетический набор, ни в чем плохом она никогда замечена не была.

И вот грянул гром. С чистого, не затянутого тучами неба, абсолютно неожиданно.

Марина исчезла. Момент, когда и куда ушла дочь, Розалия, как всегда, не отследила. Более того, факт, что девочка не ночевала в своей постели, дошел до матери не сразу. Утром, около десяти часов, Розалия случайно приметила в прихожей портфель старшеклассницы и страшно удивилась.

— Марина, — крикнула она, — ты заболела?

Дочь не ответила.

Мама заглянула в спальню к девочке.

Константиновым повезло с жильем. Правда, дом, где обитала семья, был ветхим, кандидатом на снос, его возвели при царе Горохе, и трубы с тех пор не меняли ни разу, зато у профессора имелись две громадные комнаты, каждая по пятьдесят метров с несколькими окнами. В свое время Розалия поставила перегородки, получила в результате ремонта пятикомнатные апартаменты, и все члены семьи имели отдельные спальни.

В детской Марины царил обычный казарменный порядок, кровать была застелена, на тумбочке ничего лишнего. Беспечная Розалия тут же успокоилась — значит, дочь, как всегда, ушла на занятия. Почему портфель дома? От этого тревожного вопроса мать просто отмахнулась и отправилась заниматься своими делами.

Около девяти вечера ей позвонила классный руководитель Марины Анна Ивановна.

— Ваша дочь пропустила занятия, — сообщила бдительная дама. — Девочка заболела?

— Нет, — удивленно ответила мать.

— Значит, прогуляла контрольную по математике, — резюмировала Анна Ивановна. — Ну-ка, позовите безобразницу.

— Марина, — крикнула Розалия, — Марина... Извините, сейчас она вам перезвонит, наверное, в ванной сидит.

— Жду, — ответила Анна Ивановна и отсоединилась.

Розалия отправилась искать старшую дочь. Так и не обнаружив Марину, мать зашла в комнату к ее младшей сестре.

— Где Марина?

— Не знаю, — ответила девочка.

— Вы из школы вместе шли?

— Не-а.

— Почему?

— У меня сегодня четыре урока, у нее шесть. Только... — начала младшая школьница и осеклась.

— Договаривай, — сердито приказала Розалия, которую взбесила необходимость разбираться в ситуации.

— Я сегодня в школу одна шла, — тихо сообщил ребенок.

— Это почему?

— Ну... так.

— Вы же всегда вдвоем из дома выходите.

— Э... э...

— Живо говори!

— А... а...

— Прекрати мямлить!

— Маринки в комнате не было, — наконец выдавила из себя младшая, — она как вчера вечером ушла, так и не вернулась.

— Ушла? — ошарашенно переспросила Розалия. — Вчера?

Младшая дочь кивнула, и тут снова позвонила Анна Ивановна. Совершенно непонятно, как бы разворачивалась история, не вмешайся в ситуацию классная руководительница. Это она, а не Розалия поставила на уши всех: соседей, администрацию школы и сотрудников милиции. В квартиру Константиновых пришли люди в форме и начали допрос. Чем дольше длилась беседа, тем ясней становилось, какой матерью являлась Розалия.

— Марина могла пойти к подруге? — вопрошал мент.

— Понятия не имею, — ответила «чуткая» мамочка.

— Назовите фамилии ее друзей.

— Не знаю.

— Или тех, кто занимается с вашей дочерью в секции гимнастики.

— Марина увлекается спортом? — растерянно воскликнула Розалия. — Но она же целыми днями дома сидит!

Милиционер крякнул и попытался изучить ситуацию с иной стороны:

— Сколько денег у девочки?

— Ни копейки!

— Вы не давали ей на проезд и на завтрак?

— Школа рядом, — снова недоуменно откликнулась Розалия. — А разве там есть буфет?

— Значит, у девочки и не было карманных денег?

— Нет.

— Вы ей часто покупаете новые вещи?

— Нет.

— Можете вспомнить, что дарили недавно?

— Ну... нет.

— Все же попытайтесь.

Розалия напряглась.

— На Новый год под елку положили кулек с конфетами.

— Давненько праздник случился, май уж начался, — протянул дознаватель.

— Верно, — согласилась Розалия и быстро добавила: — Детей не следует баловать.

— Недавно девочка пришла на занятия в новых туфлях и хвасталась ими перед одноклассницами. Вы ей покупали обувь?

— Нет.

— А пару недель назад у Марины появилось колечко — не слишком дорогое, но все же серебряное, не бижутерия. Откуда оно?

— Не знаю.

— Похоже, вас совсем не интересовала дочь! — в сердцах воскликнул милиционер.

— Нет, — машинально ответила Розалия. — То есть да... вернее, нет... Оставьте меня в покое, я устала и хочу спать.

— У вас ребенок пропал, — напомнил мужчина в форме.

— Куда ей деться? — пожала плечами мать.

— Вот и я о том же, — резко подхватил собеседник, — друзей не имеет, денег тоже.

Розалия пожевала губами, потом выпалила:

— Не надо мужу пока ничего сообщать! Не следует Феденьку тревожить! Вернется Марина, я ее выдеру.

Милиционер нахмурился.

— Ваш супруг коллекционер?

— Да, да.

— В доме ценные вещи?

— Очень.

— Ничего не исчезло?

— Боже, — схватилась за голову Розалия, — ужас! Скорей, бежим, проверю.

Спустя четверть часа Розалия впала почти в истерику. Позавчера Федор принес домой только что приобретенные вещи: статуэтки кошек невероятной редкости и дороговизны. И вот сейчас, осматривая коллекцию, жена профессора поняла: одна из кисок пропала. Некто украл драгоценную статуэтку, причем человек, совершивший святотатство, глуп — он не знал, что фарфоровые безделицы групповые. Конечно, и одна кошка стоит более чем приличные деньги, но вместе с «подругами» ее цена значительно возрастает. Вор просто, видимо, схватил самую симпатичную, на его взгляд, вещицу, разлучил компанию.

— Марина! — завопила мать. — Она! Больше некому! Немедленно поймайте мерзавку, отнимите кошку, посадите девку в тюрьму...

Еле-еле успокоив взбешенную женщину, милиционер, осуждающе покачивая головой, удалился, а Розалия осталась в квартире. Ее охватили тягостные раздумья: как сообщить мужу о произошедшей беде — о пропаже статуэтки?

Вечером супруга так и не решилась выложить

профессору правду, Федор вернулся с работы очень усталым, и жена отложила трудную беседу на потом.

Утром Константинов решил полюбоваться на кошек. Розалии пришлось открыть истину. Всегда корректный ученый, потеряв голову, прямо в пижаме выскочил на улицу, в руках Федор сжимал ремень. Из сбивчивого рассказа жены Константинов понял лишь одно: Марина украла раритет, и он помчался в школу, чтобы сию секунду выпороть гадкую дочь. То, что девочка не была в школе, не появлялась дома уже двое суток, исчезла, папочка не понял, профессора волновала лишь судьба коллекционной статуэтки.

Глава 19

Выслушав нервный рассказ Розалии и кое-как успокоив женщину, Майя Леонидовна вернулась в библиотеку и попыталась заняться работой. Но почти все посетители, жители соседних домов, едва вступив в зал абонемента, спрашивали:

— Слышали? Говорят, профессор Константинов на улице упал, инфаркт у него.

К обеду история обросла подробностями и теперь выглядела так: в квартиру профессора влезли воры, ученый спугнул их, бросился преследовать и получил удар.

Ближе к вечеру появилась иная версия: да, уголовники были, и они стреляли в Константинова, сильно ранили.

Потом читатели принесли новое сообщение. Федор умер в больнице после ножевого ранения, которое нанесла ему старшая дочь. Марину ищет милиция, Розалия прилюдно прокляла школьницу.

Оставалось лишь дивиться человеческой фантазии и поражаться скорости, с которой множились слухи.

А перед закрытием библиотеки произошло еще одно удивительное событие.

В двадцать сорок пять Майя Леонидовна вошла в читальный зал и привычно объявила:

— Уважаемые посетители, до закрытия осталось пятнадцать минут, убедительная просьба сдать подшивки газет и книги. Те, кто не завершил работу, могут отложить издание на бронеполку.

Народ косяком потянулся на выход. Проводив читателей, Майя Леонидовна стала прощаться с сотрудниками. Библиотекарши по очереди заглядывали в кабинет к начальнице и говорили:

— Все, побежала...

— До свидания, Клара Егоровна... до завтра, Тамарочка... утром встретимся, Мариам Марковна... — кивала Майя Леонидовна, — всего доброго, Любовь Аркадьевна...

Потом она проводила общественных помощниц, Свету и Людмилу, возившихся с каталогом, взяла свою сумку, пошла к двери и вздрогнула. А где же Теодора Вольфовна? Она не заходила попрощаться! Куда подевалась Блюм? Может, сидит в туалете?

Майя Леонидовна порысила в коридорчик и поняла: в санузле пусто. Пришлось методично обходить все помещения. Блюм словно сквозь землю провалилась. Слегка растерявшись, Майя Леонидовна позвонила своей заместительнице.

— Простите, Любовь Аркадьевна, вы не знаете, Теодора Вольфовна ушла?

— Я ее сегодня не видела, — ответила дама, — она на абонемент не заходила.

Нехорошее предчувствие кольнуло Майю Леонидовну. Директриса стала методично обзванивать остальных сотрудниц и скоро сделала весьма неутешительный вывод: Теодоры Вольфовны в этот день не было в библиотеке. И она испугалась: Блюм далеко не молода, живет одна... Вдруг с ней случилось несчастье? Инсульт? Или пожилая женщина сломала ногу? Лежит сейчас одна, на полу, плачет от беспомощности... А может, снова с сердцем плохо? Некоторое время назад Блюм попала в больницу на несколько дней именно с сердечным приступом. Но тогда Теодора позвонила и сказала:

— Скоро вернусь. Не беспокойтесь и не навещайте меня, а то я буду стесняться своего вида в халате.

Но сегодня-то старушка не звонила!

Майя Леонидовна кинулась назад в кабинет, где имелась тетрадка с адресами и телефонами не только кадровых библиотекарш, но и общественных помощниц.

Только сейчас директрисе пришло в голову: никто из сотрудниц никогда не бывал дома у Блюм и не звонил ей. Да и зачем пользоваться телефоном, когда Теодора Вольфовна всегда была под рукой? Она появлялась в кинохранилище ежедневно!

Оказалось, что Блюм обитает в двух шагах от библиотеки, окна ее квартиры соседствуют с окнами читального зала. Майя Леонидовна кинулась в подъезд и принялась звонить в нужную дверь, уже не надеясь услышать тихий голос Блюм и увидеть ее на пороге, а потому машинально размышляя, кого следует позвать, дабы вскрыть квартиру. Участкового? Домоуправа?

Но неожиданно дверь распахнулась. Майя Леонидовна ойкнула и попятилась. На пороге высился очень неприятный субъект, завсегдатай пельменной

«Холодок», криминальная личность по кличке Прыщ. Об этом мужчине шла нехорошая слава.

— Ну? — мрачно спросил он. — Чего надо? Не звали чужих в гости.

И тут Майю Леонидовну осенило, бедная Теодора Вольфовна! Вот почему она никогда не зовет коллег к себе — Блюм проживает в коммунальной квартире, соседствуя с Прыщом. Господи, несчастная женщина!

— Чего молчишь? — наседал маргинальный тип.

Майя Леонидовна кашлянула.

— Простите, пожалуйста...

— Пока ничего плохого не сделала, — хмыкнул мужик.

— Мне нужна ваша соседка...

— Так звони в другую квартиру! — перебил Прыщ.

— Вы не поняли, ваша соседка...

— Кто?

— Теодора Вольфовна Блюм, — докончила фразу Майя Леонидовна.

Хозяин заморгал.

— Она сегодня не пришла в библиотеку, — невесть зачем принялась объяснять директриса, — вот... подумала... вдруг заболела...

— Здоровее лошади, — буркнул Прыщ, — вон там ее комната.

Выплюнув фразу, Прыщ ушел, а Майя Леонидовна, мысленно перекрестившись, поскреблась в указанную дверь.

— Я сплю! — послышался из-за нее испуганный голос Блюм.

Сообразив, что Теодора жива, Майя Леонидовна обрадовалась безмерно. Забыв про церемонии, она толкнула дверь и воскликнула:

— Ой, как вы меня напугали!

Лежавшая на диване Блюм вскочила, словно укушенная осой.

— Майя Леонидовна! Вы!

— Ну да!

— Зачем пришли? — растерянно забормотала старушка.

— Думала, вы занедужили!

— Нет, нет, все нормально, — залепетала Теодора.

Но Майя уже отметила красный нос, опухшие веки и слишком хриплый голос собеседницы.

— Вы простыли.

— Ерунда.

— Пойду в аптеку.

— Ой, не надо!

— Тут близко, в двух шагах.

— Я отлично себя чувствую.

— Оно и видно, — покачала головой Майя, — бледная как смерть, синяки под глазами в пол-лица и носом шмыгаете.

— Тише, тише, — нервно оглянулась на дверь Теодора, — не дай бог Валерий Павлович услышит! Беды не оберемся, он посторонних в квартире не терпит. Как вы вошли? Неужели дверь была не заперта?

— Меня впустил ваш сосед, — пояснила Майя.

В глазах Блюм заплескался ужас.

— Кто?

— Ну... завсегдатай «Холодка».

— Валерий Павлович?

— Увы, не знаю имени этого мужчины.

Теодора Вольфовна посерела, но сказать ничего не успела — дверь в ее комнату распахнулась, появился Прыщ.

— Слышь, дура, — довольно беззлобно сказал он, — запри за мной.

— Сейчас, — подхватилась Блюм.

Прыщ плюнул на паркет и ушел. Когда входная дверь со стуком захлопнулась и Теодора Вольфовна вернулась, на Майю навалилось негодование.

— Мерзавец!

— Тише, тише, — зашептала Теодора, — еще услышит...

— Ну и пусть!

— Он ударить может...

— Вашего соседа следует наказать! — кипела Майя Леонидовна. — Какое право он имеет так себя вести? Почему не отнесете заявление в милицию?

Блюм начала кашлять, а директрису несло на волне злости. Майя Леонидовна слишком переволновалась, думая о смерти Теодоры Вольфовны, и сейчас у нее началась настоящая истерика.

— Харкнул на пол! — закричала она.

— Тише, пожалуйста, — взмолилась старушка.

— Обозвал дурой!

— Он не со зла.

— Ворвался в комнату без стука!

— Право, ерунда.

— Нет, я так это дело не оставлю! — кипела Майя. — Вы одиноки и не способны постоять за себя, но, слава богу, я вполне молодая, сильная женщина...

— Тише, пожалуйста!

— ...и способна поставить негодяя на место.

— Тише, пожалуйста, — словно заведенная повторяла Блюм.

— Прямо сейчас вызову милицию.

— Ой, тише!

— Пусть отметят факт безобразия.

— Не надо!

— Ваш сосед невероятно распущен.

— Все нормально, мы хорошо живем. Очень прошу, не затевайте скандал, — чуть не зарыдала Теодора Вольфовна, — иначе Валерий Павлович мне потом такое устроит...

— Да прекратите бояться! — рявкнула Майя Леонидовна. — Поймите, этот Прыщ чувствует себя хозяином лишь потому, что вы трясетесь, а дадите ему отпор — живо хвост подожмет. Все грубияны, как правило, трусы.

— Вы не знаете Валерия Павловича, — прошептала Блюм, — он способен извести человека. Я благодарна ему за разрешение жить своей жизнью...

— Это уже ни в какие ворота не лезет! — окончательно разъярилась Майя. — Теодора Вольфовна, милая, вы что, раба Прыща?

— Ну... нет, — пролепетала Блюм, — хотя... если подумать... коли честно... не лукавя... не кривя душой... то да! Я его очень боюсь, но и уважаю.

Майя Леонидовна захлопала глазами. Конечно, директриса понимала: жизнь интеллигентной старушки, вынужденной делить квартиру с наглым, явно криминальным мужчиной в расцвете лет, не может быть безмятежно счастливой. Но в Советской стране есть милиция и законы. Теодоре Вольфовне следует показать Прыщу зубы... ну, если уж не все тридцать два, то хоть сколько есть! Мерзкий уголовник навряд ли придет в восторг от перспективы общения с сотрудниками органов.

— Если Валерий Павлович осерчает, он запретит мне посещать библиотеку, — вдруг сообщила Блюм, — а я так люблю вас всех.

— Этот подонок не имеет права вам ничего запрещать! — затопала ногами Майя. — Теодора Вольфовна, милая, нельзя быть такой размазней!

— Валерий Павлович мне хозяин.

У Майи Леонидовны от гнева пропал дар речи, она смогла лишь выдавить из себя нечленораздельные звуки:

— А... а?.. о... о!..

Блюм же очень тихо довершила начатую фразу:

— Мой муж человек резкий, принимает решения мгновенно и никогда их не меняет.

Майя Леонидовна потрясла головой.

— Муж? Вы замужем?

— Да, а что тут удивительного?

— Но вы никогда не говорили о семье.

Блюм нахохлилась.

— Просто не было необходимости.

— И ваш супруг спокойно наблюдает за хамством Прыща?

Теодора Вольфовна нервно поежилась.

— Вы не совсем поняли ситуацию. Я расписана с Валерием Павловичем.

В макушку Майи Леонидовны словно воткнулся гвоздь.

— С кем? — переспросила она. — С Прыщом? Вы жена... э...

— Валерия Павловича.

— Господи! — в полной растерянности ахнула директриса и от неожиданности бестактно спросила: — Как же вас угораздило выйти замуж за такого?

Лицо Блюм порозовело.

— В юные годы Валерий Павлович был иным, нас связала большая любовь. Я ради мужа бросила родителей, порвала с привычным кругом общения и некоторое время была счастлива. Но потом стало понятно: несмотря на страсть, мы с Валерием Павловичем полярно разные люди и теперь живем просто соседями. Муж благородный человек, он содержит меня, не упрекает за полнейшую финансовую несамостоятельность и неумение вести домашнее хозяйство, разрешает проводить время в библиотеке...

— Сколько же вам лет? — вновь проявила бесцеремонность Майя.

— Сорок, — ответила «старушка», — Валерий Павлович меня старше.

Майя Леонидовна вдохнула воздух и забыла его выдохнуть. Блюм всего лишь сорок? Да быть такого не может! У нее же совершенно седые волосы, стянутые на затылке в дурацкий пучок, бесформенная фигура, дряблая, морщинистая кожа... И потом, Теодора никогда не улыбается!

Очевидно, ошарашенный вид директрисы выдал ее мысли. Блюм опустила глаза в пол.

— Я всегда выглядела старше своих лет, — прошептала она. — У нас такая генетика. У женщин в нашей семье какой-то сбой в организме после родов случается. Бабушка моментально сдала, мама превратилась по виду в пенсионерку, родив меня, и я начала стремительно изменяться после появления на свет Павлика. Принесла сына домой и сообразила: за неделю старюсь на месяц.

— У вас есть сын?!

— Да, Павлик, — кивнула Теодора. — Но он сам по себе, ко мне душевно не расположен. Сложный мальчик, вернее, юноша — Павлуше за двадцать, я очень рано родила. Думала, вот оно, счастье: муж, сын. Ан нет, не дал господь радости: Валерию Павловичу я не нужна, а Павлик из дома убежал.

Майя вздрогнула.

— Ваш сын удрал?

— Да.

— Почему?

Блюм пожала плечами:

— Павлик свободолюбивая личность, его, как и

отца, нельзя заставить ходить по струнке, и, к сожалению, ему достались моя романтичность и влюбчивость. Сын не посвящал меня в свои дела, не распахивал душу, но у меня есть глаза...

Теодора Вольфовна на секунду замолчала, потом вдруг заплакала.

— Не расстраивайтесь, — бросилась утешать бедную тетку Майя Леонидовна, — кое-кто из людей переживает подростковые комплексы и в двадцать лет. Вернется ваш Павлик. Вот увидите, все будет хорошо.

Теодора Вольфовна вытерла глаза и неожиданно призналась:

— Всю ночь не спала, а потом вдруг прикорнула и на весь день выпала. Уж извините, не пришла, бросила каталог.

— Не беда, — бодро воскликнула Майя, — карточки есть не просят, полежат. И потом, вы же не штатная единица, приходите, когда можете, трудитесь на общественных началах.

Блюм кивнула, но ничего не сказала, в комнате на некоторое мгновение повисла тишина. Затем Теодора шепнула:

— Мне страшно.

— Хотите, заберу вас к себе? — предложила Майя.

— Боюсь за сына.

— Он вернется.

— Нет, никогда. Ушел, прихватив очень ценную вещь... кошек... вам не понять... Валерий Павлович крайне зол, он поклялся Павлика из-под земли достать и убить...

Майя Леонидовна попыталась улыбнуться. Она собиралась сказать: «Мало ли какую глупость способен в запале прокричать отец», но тут Блюм почти неслышно договорила:

— И девочку тоже.

— Какую? — удивилась директриса.

Теодора вздрогнула.

— Марину Константинову, дочь нашего читателя Федора Сергеевича. Думаю, они давно запланировали побег, ждали, пока нечто дорогое получат... Лучше давайте прекратим разговор, более ничего не скажу, хоть режьте. Впрочем, я сейчас в таком состоянии, что несу чушь! Сама не пойму, с чего мне в голову мысль о Марине втемяшилась!

Глава 20

Майя Леонидовна глянула на меня.

— Вот такая история.

— И как она завершилась? — живо спросила я.

— Никак.

— То есть?

Директриса осторожно поправила вазочку с конфетами.

— Теодора Вольфовна на следующий день пришла в библиотеку и села переписывать каталог. Более она никогда не беседовала со мной на личные темы. Мы обсуждали последние новинки, болтали о книгах, спектаклях, сплетничали о посетителях, обговаривали внутренние проблемы. Много чего случалось. Представляете, взяли на работу очень милую девушку Наташу, дочь генерала, ребенка из хорошей семьи, а она покончила с собой. Шок был для всего коллектива, Блюм тоже переживала, но о ее семье мы не беседовали, табу.

— Дети нашлись?

— Марина и Павел? Нет, — помотала головой Майя Леонидовна, — словно в воду канули. Понимаете...

— Что? — насторожилась я.

Директриса замялась, потом решительно махнула рукой.

— Об исчезновении Павла никто не заявлял. Очевидно, Валерий Павлович решил не предавать дело огласке, Теодора Вольфовна молчала по приказу мужа, и милиция так и не узнала, с кем удрала Марина. Федор Сергеевич Константинов умер в больнице, Розалия впала в сумасшествие, старшую дочь она прокляла на похоронах супруга. Совершенно отвратительная сцена вышла, я ее забыть не могу. Представляете, не успели гроб опустить в могилу, как Розалия выпрямилась, воздела руки к небу и закричала: «Господи, накажи ее! Пусть мучается всю жизнь! Если кто Марину увидит, передайте девке: мать желает ей горе, беду и болезнь!» Присутствовавшие на церемонии люди растерялись и не сразу остановили вдову, а та пошла вразнос, отыскала глазами в толпе младшую дочь и прошипела: «Тебе тоже плохо придется». Девочка зарыдала... В общем, сплошное безобразие. Народ тогда осудил Розалию: горе горем, но такие слова произносить нельзя в любом случае. Впрочем, бог наказал Константинову — она потом оказалась в психиатрической лечебнице, так и умерла в сумасшедшем доме.

— А что случилось с младшей девочкой?

Майя Леонидовна потерла виски.

— Точно не скажу. Вроде ее взяли к себе дальние родственники. Да! Вспомнила! Ее забрала к себе тетка. Квартиру закрыли, а потом дом снесли, жильцов расселили. Надо же, никак не могу вспомнить имя ребенка.

— Вы назвали ее в начале нашего разговора Катей, — напомнила я.

— Может, и так. Да, вроде Екатерина, — с некоторой долей сомнения подтвердила директриса. — Повезло ей, не попала в приют, нашлись добрые люди, пригрели сироту.

— Насколько понимаю, сирота была с хорошим приданым.

— Что вы! У нее не было ничего.

— А коллекция отца?

Майя Леонидовна сновь схватилась за виски.

— Из-за дурацкого собрания Розалия и попала в психушку. Ей же было нужно как-то жить после кончины мужа, а денег не было. Вот она и решила койчего продать, позвала коллекционеров... Эх... никаких раритетов там не оказалось, сплошные подделки, ничего ценного. — Майя Леонидовна глянула в окно, затем с горечью произнесла: — И что только люди сами с собой творят! Вот зачем, спрашивается, Федор в собирательство ударился? Ведь, как потом выяснилось, ничего не понимал в старине, помойку домой нес, покупал ерунду за громадные деньги. Ясное дело, Розалия умом тронулась, когда до нее дошло: муженек идиотом был, зря ее мучил. Я ее накануне отправки в лечебницу встретила. До сих пор мороз по коже ползет, как вспомню. На дворе стояла зима, картинно красивая, снег летел крупными хлопьями, ни малейшего ветерка, полнейшая тишина, белое Рождество, редкая для Москвы погода...

На улице было так замечательно, что Майе вздумалось побродить на свежем воздухе. Взяв своего пуделя, директриса вышла на улицу и стала наслаждаться удивительным зрелищем сказочной зимы. Пуделек носился по сугробам, потом он вдруг затявкал и бросился через дорогу. Майя Леонидовна побежала следом, увидела, что собачка облаивает женщину, и схватила скандалиста за ошейник.

— Простите, пожалуйста, — запыхавшись, принялась извиняться она, — Микки не кусается, он просто вздорный.

— Я не боюсь, — ответила незнакомка и подняла голову. Майя моментально узнала Розалию, а та продолжила разговор: — Ваш кобелек хотел напугать мою кошку.

— Вы гуляете с киской? — слегка удивилась Майя.

— Да, — улыбнулась вдова, — вот...

Директриса вздрогнула: женщина с блуждающей на лице улыбкой протягивала собеседнице... фигурку из красной глины, кошку, сделанную не слишком умелым гончаром, скорей всего любителем.

— Это Клеопатра. Правда, красивая? — по-детски спросила Розалия.

У Майи сжалось сердце, меньше всего нелепой поделке подходило имя великой царицы.

— Правда, красивая? — повторила вдова.

— Необыкновенная, — покривила душой Майя.

— Она очень дорогая!

— Сразу видно.

— Стоит миллионы.

— Конечно. Но, может, не надо выносить ценную вещь во двор, да еще ночью? Идите домой, — попыталась уговорить больную женщину директриса.

— Клеопатра обожает вечером дышать воздухом.

— Лучше положите ее спать, она устала.

— Вы полагаете? — склонила голову набок Розалия.

— Конечно, смотрите, у киски глаза закрыты.

— Ладно, — спокойно согласилась вдова, — пойду назад. Ах, как красиво!

— Замечательно, — на этот раз абсолютно искренно подтвердила Майя.

— Снег белый-белый!

— Словно сказка, — улыбнулась директриса.

Розалия помахала рукой, пошла было к подъезду и вдруг обернулась.

— Я никогда не расстанусь с Клеопатрой, я ее больше всех люблю. Хотя Элли тоже хорошая, но она попроще, не голубых кровей.

— Конечно, — быстро согласилась Майя.

— Если разлучат, умру.

— Не волнуйтесь, никто не прогонит вашу кошку.

— Очень боюсь, вдруг и впрямь скончаюсь, и что тогда с ними будет, с моими кошками, с Клеопатрой и Элли?

— Вы переживете Клеопатру, — решила подыграть психопатке Майя, — кошки живут меньше людей.

Розалия прижала к груди фигурку.

— У Клеопатры есть семья и муж.

— Замечательно.

— Но его украла подлая тварь!

— Кошечке холодно, ей лучше оказаться в квартире, — ласково поторопила Константинову Майя.

— Ее надо убить! — воскликнула Розалия. — Сволочь! Марина, сука, сперла мужа! Он и пропал.

Майе стало не по себе, но тут из подъезда вышла младшая дочь Константиновой и тихо сказала:

— Мамочка, ты оладушки будешь?

— Да, да! — жадно воскликнула безумная.

— Пошли, ужин на столе.

— Она хотела украсть Клеопатру, — неожиданно заявила Розалия и ткнула в Майю пальцем, — замыслила гадость, выяснила, сколько моя принцесса стоит.

— Да что вы! — подскочила директриса. — И в мыслях подобное не держала! Зачем мне глиняная фигурка!

— Мамулечка, оладушки ждут, — напомнила девочка.

— Никому никогда не отдам Клеопатру! — взвизгнула Розалия и убежала в подъезд.

— Вы не обращайте внимания и, пожалуйста, не обижайтесь, — тихо попросила дочь вдовы. — У мамы совсем с головой плохо, она от горя, после смерти папы, помешалась.

Больше Майя Розалию не встречала. Впрочем, девочку тоже не видела.

— А Теодора Вольфовна где? — спросила я.

Майя Леонидовна взяла в руки снимки и, разглядывая их, проговорила:

— Валерий Павлович умер вскоре после описанных событий, Теодора Вольфовна работала у нас, я взяла ее на ставку. Сейчас Теодора Вольфовна инвалид, у нее проблемы с ногами.

— Она жива?

— Да, конечно.

— Обитает на прежнем месте?

Майя Леонидовна отложила снимки.

— Нет, я рассудила так: Теодоре нужен уход, и с деньгами у нее не слишком хорошо. Поэтому квартиру Блюм сдаем, кстати за очень неплохие деньги. Сама Теодора обитает в коммерческом санатории для немощных людей, я просто передаю плату, полученную от жильцов, в кассу интерната.

— А скажете мне адрес дома престарелых?

— Никакой тайны нет, пишите, — спокойно ответила Майя Леонидовна.

Сев в машину, я оперлась на руль и попыталась сложить вместе расползавшиеся в разные стороны мысли. Значит, на снимках запечатлены Марина и Катя Константиновы. Осталась сущая ерунда — выяснить, какое отношение фотографии имеют к Анне

Галкиной и почему Маша Левкина, девушка, погибшая под колесами автобуса, считала, что снимки могут навредить ее заклятой подруге.

Но, как я ни старалась, в голове не возникало ясности. В конце концов мои тягостные раздумья были прерваны звонком.

— Вилка! — услышала я радостное восклицание Олега. — Как дела?

Счастливый тон мужа моментально разбудил мирно спавшую ревность. Ага, Куприн весел, словно месячный щенок, наверное, ему очень хорошо в Питере, в командировке с новым сотрудником... Супруг решил обмануть жену, думал, я никогда не узнаю, что он укатил в город на Неве в компании с молоденькой, фигуристой девицей, прибывшей покорять столицу из-за Уральских гор... Однако отношения у парочки развиваются быстро, иначе с чего бы Куприну так веселиться? Перед отъездом мы поругались, я прощения пока не вымолила, увлеклась расследованием и не звонила супругу.

— Купил тебе подарочек, — вдруг заявил Олег. — Сюрприз! Думаю, будешь в восторге!

Я похолодела. Любая женщина знает: нормальный, среднестатистический муж-бюджетник приобретает презенты в лучшем случае к трем датам: в преддверии Нового года, Восьмого марта и дня рождения жены. Иных красных чисел в семейном календаре наши мужчины не знают, всякие там годовщины знакомства, свадьбы, первого свидания и так далее помним лишь мы, слабая часть человечества. От всей души советую вам не злиться на супруга, который в очередной раз позабыл о том, что, скажем, двадцать восьмого апреля в вашу честь сыграли марш Мендельсона. Не следует утром в знаменательный день с напряжением ждать подарков, букетов, конфет и ласковых слов. Не надо вечером устраивать благоверному скандал с припевом:

— Ты, козел, даже не подумал зайти за розами.

Если желаете праздника, подготовьте его сами — за двое суток до нужного числа раскройте паспорт, покажите супругу и сообщите:

— Ба! Мы с тобой-то уже десять лет расписаны!

Не возмущайтесь, коли вторая половина воскликнет:

— Ой, и верно! Сейчас бы свободен был, убей я тебя на свадьбе!

Это ваш муж всего лишь глупо пошутил — вспомнил бородатый анекдот и решил показаться остроумным. Так что пропустите мимо ушей его идиотский смех и спокойно продолжайте:

— Очень хочется получить подарочек, сюрприз. На улице такой-то есть ювелирный магазин. Слева от входа находится прилавок, в нем во втором ряду имеется цепочка стоимостью в три тысячи рублей. Мечтаю о такой!

Четко называйте адрес нужного магазина, наименование интересующего вас товара, его стоимость, вид, цвет, размер. А еще лучше напишите SMS-сообщение и пошлите мужу. Ну, примерно так: «Магазин... (адрес) сообщает, что в коллекции есть... (данные желаемой вещи). Это лучший подарок для женщины на годовщину свадьбы». Повторяя сообщение по два раза в день, вы имеете шанс получить нужное.

Впрочем, коли муж вместо, допустим, желаемого пуловера сорок шестого размера из розовой шерсти принесет ужасный халат черного цвета с буквами XXXXXXXXXL на ярлычке, придется изобразить восторг и расцеловать вторую половину. Это нормально, супруг любит вас, просто мужчины так устроены, они искренно считают: ну чего бабам надо, я же женился на ней, выделил из всех, подарил себя, такого замечательного, самого лучшего, за фигом еще и презенты дарить. В общем, вспомните известное: «мне не дорог твой подарок, дорога твоя любовь», а свитер вы потом, сэкономив на хозяйстве, купите сами.

Пугаться следует, когда муженек в самый обычный день, ну, допустим, двенадцатого ноября, появляется в квартире с букетом, бутылкой шампанского и меховым манто.

— Носи на здоровье, милая, — с широкой улыбкой заявляет супружник, — сюрприз! Накопил тебе на шубку.

Подобное невероятное поведение имеет лишь одно объяснение: любимый сильно провинился, произошло нечто ужасное! Возможны такие варианты: ваша вторая половина заболела СПИДом, его любовница родила ребенка, любимая свекровь теперь станет жить вместе с вами... Просто так нормальный мужчина о подарке жене не вспомнит.

Самое интересное, что я очень хорошо знаю, как следует реагировать на подобный поворот событий. Сколько раз советовала своим подругам: «Никаких скандалов! Если не хочешь остаться одна, мило улыбайся, бери шубу и восклицай: «Боже, о такой мечтала!» И упаси господь с воплем «Чего натворил, гад?» кидаться на муженька со сковородкой. И мгновенно окажешься виноватой. Услышишь, что на связь с любовницей его толкнула твоя постоянная грубость, а свекровь переезжает, дабы научить ленивую невестку правильно вести хозяйство».

Я повторяю: великолепно знаю, как надо себя вести, но сейчас весь ум вымело из головы.

— Значит, сюрприз... — прошипела я.

— Да, — слегка убавил радость Куприн, — подарок.

— Очень странно, если учесть, что ты постоянно забываешь про мой день рождения! — не успокаивалась я.

— Просто так купил.

— Думаешь, поверю? Знаю, знаю, меня не обмануть.

— Ты о чем?

— Не понимаешь?

— Если у тебя проблемы с написанием рукописи, — сердито завел Куприн, — то...

Но я не дала ему договорить глупую фразу и заорала изо всех сил:

— Незачем всех собак на жену вешать! Ну-ка, отвечай, ты с кем уехал в Питер?

— С коллегой, — не дрогнул Олег.

— Имя назови!

— Оно тебе ничего не скажет, человек новый.

— Говори!

— Да зачем? Вот глупость.

— У твоего новичка неприличная фамилия? Тебе неловко ее произнести вслух?

— Бред! Нормальная, как у всех.

— Тогда отчего сопротивляешься?

Олег начал кашлять.

— Можешь не стараться, — язвительно продолжила я, — не поверю, что ты в Питере подцепил коклюш. И потом, великолепно знаю, с кем ты укатил — с Анастасией Волковой! Так?

— Ага, — растерянно ответил Олег и тут же, взяв себя в руки, воскликнул: — Вилка, это совсем не то, о чем ты сейчас думаешь! Она...

Но я уже отключила телефон от сети и залилась злыми слезами. Ну зачем я вышла замуж! Очень унизительно ощущать себя женой, муж которой завел любовницу.

Глава 21

Кое-как успокоившись, я решила съездить домой, умыться, выпить чаю, может, принять душ и забыть навсегда Куприна, как страшный сон. Если супруг полюбил другую, не стану спорить, пусть уходит, но обманывать себя не позволю! Вот Тамарочка считает, что женщина ради сохранения семейного очага должна идти на все.

— Мужчины полигамны, — спокойно растолковывает Томуська, когда меня начинает колотить от ревности, — их такими задумала природа. Впрочем, не следует на основании ничем не подтвержденных подозрений устраивать любимому скандал. И потом, каждый человек имеет право на личную жизнь. Семья — это не тюрьма, супруги могут иметь разных друзей, и нет ничего страшного, если Олег с сослуживцами пойдет в кафе.

На этом месте я обычно начинаю шипеть:

— Он должен проводить свободное время лишь с женой...

А Тамарочка удваивает старания, говоря:

— Вилка, твое поведение — самый верный способ остаться одной. Поверь, ради собственного счастья следует твердо сказать себе: «Муж любит только меня, но ему необходимо общаться и с другими людьми».

— А если изменит? — спросила я один раз. — Вот ты простишь Сеню?

Томочка улыбнулась:

— Это невозможно!

— Вот! А других поучаешь.

Подруга засмеялась:

— Ты не поняла. Невозможна измена Сени.

— А вдруг?

— Нет.

— Почему «нет»? Позвонит его любовница и расскажет об адюльтере.

— Не поверю.

— Покажет фото.

— Монтаж.

— Продемонстрирует видеозапись.

— Наняли актеров и разыграли сцену.

— Даст послушать некие звуки на диктофоне, услышишь голос Сени, его признание в любви к другой...

Томочка мягко улыбнулась:

— Вилка, я ничему не поверю и никогда не скажу Сене о встрече с женщиной, решившей его оболгать. Я люблю мужа и хочу прожить с ним всю жизнь. Точка. Семен вне подозрений.

Подобная позиция вызывает уважение. Кстати, Тамарочка никогда не обшаривает карманы мужа, не роется в его портфеле, не изучает телефон на предмет полученных SMS и не спрашивает с угрозой в голосе, если муж вползает в квартиру после полуночи в состоянии легкого подпития: «Где шлялся, мерзавец?»

Умом я понимаю, что поведение Томочки самое правильное. Когда Надя Малышева, наша общая подруга, решила нанять частного детектива, дабы уличить супруга, взять его «тепленьким» в момент адюльтера, я почти слово в слово повторила ей речи Томушки и совершенно искренно в тот момент верила в их справедливость. Но коли речь заходит об

Олеге, мигом понимаю: я не способна ни с кем делить Куприна, не смогу с милой улыбкой наливать ему суп, если узнаю, что днем муженек ходил с какой-нибудь обтрепкой в кафе.

«Почему обтрепкой? — спросите вы. — Ведь, скорей всего, Олег обратил внимание на симпатичную молодую женщину».

Нет, она — именно обтрепка, уродина, дура, крашеная кошка с кривыми ногами, не спорьте со мной!

Ощущая, как злость и ревность начинают переливаться через край, я влетела в лифт, хотела нажать на кнопку... и тут в кабину всунулся букет, если, конечно, этим словом можно назвать три жалкие гвоздички без всякой обертки. Вслед за цветами возник потный мужчина, в правой руке он держал коробку, на которой было написано: «Бисквитно-кремовый торт «Рекс».

— Подождите, — велел дядька.

Я мрачно посторонилась. Мужчина с «веником» был мне неизвестен, хотя невозможно же перезнакомиться со всеми жильцами башни.

— Мне на третий, — отдуваясь, сообщил мужик.

Я промолчала, но дядька оказался настроен решительно:

— Ау, выйди на связь! Мне на третий.

— Нажимайте, — буркнула я.

— Вам выше?

Вот уж дурацкий вопрос. Нет, ниже, просто хочу прокатиться с ним, таким красивым, вверх, а потом вернуться.

— Так выше? — не успокаивался мужичонка.

— Да.

— А на какой?

— Вам на третий? — обозлилась я.

— Ага.

— Вот и поезжайте спокойно.

— Ну, не сердись, — усмехнулся незнакомец. — Может, ты мне понравилась, познакомиться решил. Нельзя так гавкать, счастье отпугнешь.

Я крепко сжала зубы и сделала вид, что оглохла. Продолжая глупо улыбаться, дядька нажал на самую верхнюю кнопку.

— Вы ошиблись, — возмутилась я, — или цифры не знаете?

— Сначала тебя провожу.

Мой палец мгновенно ткнул туда, где стояло «3», лифт странно дернулся, на секунду замер, потом нехотя изменил направление движения. Мужчина моментально повторил маневр с верхней кнопкой, подъемник скрипнул. Решив не сдаваться, я вновь вдавила «3», и тут кабина замерла.

— Ну, довыпендривалась! — нервно воскликнул дядька. — Застряли.

— Вы первый начали! — возмутилась я. — Следовало спокойно отправляться на нужный этаж.

— Хотел воспитание продемонстрировать, — ответил незнакомец, — кто ж знал, что ты истеричка.

— Идиот! — рявкнула я.

— Дура!

— Болван!

— Кретинка!

Обменявшись любезностями, мы замолчали, а через секунду дядька выпалил:

— Юрик.

— А ну прекратите ругаться! — взвилась я.

— Так я не ругаюсь, — слегка обиженно протянул мужик, — знакомлюсь. Меня зовут Юрий, но лучше Юрик. Раз уж вместе в кабине зависли, лучше подружиться.

— Вилка, — машинально ответила я.

— Где? — начал озираться Юрий.

— Что?

— Где вилка? Из сумки у тебя выпала?

— Меня так зовут. Виола! Но знакомые кличут Вилкой.

— А-а-а! Не расстраивайся, — бодро воскликнул Юрик, — у нас на работе тетка есть, вот где горе-то! Она людям представиться стесняется. Люди слышат имечко и ржут. Ну ни один не удержался!

— И как же зовут коллегу? — заинтересовалась я.

— Физдипёкла Кошкина.

— Врешь!

— Чтоб мне провалиться! — мотнул головой спутник и топнул.

— Эй, эй! — заволновалась я. — Мы в лифте, застряли довольно высоко, лучше обойтись без резких движений.

— Верно, — быстро согласился Юрик. — Как же нам отсюда выбраться?

Я нажала кнопку с надписью «Вызов», но никаких звуков до уха не донеслось. Стены кабины представляли собой абсолютно гладкие панели, никаких зарешеченных окошечков с надписью «Диспетчерская» и в помине не было. К тому же, я очень хорошо знаю, на данном этапе в нашем подъезде нет консьержки. Не так давно на собрании жильцов дома обсуждалась величина зарплаты дежурных, старушки потребовали прибавки, но основная часть проживающих резко отрицательно отнеслась к такой инициативе. Бабушки в гневе покинули зал, где происходило совещание, и объявили забастовку. Вот уже неделя, как они не моют лестницу и не следят за подъемниками. Поэтому сейчас ждать помощи неоткуда. Если только кто из жильцов вдруг не удивится, почему один из лифтов не движется, и не попытается внести ясность в ситуацию.

— И чего нам делать? — растерялся Юра, после того как я растолковала ему положение вещей. — Сидеть тут месяц?

— Столько навряд ли, — с сомнением ответила я.

— Придумал! — завопил мужчина и вытащил из кармана сотовый. — Только бы его не заглючило... Нет, работает. Алло, Танюшечка! Это я! Понимаешь, какая глупость, ха-ха-ха... Поехал на очередной обмер и в лифте застрял. Да в двух шагах от дома, на нашей улице, угловая башня. Знаешь, там еще напротив тонар с хлебом. Во, точно! Спасибо, кисонька!

С абсолютно счастливой улыбкой Юра сунул мобильный на место и повернул голову в мою сторону.

— Ща Таняшка, жена моя, проблему решит. Она у меня... ух! Все может, просто смерч. Я вообще-то в фирме работаю, мы кухнями торгуем. Люди выберут модель, предоплату внесут, потом я приезжаю и тщательно стены измеряю. Важное дело. Ошибешься на полсантиметра — и такой геморрой. Ой!

— Что такое? — насторожилась я, а потом, заметив, как Юрик быстро бледнеет, слегка испугалась и поинтересовалась: — Надеюсь, не страдаешь клаустрофобией и не собираешься сейчас обвалиться в обморок?

— Ой, — повторил Юра, — ой, ну я идиот!

— Не стану спорить. Вполне вероятно, что замечание абсолютно верно.

— Сейчас же сюда Танька заявится! Вау!

— Верно, ты сам ее позвал из плена мужа выручать.

— Ой! Ой! Ой! — попытался заметаться по крошечной кубатуре мужик. — Спрятаться-то негде!

— Отчего ты так испугался?

Юрик присел на корточки.

— Вот, — в полном отчаянии воскликнул он, — букет и торт! Видишь?

— Конечно.

— Значит, и Танька заметит. Или вдруг нет?

— Если она не слепая, то, ясное дело, обратит внимание на растения и сладкое, — пожала я плечами.

— Все. Пропал, — обморочным голосом сообщил мой «сокамерник». Потом он очень аккуратно поставил картонную коробку на пол, положил сверху гвоздички, обхватил руками голову и принялся стонать на разные лады: — Конец... Конец... Конец! Убьет! Убьет! Убьет...

— Объясни толком, что случилось, — потрясла я дядьку за плечо, — хватит истерить!

Напуганный, похоже, до последней степени мужик начал свой полусвязный рассказ. Очень скоро я разобралась в трагикомической ситуации, простой, как калоша.

Юрий по долгу службы ходит по разным домам, рабочий день у него не нормирован. Люди в основном приглашают обмерщика в свое свободное время, а оно у всех разное. Другой бы человек через полгода безостановочного мотания по столице взвыл и начал искать место в теплом офисе, но Юрию нравится смена впечатлений, он человек очень общительный, легко сходится с людьми, а еще клиенты почти всегда дают чаевые. Но не это главное. Юрик большой любитель женского пола, и то, что у него имеется жена Таня, совершенно не останавливает ловеласа. Любовниц он заводит постоянно и на данном этапе крутит амур с хорошенькой Светочкой, которая по удачному стечению обстоятельств живет практически рядом с домом сластолюбца. В общем, все устроилось лучшим образом. Сегодня днем Юра звякнул Тане и сообщил, что у него куча заказов в разных концах города, поэтому к любимой супруге он вернется глубокой ночью и страшно усталым.

Таня ревнивая, но умная особа.

— Бедненький мой, — прочирикала она, — совсем заработался. Ничего, милый, котлеток пожарю, твой любимый борщик сварю.

Юрик крякнул и в самом великолепнейшем настроении порулил к Свете, прихватив по дороге букет и торт. Обмерщик совсем не жаден, он знает, что бабам надо вручать подарки и оказывать знаки внимания. Правда, сейчас привычка машинально подкатывать к любой симпатичной женщине подвела ловеласа — мы застряли в лифте.

— Плохо, плохо, прямо жуть... — ныл мой спутник.

— Бог шельму метит, — хмыкнула я. — Ерунда, ну, не попадешь ты сегодня к своей Свете, и все.

— Да и черт бы с ней!

— Тогда не вижу причины для расстройства. Сейчас примчится жена, коей ты соврал, что находишься в застрявшем подъемнике по служебной необходимости. Судя по твоим словам, Таня у тебя дама решительная, мигом раздобудет аварийную бригаду.

— В этом-то и дело! — чуть не заплакал Юрик. — Таняшка легко сообразит, что налево я сходить решил, наврал ей.

— Она у тебя экстрасенс? Или телепат? Умеет мысли читать? Почему тогда раньше изменщику хвост не прищемила?

— Дура ты! — взвизгнул Юрий. — Во, смотри, букет и торт...

— И что в них особенного?

— Я же на работе! Клиенту, что ли, гвоздики несу вместе со сладким? Ясный перец, совсем не на обмер кухни ехал сюда. Ой-ой-ой, ну и скандал получится! Мать моя Таньку обожает, теща тоже, конечно, на стороне дочери. Трое их, я один!

— Так тебе и надо! — мстительно заявила я, мигом вспоминая Олега, который сейчас развлекается в Питере вместе с крепко сбитой девицей из-за Уральских гор. Думаю, вломят бабы Юрочке по первое число и будут совершенно правы. Гадких парней, изменяющих милым, ничего плохого не подозревающим женам, следует... э... их надо...

— Ну и что же теперь делать? — взвыл горе-обманщик. И вдруг его взгляд, полный безумной надежды, обратился на меня. — Слышь, Ложка, выручай! Отдам тебе и букет, и сладкое, а как вытащит нас Танька, ты скажи, что они твои. А?

— Я не Ложка, не Кастрюля и не Сковородка. Всего-навсего скромная Вилка. И отвечать за гадкие поступки тебе придется самому!

— Так ведь себе заберешь подарки, — попытался купить меня Юра. — Не волнуйся, назад не попрошу, неси домой, пей чай с вкусным, небось нечасто оно тебе достается.

— Не поняла намека...

— Наверное, на еде экономишь, вон тощая какая, — ляпнул Юрик и тут же осекся.

Но я уже обозлилась до невозможности.

— Огромное спасибо, но торт под названием «Рекс» не трону никогда в жизни. Кстати, ты не в курсе, с чего его нарекли столь восхитительной кличкой? Проглотишь кусочек — и заскулишь-завоешь? Или слопаешь малую толику, а потом твой желудок изнутри псы грызть начнут?

— Придумал! — завопил Юра. — Поставлю вот тут, в уголочке, и выйду спокойно, с пустыми руками. Если Танька коробку приметит, мигом отбрешусь, люди кругом рассеянные, мало ли кто забыл.

— Даже не надейся, — скривилась я, — моментально скажу: «Молодой человек, вы свой тортик позабыли и цветочки кинули, нельзя быть таким забывчивым. На моих глазах в лифт с букетиком и «Рексом» вошли, а потом отшвырнули ношу».

— Какая же ты стерва! — с чувством произнес Юра.

— Верно, — кивнула я, — правильное наблюдение. Терпеть не могу парней, изменяющих женам, наглые ходоки налево не имеют никакой надежды на мое покровительство.

— Так я ж не от тебя свильнул!

— Есть понятие женской солидарности, — не сдала я позиций. Да уж, худо придется Юрочке.

— Ой, ну что мне со всем этим делать?

— Юрик, — донесся снаружи далекий голос, — Юрик...

Потом затрезвонил сотовый.

— Алло, — сладким голоском отозвался незадачливый донжуан. — Спасибо, родная! Жду, любимая!

Потом Юра сунул мобильный в карман и прошептал:

— Она уже тут! Стоит с домоуправом, ждет аварийку, обещали через четверть часа подкатить.

— Твоя Таня — быстроногая антилопа.

— Ага.

— Кстати, скажи, любишь белый цвет? — спокойно спросила я.

— В принципе да, а в одежде нет. Почему спрашиваешь? — насторожился Юрий.

— Да вот размышляю, вроде мы с тобой подружились, вместе в лифте застряли...

— Поможешь? Возьмешь торт? — с плохо скрываемой радостью воскликнул «сокамерник».

— Никогда! Просто думаю, какой букет тебе на похороны заказывать? Из белоснежных хризантем?

— Ой, что же делать, куда торт с цветами деть? Наружу не выбросить, спрятать негде... Беда! Горе! Ужас!

— А ты их съешь, — фыркнула я.

— Кого? — вскинул брови Юра.

— Ну... гвоздики и «Рекс». Думаю, нормально проскочит, — уже откровенно издевалась я над чужим неверным мужем.

Никакой жалости к пакостнику в душе не имелось, я всецело находилась на стороне несчастной Тани. Наверное, она невысокого роста, худенькая блондинка с голубыми глазами, наивное существо, пылко жарящее котлеты для обожаемого мерзавца-мужа. Именно таких, беззащитных и интеллигентных, попирают существа противоположного пола, не умеющие ценить преданность и истинную любовь.

Глава 22

— Съесть? — протянул Юрик. — В смысле, сожрать?

Я отвернулась к стене, потом навалилась на нее. Надеюсь, Таня на самом деле активна, и нас скоро освободят, а то в кабине становится душно.

Сбоку послышалось чавканье... Я поглядела направо — Юрий очень быстро жевал одну из гвоздик. Меня стал разбирать смех: мужик воспринял абсолютно дурацкий совет всерьез и сейчас в самом деле пытался схарчить компрометирующие его улики.

— Вкусно? — не выдержала я.

Юра икнул.

— Ужасно. У тебя водички нет?

— Ни капли.

— О господи... — вздохнул ловелас и продолжил уничтожение букета.

— Кстати, в Японии в очень дорогих ресторанах подают салат из хризантем, — приободрила я идиота, — вроде подобное блюдо бешеных денег стоит.

Юра ничего не ответил. Сначала он старательно укладывал в себя красные «шапочки», потом принялся за зеленые стебли и мелкие листочки. Чтобы нарушить тягостное молчание, я решила продолжить милую тему, а заодно и предостеречь глупца:

— А вот любители животных никогда не поставят дома гвоздики. Знаешь, почему?

С огромным усилием проглотив последнюю порцию «салата», Юра помотал головой.

— А потому, что в них содержится яд, способный убить кошку, — ласково улыбнулась я. — Честное слово![1]

Поедатель цветов покрылся потом и начал икать.

— Не расслабляйся, тебе еще предстоит справиться с «Рексом», — напомнила я.

Мужик обреченно кивнул, развязал бечевку и глубоко вздохнул. «Рекс» по внешнему виду смотрелся замечательно. Это был бисквит, выпеченный в виде собачки, скорей всего болонки, потому что весь верх креативного коржа покрывал густой слой белого крема, изображавший шерсть. Вместо глаз

---

[1] Это правда. Тем, кто собирается завести домашнее животное или уже имеет его, от души советую купить книгу о растениях и изучить ее. Многие букеты, причем не только из экзотических цветов, представляют нешуточную опасность для кошек и собак. Среди посадок, живущих в горшках, тоже есть ядовитые, и лучше поставить их в малодоступное для четвероногих местечко. *(Прим. автора.)*

торчали изюминки, засахаренная клубника высовывалась изо рта (очевидно, это был язык Рекса), а в том месте, где голова прикреплялась к туловищу, виднелся ошейник — кусочки розового крема, буквы, складывающиеся в надпись «Love».

— Выглядит весьма аппетитно, — одобрила я.

Юра вздохнул.

— У тебя ножа нет?

— Не хожу по улицам с острыми предметами.

— Мало ли, всякое случается.

— И ложки в сумке не имею, — предвосхитила я следующий вопрос.

— Вспомнил, — протянул Юрий, — был утром в кафе, прихватил с собой...

Порывшись в кармане, дядька вытащил белую пластиковую ложечку, упакованную в целлофан, и пояснил:

— Не люблю оставлять купленное. Мне к кофе принесли две такие штуки. Зачем — непонятно, одной за глаза хватает, но, если притащили, следовательно, я за них заплатил, верно? Нехорошо бросать. Ладно, поехали.

Сначала «Рекс» лишился головы. Перейдя к правой передней лапе, Юра спросил:

— Точно не хочешь?

— Спасибо, нет.

— А то присоединяйся, не стесняйся. Вкусно!

И тут снизу понеслось лязганье.

— Аварийка приехала, — обрадовалась я, — сейчас нас начнут вынимать.

Юрик мгновенно проглотил остаток груди сладкой собачки и простонал:

— Больше не могу.

— Андрюха! Крути! — заорал кто-то снаружи.

— Не тянется, — ответил другой голос.

Мой спутник вздрогнул и одолел левую переднюю лапу. В конце концов на дне картонки осталось лишь большое масляное пятно.

— Меня сейчас стошнит, — прошептал Юра.

— Сделай одолжение, потерпи! — велела я.

Держась руками за живот, донжуан ногами расплющил коробку и отпихнул останки в угол. Лифт очень медленно, рывками пополз вниз.

— Штормит, — прошептал Юра, и тут створки, закрывавшие вход, разошлись.

— Юрасик! — завопила баба чудовищной толщины, протискиваясь внутрь изобретенной Кулибиным[1] машины. — Ты жив?

— Спасибо, Танюша, — слабым голосом ответил объевшийся сладким Юрчик. — Че мне сделается?

Я испытала некоторое удивление — Танюшка оказалась смуглой брюнеткой лошадиных размеров. Думаю, у такой особы проявления чувства ревности подобны извержению вулкана, и она вполне способна раздавить неверного муженька, словно пустой спичечный коробок.

— Чего такой бледный? — заквохтала жена, вытаскивая супруга на лестничную клетку.

— Голова кружится, — тем же слабым голоском сообщил Юра.

— Бедняжка! — воскликнула спасительница. — Конечно, работаешь целый день, ничего не ел. Ну да я знала... Вот, держи, специально из дома прихватила. Быстро кушай!

Я прикусила нижнюю губу. Лопатообразная рука

---

[1] Кулибин Иван Петрович (1735—1818) — русский великий механик-самоучка, автор многих изобретений, считается, что лифт — одно из них. *(Прим. автора.)*

Танюшки вытащила из сумки пластиковую коробочку, сарделеобразные пальцы ловко сорвали крышку.

— Мама... — выдохнул Юрик и навалился на перила.

Я еле сдерживала вырывающийся наружу смех. А супруга моего товарища по несчастью, естественно, не подозревавшая о том, что муженек слопал только что в бодром темпе примерно килограмм бисквита, щедро украшенного кремом, громко продолжала:

— Давай начинай, не стесняйся. Я же знаю, как ты обожаешь тортики. Это кусок «Трюфеля», очень свежий, глянь, сверху шоколадки. Эй, эй, Юрчик, что с тобой?

Можно, я не стану, исключительно из жалости к Юрчику, описывать дальнейшие события?

Решив оставить незадачливого любовника так и не дождавшейся его сегодня Светланы в руках заботливой женушки, я вошла в услужливо распахнувший двери грузовой лифт. Уже хотела нажать на кнопку своего этажа, как услышала:

— Подождите, пожалуйста!

Недавняя ситуация повторялась с такой точностью, что мне захотелось пойти наверх пешком. Но в ту же минуту я увидела перед собой осунувшегося Антона Макаркина и воскликнула:

— Здравствуйте!

— Добрый день, — тихо ответил Макаркин. — Как ваши дела? У Семена спина не болит?

— Спасибо, пока нормально.

— Если что, обращайтесь, я сразу приду.

— Вы продолжаете работать?!

— Конечно.

— Но Лиза-то умерла... — ляпнула я и мгновенно пожалела о допущенной бестактности.

Макаркин провел рукой по волосам.

— Если останусь сидеть дома, с ума сойду.

— Примите мои соболезнования, — прошептала я, ощущая себя полнейшей идиоткой.

— Спасибо, — так же тихо ответил Антон. — Очень без Лизы плохо, и морально, и в быту. Вот, курицу купил, нужно бы суп сварить, но не знаю как... Я не принадлежу к числу мужчин, которые легко справляются с хозяйством.

— Дома овощи есть? — деловито осведомилась я.

— Вроде да, — протянул Антон, — луковица и морковка, утром видел.

— Давайте сварю вам супчик.

— Нет, нет, спасибо! Просто так сказал, безо всяких намеков... — принялся отнекиваться Макаркин. — В конце концов улажу ситуацию, буду покупать готовую еду.

— Но вы уже приобрели курочку, — ткнула я пальцем в полупрозрачный пакет, который Антон сжимал в руке.

— Совершенно машинально, — признался сосед. — Шел домой, увидел машину и плакат «Свежие цыплята, недорого!». Схватил курчонка, несу и радуюсь, как дурак, сейчас Лиза приготовит... Потом словно лопатой по голове, хлоп! Стой, идиот! Лиза-то умерла... В первую секунду хотел покупку выбросить, но удержался...

Лифт замер, двери разъехались.

— Пошли, — велела соседу я. — Не могу, конечно, назвать себя чрезвычайно умелой поварихой, но с курицей справлюсь.

На кухне у Макаркина был полнейший беспорядок. Я сунула курицу в кастрюлю и, пока она варилась до готовности, сначала перемыла грязную посуду, потом подмела пол, почистила одинокую луковицу и трагически маленькую морковку. Антона рядом не было, мужчина появился в кухне лишь после моего сообщения:

— Супчик на столе.

Сначала послышались быстрые шаги, потом Макаркин встал у порога.

— Спасибо вам, — прошептал он, — такое впечатление, что Лизочка вернулась.

— Вы ешьте, — велела я.

Антон сел, взял ложку и робко спросил:

— Не посидите со мной?

— Охотно, — кивнула я.

Хозяин осторожно попробовал суп.

— Очень вкусно, огромное спасибо.

Я улыбнулась:

— Вообще-то кулинария не является моим хобби, готовлю лишь крайне простые вещи.

Неожиданно Макаркин улыбнулся.

— Мне кажется, что экзотические блюда, типа филе какой-нибудь меч-рыбы, можно съесть один раз, ради интереса. Знаете, как медик вам скажу: человек должен питаться так, как ели его предки. В лесной полосе России издавна употребляли кашу, супы, много мяса, а рыба была деликатесом. А те, кто жил вдоль рек, имели на столах, наоборот, в основном рыбные блюда. Значит, узнай, откуда ты родом, и строй на этом свою личную диету.

— Хороший совет. Одна беда — я даже не в курсе, как звали моих бабушек и дедушек. Думаю, будет не просто выяснить, где их родина.

— Да уж, — кивнул Антон, — мы не любопытны, у бывших советских людей нет привычки составлять генеалогические древа. В прошлом году я ездил на конгресс в Германию, и меня приглашали в гости немецкие коллеги. Так вот, к кому ни приходил, везде обнаруживал прямо-таки стенд с семейными фотографиями. Хозяева торжественно объясняли: «Это дедушка Гюнтер, он был фермер, рядом его жена, бабушка Карин, она воспитывала детей, там, слева, дядя Курт, погибший во время войны...» Ну и так далее. Причем никаких великих людей в этих семьях не обнаруживалось, самые обычные граждане. На наш российский взгляд, гордиться нечем — ни политиков, ни великих ученых, ни деятелей культуры. Но немцы почти обожествляют предков, произносят фразу: «Они честно прожили жизнь» — и считают, что этого достаточно, чтобы внуки с придыханием вспоминали о дедах. А мы? Много вы встречали квартир, украшенных фотографиями родственников?

Я пожала плечами:

— Да нет.

— Вот! — назидательно поднял палец Антон. — Иваны мы, не помнящие родства! Вы, например, не знаете имен деда и бабки. Нонсенс! Неужели трудно спросить?

— У кого? Я и матери-то своей никогда не видела, воспитывалась мачехой, — по непонятной причине стала отправдываться я.

— А ваш отец? — удивился Антон. — Он ведь в добром здравии, очень приятный человек. Отчего не хотите его порасспрашивать? Разве не интересно? Наука утверждает, что люди очень часто во многом генетически копируют своих предков. Ну, допустим, вы похожи на свою прапрабабушку — одно лицо, фигура, привычки. Если выясните, сколько лет прожила та женщина, чем болела и вообще какова была ее судьба, то с большой долей вероятности спрогнозируете свое будущее. Знаете, с чего началось мое увлечение генеалогией? Приметил интересную вещь. Зовут меня сделать массаж ребенку, допустим, девочке лет двенадцати. Приходишь, видишь позвоночник и тяжело вздыхаешь — подростку нужно укреплять мышечную массу, заниматься спортом, а не лежать в кровати. Не успеешь родителям растолковать ситуацию, как они просят: «У нас еще бабушка приболела, гляньте и на ее спину». Ведут в спальню, и передо мной тот же позвоночник, что у девочки, только на полвека старше. Просто диву даюсь: копия, клон! А еще больше поражаюсь тупости людей: если ваши старики к семидесяти годам приобрели букет болезней, то, если подумаете головой, поймете — вас ждет та же участь. Генетика. Если не хотите развалиться — принимайте меры. А большинство народа думает, как вы: ничего про бабку с дедом не слышали и знать не хотим!

Мне стало обидно.

— Вы противоречите сам себе. Если болезни заложены изначально, от бога, то и бороться с ними бесполезно.

Антон доел суп и отодвинул тарелку.

— По статистике длина человеческой жизни на десять процентов зависит от среды обитания. Ясное дело, житель слаборазвитой африканской страны протянет на белом свете меньше, чем гражданин Швейцарии или Германии. Двадцать процентов долголетия заложены от предков, итого выходит тридцать. А остальные семьдесят зависят лично от вас. Любое, даже не слишком хорошее наследство можно купировать. Объясняю. Допустим, ваша бабушка скончалась от рака легких. Прямой связи между нею и вами нет, но вы в зоне риска, в семье имелся случай онкологического заболевания, а где тонко, там и рвется. И что вам следует сделать, дабы избежать болезни или оттянуть ее начало? Переехать из крупного, загазованного, промышленного города в тихое, чистое, сельское место, ни в коем случае не курить, раз в полгода проходить диспансеризацию в поликлинике, сдавать анализы, заниматься спортом, не иметь лишний вес. Вот тогда, вполне вероятно, напасть вас не тронет, или она обнаружится на такой ранней стадии, когда излечение почти стопроцентно. Но ведь нет! Человек словно нарочно себя губит! Хватает сигареты, водку...

Занудная нотация стала меня раздражать. Встречаются на свете такие личности, старающиеся все делать правильно, аккуратно, так, как велено в учебнике. Ладно бы они сами являлись образцом для подражания, а то ведь на поверку выясняется интересная вещь: поучает человек весь божий свет, а сам еще тот безобразник!

— Согласна, — вклинилась я в ровное бурчание Антона, — следует хоть что-то знать о родственниках. Я не права. Но вы-то! Где ваши семейные фото на стенах? А?

Макаркин вскочил:

— Пойдемте! Сюда, налево, в гостиную...

Через пару секунд мне пришлось признать: мой сосед — из породы людей, у которых слова не расходятся с делом. В большой комнате, набитой всякими безделушками, на широком комоде теснилось множество рамок.

— Это моя прабабка, — начал рассказывать Антон, — она служила горничной в доме у барина. Снимок не слишком хорошего качества, а говорят, Анфиса Ивановна была редкой красавицей. А еще про нее ходило множество сплетен, женщину подозревали в интимной связи с барином. Ну, сами посудите, родила Анфиса подряд пять дочерей, потом попала к Глебу Семеновичу в прислуги, и появился на свет мой дед, единственный у нее мальчик.

И еще, девочек, моих двоюродных бабок, звали очень просто, по-крестьянски: Фекла, Авдотья, Акулина, Дуня и Стюра, а сына мать нарекла Овадий. Вы можете себе представить? Ребенок горничной — и Овадий! Ясное дело, барин помог имечко придумать. Овадий, кроме того, получил образование...

Речь Антона текла полноводной рекой, врач и впрямь много знал о своих предках.

— А где фото родни Лизы? — спросила я, когда Макаркин умолк.

Антон тяжело вздохнул:

— У Лизы ситуация сродни вашей. Ее отец умер, когда она была школьницей, и являлся полусумасшедшим коллекционером, который все деньги тратил на всякое старье. Мне эта страсть непонятна, но кое-кто охвачен ею, словно пожаром. Детство Лизы прошло тяжело, оказалось полуголодным и безрадостным, ее мать полностью растворилась в муже, о детях не заботилась. Закончилось все очень и очень плохо: Марина, так звали старшую сестру Лизы, убежала из дома, прихватив какую-то суперценную, по мнению родителей, вещь. Отец из-за поступка дочери умер от разрыва сердца, мать оказалась в психиатрической лечебнице, Лизоньку воспитывали дальние родственники. И вот вам иллюстрация к нашей беседе. Лизочка хорошо знала, как закончила свои дни ее мама, часто навещала безумную и понимала: сумасшествие может передаться и ее детям. Поэтому мы сознательно не заводили наследников. А вот представьте, если бы Лиза была не в курсе...

— Можете назвать девичью фамилию супруги? — воскликнула я, покрываясь потом.

— Конечно, — ответил Антон, — Константинова. Елизавета Федоровна Константинова.

Глава 23

— Вот это да! — не удержалась я от возгласа.

— Что вас так удивило? — вздернул брови Макаркин. — Самое обычное сочетание: Елизавета Федоровна Константинова.

Я открыла сумочку, вытащила фотографии и сунула их Антону под нос.

— Посмотрите, может, узнаете, кто на снимке?

Макаркин взял в руки фото.

— Откуда они у вас?

— Долго объяснять, — отмахнулась я от его вопроса, — но, насколько знаю, девочка, сидящая на окне, Марина, а на другом фото сестры запечатлены вместе.

Антон поднял на меня глаза.

— Верно. Вот странно...

— Что?

— У нас имеются точь-в-точь такие же снимки.

— Да?

Макаркин кивнул, потом встал, открыл большой шкаф, набитый книгами, вытащил толстый альбом в серой обложке и, перелистывая страницы, сказал:

— Я, наверное, неправильно сопоставил вашу ситуацию с Лизиной. У жены имелись фото родственников, просто детские воспоминания вызывали у нее такие отрицательные эмоции, что лучше было похоронить их. Так, это свадебная фотография тещи и тестя... Я никого из них в живых не застал, но Лиза рассказывала о родителях. Вот школьный снимок моей жены, а дальше, если не ошибаюсь... О! Пусто!

Взор Макаркина с удивлением переместился на меня.

— Глядите! Снимки исчезли! Ну и ну!

— Действительно странно, — согласилась я. —

Только уголок от отодранного фото остался... Вы разрешите?

Антон кивнул. Я быстро приложила одну из «моих» фотографий к странице и констатировала:

— Похоже, карточку выдрали именно отсюда.

— И кому это понадобилось? — нервно воскликнул Антон.

— Не знаю. У вас много людей бывает дома?

— Лиза очень общительна... — Антон вздохнул. — Была общительна. Она вечно всем помогала, к ней полдома носилось — просили градусник, мерили давление, консультировались по поводу лекарств, а женщины узнавали о новинках косметологии, жена ведь в клинике пластической хирургии медсестрой работала. Я все время удивлялся человеческой лени и жадности: в двух шагах круглосуточная аптека, сходи туда, купи термометр или аспирин. Так нет, неслись к нам! И ведь пострадала Лиза за свою доброту, ее убила Аня Галкина, девочка, которой моя жена сильно помогла.

— Вы, конечно, извините, — почти шепотом сказала я, — но в доме абсолютно уверены: преступление совершено на почве ревности.

— «Злые языки страшнее пистолета», — процитировал классика Антон. — Ну, почему сплетники выдумали гадость?!

— Вроде вы тесно общались с Аней, делали ей массаж. Согласитесь, дело интимное...

Макаркин закрыл альбом.

— Понимаете, Виола, я врач, и у меня, как бы это вам объяснить, своеобразный взгляд на человека. А у многих людей некое... мм... кривое восприятие действительности. Вот мы с вами сейчас находимся вдвоем в квартире: я — относительно молодой мужчина, вы — миловидная женщина. Предположим, я начну делать вам массаж... И что решат окружающие? Скажут: у них роман. Сплетники просто не понимают, что я не воспринимаю вас, пациентов, как объект сексуальных желаний. Мой взгляд отмечает не вашу привлекательность, а совсем иное: сидите, слегка сгорбившись, следовательно, у вас есть проблема с позвоночником, слишком бледный цвет лица свидетельствует о неких неполадках с сосудами, сеточка морщин под глазами...

Я схватилась за лицо.

— Все так плохо?

— Нет, нормально, — успокаивающе кивнул Антон. — Изменения соответствуют возрасту. Может, кое-кто и не разберет, сколько вам лет, но я могу сказать довольно точно. Для меня мои клиентки — всего лишь набор из мышц, костей, сухожилий. Предметом вожделения пациентка никогда для меня не станет. Да и вообще посторонняя женщина. Даже на пляже! Там мимо дефилируют прекрасные нимфы в более чем откровенных купальниках, и на что обратит внимание обычный мужчина, не костоправ? Бюст, ножки, мордашка. А я думаю: «Вот бедняжка! Идет плечиком вперед, скособочившись, наверняка к вечеру у нее спина болит. Надо между лопаток дернуть, позвонок на место встанет, полегчает девочке». Ну, какой тут секс? Одна работа.

Я молча слушала Антона. У нас с Томочкой есть подруга, Зина Сельская. Зинулька довольно долгое время была замужем за модным скульптором Костей Ларькиным, потом счастливый брак дал трещину. Однажды Зинуська, заливаясь слезами, принеслась к нам и с порога сообщила:

— Развод.

— Не руби сгоряча, — засуетилась Томочка.

— Он мне изменил, — захныкала Зина.

— Ты уверена? — спросила я.

— Стопудово, — зашмыгала носом Сельская. — Поймала их, голубчиков, на месте преступления. Пришла к Костьке в мастерскую в неурочный час, а там баба!

Томочка засмеялась.

— Зинуся, Костя скульптор, сама знаешь, он постоянно работает с женщинами, никакой опасности нет!

Зина нахмурилась.

— Ой, да знаю я! И если голая баба в его мастерской маячит, я совершенно спокойна, значит, Костька очередную фигуру лепит. Но та девка сидела совершенно одетая. Точно говорю: это измена, мерзкая тварюга окрутила Костю!

А теперь скажите, мои дорогие, у вас вызывает раздражение полностью одетая девушка рядом с вашим мужем? Наверное, потеряете самообладание при виде обнаженного тела около родного супруга. Но для Зины, жены скульптора, все наоборот: обнаженка — это работа, а вот распивание чая с девчонкой, чья кофточка застегнута до горла, весьма настораживает. Это уже не ваяние «красавицы с веслом», а нечто иное, малоприятное для законной жены...

— Лиза просто пожалела Аню, — методично продолжал Антон. — У девушки заканчивалась карьера модели, ведь обычно манекенщицы востребованы в профессии мало — года два-три. За это время им следует удачно выйти замуж или получить образование, иначе останутся на бобах. А у Ани ничего не выходило, вот Лизочка и решила, как всегда, помочь — пристроила ее в клинику пластической хирургии.

— Кем? — спросила я, великолепно зная ответ.

Макаркин опустил вниз уголки рта.

— На рецепшен сидеть, Аня симпатичная девушка, а пластические хирурги понимают: у входа следует поместить нежный бутончик, это привлечет посетителей.

— Да? — с недоверием спросила я.

Макаркин кашлянул.

— Конечно. Вы пойдете в кабинет к стоматологу, если в приемной у него увидите секретаря с гнилыми зубами? Обратитесь в парикмахерскую, где запись ведут полулысые чудовища?

— Думаю, нет, — улыбнулась я.

— И правильно, — кивнул Антон.

— Но если Аня не ревновала вас, то по какой причине она убила Лизу? Из-за денег? Вы заломили за услуги слишком много?

— За массаж? — совершенно искренно изумился врач. — Что вы! Никаких материальных счетов не имелось и в помине. Зная, что Галкины не слишком обеспечены, я взял с Ани минимальную сумму за услуги, чисто символическую. Естественно, мог проводить массаж абсолютно бесплатно, но это унижает клиента, а мы живем в одном доме, и мне не хотелось, чтобы девочка испытывала неловкость, сталкиваясь со мной и Лизой.

Я вспомнила, как нахамила мне Аня, влетая в лифт. Похоже, Галкина не из тех людей, которые краснеют при виде благодетелей. Думается, слишком интеллигентный Антон не прав, Аня небось считает, что это она оказала услугу врачу, позволив вправлять себе позвонки.

— Думаю, дело в ином, — протянул Макаркин.

— В чем?

Антон потер рукой лоб.

— Аня регулярно приходила к нам в квартиру,

говорила, что считает Лизу своей лучшей подругой. Дескать, ей не перед кем излить душу, не с кем посоветоваться... Лизочка особой радости от общения с Аней не испытывала, ведь Галкина грубая, вспыльчивая и очень жадная. Жена рассказывала мне, как девушка восклицала: «Вчера познакомилась с парнем. Подходящая кандидатура: машина — новая иномарка, в кошельке «золотая» кредитка, одет в фирму, курит только дорогие сигареты». Или заявляла: «Тут с одним поплясала в клубе, думала, он ничего. А потом выяснилось: на метро катается, денег пшик. Нет, нам такой футбол не нужен...»

Наверное, поэтому Аня никак и не могла отвести хоть кого-нибудь в ЗАГС. Мужчины, в особенности удачливые и обеспеченные, очень не любят женщин, у которых в глазах, как в окошках счетчика таксомотора, скачут цифры.

За некоторое время до смерти Лиза спросила у Антона:

— Ты потерял свои ключи?

— Нет, — удивился муж. — А почему тебе такая идея в голову пришла?

— У нас в передней висела запасная связка, а теперь ее нет.

— Не может быть.

— Точно, пойди глянь.

Антон открыл небольшой шкафчик-ключницу и убедился, что жена не ошиблась.

— Слушай, — решил прояснить ситуацию муж, — а давно пропажа случилась?

— Я заметила сегодня, — пожала плечами Лиза. — А так черт их знает, я в ключницу редко заглядываю, сам знаешь, там лишь «запаски» висят: от гаража, от дачи и дома.

Антон призадумался. Пропажа ключей всегда

неприятна, мало ли кому в руки могли они попасть, у Лизы бывает много разного народа.

Мужчина, размышляя, смотрел на шкафчик. Так, вон те, с красным брелоком, — от гаража, с зеленым мишкой — от садового домика. А от квартиры испарились, осталось лишь одно колечко. Колечко!

Антон хлопнул себя по лбу. Как же он раньше не понял, все очень просто. Ключница представляет собой коробочку, вернее, заднюю стенку с крючками и дверку, дна у нее нет. Тяжелая связка оторвалась от кольца и упала на пол, за комод. Макаркин попытался отодвинуть его, но не тут-то было — тяжеленный предмет интерьера стоял мертво.

Муж объяснил жене ситуацию и ушел на работу, а вечером его встретила радостная Лиза и продемонстрировала ключи.

— Ты был совершенно прав! — воскликнула она. — Именно там они и лежали, за комодом!

— Как тебе удалось его сдвинуть? — поразился Антон.

Лиза засмеялась:

— Секрет... Ладно, не дуйся, скажу. Аня помогла: вдвоем уперлись, чуть-чуть от стены отодвинули. Анечка худенькая, ей удалось руку в щель засунуть и ключи нащупать.

Макаркин забыл о происшествии. А спустя короткое время Лиза спросила у мужа:

— Тоша, ты лазил в хозяйственную коробочку?

Здесь следует пояснить, что имелось в виду. Макаркин не принадлежит к числу мужчин, которые делают заначки от супруги. Получив энную сумму, Антон всегда клал ее на стол, а жена занималась планированием бюджета. Часть денег она пускала на расходы, оставшиеся ассигнации прятала в коробку, которая хранилась в комоде, под бельем. Это был неприкосновенный запас — Макаркины собирали средства на загородный дом, мечтая уехать жить в Подмосковье, на свежий воздух.

— Нет, конечно, не лазил, — ответил на странный вопрос муж. — А что?

— Ничего, — ответила Лиза и ушла.

Спустя день она снова поинтересовалась:

— Тоша, ты точно не брал ничего из запаса?

— Да мне и в голову не придет без тебя открывать коробку!

— Странно... — протянула Лиза. — Понимаешь, я ведь очень хорошо знаю, сколько там лежит денег. Всякий раз, пополняя запас, заношу цифру в ежедневник.

— Очень правильно, — кивнул муж, — касса счет любит.

— Но сейчас в коробке не хватает тридцати тысяч рублей.

— Ты уверена?

— Абсолютно.

— Может, обсчиталась? Проверь еще раз.

— Да уж с утра бумажки мусолю, — вздохнула Лиза. — В среду стала «банк» пересчитывать и не нашла тридцати тысяч.

— Говорил же тебе, — вспылил Антон, — хватит всех кого ни попадя в квартиру пускать! Догостеприимничалась! Рано или поздно такое должно было случиться! Ладно, не расстраивайся, но сделай необходимые выводы. Отныне чтоб никакого проходного двора в доме!

— Однако коробка хранится не где-нибудь, а в спальне...

— Но ведь не в сейфе! — хмыкнул муж. — Кстати, давно думал о необходимости его приобретения. Теперь точно куплю, прямо сегодня. Так что выдай мне денег. Ну, не хмурься, понимаю, совершенно незапланированная покупка, но она стала необходимостью.

— Коробка хранится в спальне, — повторила Лиза.

— Знаю.

— Не в гостиной.

— Хорошо хоть ты догадалась не поставить ее в центр обеденного стола, — не удержался от ехидного замечания Антон.

Но Лиза не обратила внимания на ерничанье мужа.

— Ты же знаешь, я не люблю застилать кровать, — тихо продолжила она, — просто ленюсь. Встряхну одеяло и ухожу...

— Меня все равно весь день нет, да и ты на работе сменами пропадаешь, — улыбнулся Антон. — Кому какое дело до нашей постели?

— Неудобно людей в неубранную спальню пускать... — продолжала странные речи Лиза.

— Конечно, нет никакой необходимости кого-либо приводить в комнату, где спишь, — начал вскипать Антон.

— И я так считаю, — кивнула жена. — Поэтому, если ко мне заглядывают подружки, я закрываю спальню. Она расположена в самом дальнем углу квартиры, туда никто и не ходит, туалет и ванная около кухни. И потом, дверь в спальню отчаянно скрипит, если кто-нибудь туда пошел бы, я бы мигом услышала. В общем, есть у меня одно соображение...

— Какое?

— Я никому не рассказывала о запасе, жестянка спрятана среди белья, сразу ее не найти. Вору надо было сначала проникнуть в комнату, затем порыться в шкафу, отыскать коробку... На все про все необходима куча времени. Я дома, сижу на кухне или в гостиной... Так под каким предлогом гость мог исчезнуть надолго, а? Это же очень глупо — пытаться обворовать квартиру в присутствии хозяйки.

— Действительно, — бормотнул Антон, — верно.

— А еще у нас пропала статуэтка, — вдруг сказала Лиза.

— Которая? — завертел головой Антон, оглядывая гостиную. — Их тут сто штук.

— Ну, не так уж и много, — улыбнулась Лиза. — Все они малоценные, копеечные, но мне дороги как память о маме и папе.

Антон усмехнулся:

— Да уж, бешено ценные вещи... Кому статуэтка могла понадобиться?

— Вот это самый интересный вопрос, — кивнула Лиза.

— Ерунда, ее просто разбили! — воскликнул Антон.

— Кто?

— Да кто-нибудь из твоих гостей.

— А где черепки?

Антон хмыкнул.

— Думаю, дело обстояло так. Ты вышла из комнаты... за чаем на кухню, скажем, направилась или в туалет... Гостья хотела изучить статуэтку и случайно уронила ее. Решив не рассказывать о происшествии, твоя подружка быстро собрала осколки, вышвырнула их на улицу и как ни в чем не бывало с самым невинным видом села у стола. Наверняка ею руководил простой расчет: безделушек полно, одной больше, одной меньше, хозяйка не сразу приметит пропажу, можно будет спокойно уйти домой. Так и вышло. Никакой загадки тут нет, проще пареной репы ситуация.

— Я бы с тобой полностью согласилась, — подняв глаза на мужа, ответила Лиза, — но есть одно «но». Та статуэтка не стояла в гостиной.

— У нас еще где-то есть фигурки? — изумился Антон. — Не замечал.

Лиза покраснела.

— Есть две кошки из глины. По виду это довольно грубые поделки, ничего ценного. Но они были последним приобретением папы... Я тебе не рассказывала эту историю... не слишком приятные воспоминания... но сейчас, думаю, надо. А то дома творится черт-те что!

Глава 24

Лизочка очень хорошо запомнила вечер, когда папа принес домой газетный сверток. Отдав его маме, он сказал:

— Смотри.

— Они! — ахнула Розалия. — Тебе их дали!

— Да, — гордо ответил папа, — раздобыл! Понимаешь...

И тут мама, сделав большие глаза, указала взглядом на стоящую невдалеке Лизу. Папа моментально примолк, а Розалия поспешно велела дочери:

— Немедленно ступай делать уроки.

Приученная повиноваться родителям, школьница покорно поплелась в свою спальню, но девочку охватило любопытство. Что же такое принес папа? Отчего мама прогнала ее из комнаты? Недолго думая, Лиза вышла в коридор, но оставалась у двери папиного кабинета и, опустившись на корточки, приникла глазом к замочной скважине. По счастью, отец сидел за столом, а мама стояла возле него, поэтому девочке достаточно хорошо была видна столешница, на которой стояли фигурки.

— Точно они? — спросила мама.

— Абсолютно, — ответил отец. — Валерий Павлович, муж Теодоры Вольфовны, их мне в кредит дал, это семейная реликвия Блюм.

— И сколько они стоят?

Ответ отца Лиза не услышала, зато возглас мамы прозвучал вполне отчетливо:

— Где же взять такую сумму?

— Ерунда, поднатужимся! — бодро воскликнул папа. — В конце концов, можем продать...

— Что? — нервно перебила мама.

— Ну... твои серьги, те, которые от бабки достались.

— Это единственная память о родителях, — попыталась возразить Розалия. — К тому же эти сережки и четверти нужной суммы не стоят. Может, лучше продать что-нибудь из коллекции? Вон, на стене Репин...

— Милая, — с укоризной заговорил папа, — ну как ты могла предложить подобное?

— Фигурки надо вернуть Теодоре! — выпалила вдруг мать. — Вдруг она не знает, что муж решил продать ее реликвию? Некрасиво получится. Почему тебе их Валерий Павлович дал, а не сама Блюм? Нет, отнеси назад.

— Никогда!!!

— Но деньги...

— Дорогая, — вкрадчиво завел папа, — нас ведь только четверо, две девочки и мы, верно?

— Да, — растерянно подтвердила Розалия, явно не понимавшая, куда клонит муж.

— И зачем тогда нам такая огромная квартира? — ажиотированно продолжил отец. — Вполне хватит однокомнатной!

— Федя! Ты с ума сошел!

— Обменяем с доплатой, вот и необходимые деньги.

— Этот вопрос сразу не решить, — дрожащим голосом парировала Розалия, — его решение на месяцы растянется.

— А вот и нет! — совершенно счастливым голосом воскликнул папа. — Гера Раков все мигом устроит, они с женой давно мечтают о просторной квартире. Оно и понятно, им с ребенком тесно в однушке. Раковы переедут к нам, мы к ним, а разница к Блюм отправится.

— Федя, — попыталась вразумить супруга Розалия, — значит, Раковым в однушке тесно втроем, а нам вчетвером в самый раз?

— Любимая, — прокурлыкал папа, — ты же понимаешь, что мы получим взамен.

— А это точно они?

— Абсолютно.

— Совершенно не похожи!

— Объяснял же — все ради конспирации, их очень много лет прятали, — терпеливо продолжал папа. — Они! Видишь, вот тут есть дырочка. Глянь...

Наступила тишина. Лиза, так ничего и не понявшая, продолжала сидеть у двери.

— Вчетвером в крошечном пространстве можно сойти с ума, — ожила мама. — Да разрешат ли такой обмен? Ведь нам, четверым, будет не хватать метров до нормы.

— Дорогая, разве нам с тобой нужен дворец?

— А дети?

— Мы переедем в ту квартиру вдвоем.

— Ты забыл про Марину и Лизу?

— Нет, нет, все продумал! Елизавету следует отдать в интернат. Есть такие, очень хорошие, просто великолепные учебные заведения. Детей учат, воспитывают и отпускают домой лишь на каникулы, — бодро заговорил папа. — Лизе просто необходимо очутиться в подобном месте ради ее же блага — ты девчонку нещадно балуешь, это плохо!

— Федя, окстись! — воскликнула мама. — О каком баловстве идет речь? У меня на него просто денег нет!

— А кто позавчера Лизе яблоко купил, а? — взвился папа. — У меня, между прочим, таких запросов нет. Муж макароны тихо ест, а ты девчонке фрукты даешь! Ладно, любимая, я не сержусь, просто нашел великолепный выход: Лиза в интернате, Марина тоже, а нам с тобой...

Тут мама заплакала, а младшая дочь побежала в комнату к сестре.

Марина, как всегда, сидела на подоконнике, устремив взгляд на улицу.

— Ришка, — зашептала Лиза, — эй, отзовись!

Нельзя сказать, что сестры плохо относились друг к другу, просто старшая не замечала младшую. Не надо упрекать Марину в холодности, разница в возрасте — это серьезно. Ну о чем может беседовать пятнадцатилетняя девушка с третьеклассницей? Точек соприкосновения у них почти нет. Впрочем, в тех семьях, где родители выказывают любовь к детям и друг к другу, разновозрастные братья-сестры великолепно общаются, но у Константиновых Марина и Лиза существовали на правах не слишком любимых кошек: поели, что нашлось в холодильнике, и пошли вон, скажите спасибо, что мы о вас вообще вспомнили, наполнили миски.

— Что? — откликнулась наконец недовольным голосом Марина. — Ты зачем ко мне пришла?

Лиза бросилась к сестре и сбивчиво изложила подслушанный разговор родителей.

Марина соскочила с окна.

— Иди в свою комнату, — велела она Лизе, — и сиди там тихо.

Младшая покорно шмыгнула в спальню. Сердце Лизочки сжималось от страха, ей очень не хотелось уезжать в приют.

Спустя полчаса Марина зашла к сестре.

— Успокойся, — велела она.

— Нас оставят дома? — в надежде спросила Лиза.

— Конечно.

— Но папа...

— Ерунда! Мама не согласилась на обмен.

— А что он купил?

— Очередную дрянь! — рявкнула Марина. — И хочет... Ладно, не твоего ума дело, укладывайся в кровать, не лезь к старшим.

Простодушная Лизочка наивно поверила Марине. Несмотря на то что между девочками дружбы не водилось, младшая считала старшую своей покровительницей. Как же ошибалась малышка!

Спустя день после памятных событий Марина исчезла из дома, прихватив с собой одну из уродских статуэток, добытых папой. Федор скончался, Розалия тронулась умом. Правда, сначала посторонние люди не замечали странностей дамы — на улице, в магазине, в общественном транспорте она вела себя вполне адекватно, но Лиза, несмотря на малый возраст, мигом сообразила: с мамой беда. Некоторое время девочка самоотверженно жила около делавшейся все безумней и безумней родительницы, но в конце концов Розалию забрали в лечебницу, а Лизоньку взяли на воспитание бездетные родственники, вполне милые люди. Папина коллекция оказалась собранием никому не нужных вещей, но новые родители Лизы разрешили девочке прихватить кой-чего на память. И она забрала фигурки — статуэтки балерин и животных, стоявшие когда-то у Константиновых в гостиной.

После смерти Розалии Лизе вручили вещи покойной, которых оказалось совсем немного: нижнее белье, пара халатов и две глиняные кошки, те самые, из-за которых разгорелся сыр-бор. Лиза сохранила фигурки, спрятала их у себя в шкафу, запихнув в самый дальний угол. Выставить довольно уродливые изделия на видное место она не могла, тем более что статуэтки будоражили ненужные воспоминания, но выкинуть виновниц смерти родителей у младшей дочери не поднялась рука. И вот теперь одна из глиняных уродок исчезла! Значит, кто-то шарит тайком в квартире Макаркиных! Сначала пропадали деньги, потом статуэтка... Последняя, правда, не имеет никакой ценности, но ведь дело не в стоимости фигурки, а в факте кражи...

Антон замолчал, и я моментально задала ему вопрос:

— А где последняя, оставшаяся фигурка?

Антон пожал плечами:

— Наверное, лежит на месте. Рассказав мне о семейной трагедии, жена спрятала статуэтку на полку, запихнула ее поглубже. Я, правда, спросил у нее, почему она раньше не говорила об этих кошках.

— И что ответила Лиза? — моментально заинтересовалась я.

— Что ей не слишком приятны воспоминания. Мол, к чему ворошить прошлое? «Суть дела ты знаешь, — сказала она. — Папа умер, мама закончила свои дни в психушке. Я поступила честно, не скрыла от тебя наличие сумасшедшей в семье, а уж вследствие каких причин у нее помутился разум, тебе может быть неинтересно. Так я подумала. А сейчас меня просто насторожил факт странных пропаж: деньги, статуэтка... Кто ворует? Домработницы у нас нет, детей тоже»...

— Но вы обсудили это? Какие были предположения?

— Я, конечно, считал, что кража — дело рук гостей Лизы. Но она припомнила тех, кто ходит ко мне на дом. Однако я занимаюсь пациентами в кабинете, встречаю у двери, а потом провожаю до лифта, они одни не остаются. Хотя и Лиза утверждала, что ее друзья тоже сидят в основном на кухне, а уж в спальню и точно никто при ней не заходил. И потом, еще можно понять исчезновение денег, но кошка, глиняная-то уродка, кому и зачем понадобилась?

— И к какому выводу вы в конце концов пришли? — тихо спросила я.

Антон крякнул.

— К плохому. Крутил, крутил информацию, потом все нити в один узел завязались. Смотрите — кто у нас часто бывал, просиживал часами? Аня. Кому моя жена доверяла? Галкиной. Кто помог Лизе отодвинуть комод и вытащил из узкого пространства ключи? Снова эта девчонка-манекенщица. В общем, на мой взгляд, дело обстояло так. Мерзавка обладает хорошим слухом и великолепным зрением, а то, что мы не нуждаемся, заметно сразу. В квартире недавно сделали ремонт, вокруг красивые вещи, в холодильнике отличные продукты. Аня знала, что у меня обширная практика. Кстати говоря, Галкина многократно просила у Лизы в долг и всегда получала необходимые суммы! Сделав вывод, что в доме обязаны водиться деньги, Аня решила обокрасть нас. Она ухитрилась стащить запасные ключи — дернула их, оторвала колечко, связку сунула в карман. Потом небось сделала дубликат и хотела повесить незаметно назад, но Лиза уже обнаружила пропажу. Как на грех, я помог воровке — сказал жене про то, что ключи могли упасть за комод, а та, наивная душа, попросила Аню помочь. Мерзкая девчонка мгновенно использовала шанс.

Я вижу ситуацию так. Когда тяжелый комод на пару сантиметров отъехал от стены, Анна сделала вид, что шарит в щели, и как бы «нашла» связку. Лиза вернула ключи на место и успокоилась, Аня же получила возможность осуществить свой план. Галкина великолепно знала расписание работы Лизы, в курсе того, что медсестра не имеет права покинуть рабочее место в клинике и проведет там сутки. Знала и то, что я постоянно мотаюсь по клиентам и, таким образом, наша квартира частенько остается без присмотра хозяев. У мерзавки имелось достаточно времени, чтобы найти спрятанное.

— Почему же она не прихватила всю коробку? — вклинилась я с вопросом.

Макаркин горько улыбнулся.

— Думаю, Анна понимала: обнаружив отсутствие «сейфа», Лиза обратится в милицию. А так — жестянка на месте, и деньги в ней вроде бы все, не пересчитывает же Елизавета свою кассу каждый день. Наверное, сначала пакостница вытащила не очень большую сумму, тысяч десять, и затаилась. Но ничего не произошло, Лиза не обнаружила пропажу. Тогда Галкина решила повторить «подвиг» и еще раз запустила руку в коробку, но на этот раз прихватила сумму в два раза больше.

— Похоже на правду, — прошептала я. — Но при чем тут кошка?

— Да она ее, видимо, просто разбила, — махнул рукой хозяин. — Небось потянула на себя стопку полотенец и уронила фигурку.

— Вполне вероятно, — горестно кивнула я. — Вы сказали жене о своих подозрениях?

— Увы, не удержался.

— Почему «увы»? Воровку следовало наказать. Надо было ткнуть ей в лицо коробкой, где не хватало денег, надавать пощечин, потребовать вернуть украденное, отобрать ключи... — вскипела я. — Вот пакостная девчонка! Вы ей столько добра сделали и дождались благодарности...

— К сожалению, — очень тихо произнес Антон, — в тот роковой день я думал так же, как вы, гнев затмил мне глаза. Днем все складывал в уме части головоломки и в конце концов сообразил, кто вор. Правда, решил не говорить об этом с Анной.

— Почему?!

— Ну... улик-то нет, одни лишь домыслы. Девчонка легко могла отбить обвинение: ключи, мол, она на самом деле вытащила из-за комода, про коробку и слыхом не слыхивала. Попробуй докажи обратное...

И тогда Антон и надумал, не ставя жену в известность, обратиться в агентство, специализирующееся на слежке, и установить дома шпионскую камеру. Сейчас многие люди так делают. Скажем, нанимая к детям няню, ведут тайное наблюдение за прислугой. Одним словом, Антон не хотел зря будоражить Лизу и решил найти доказательства своей версии. И потом, а вдруг он все же ошибается, и неприятная ему Галкина чиста, словно стеклышко?

Выпив вечером чаю, Антон направился в спальню.

— Ты завтра работаешь? — спросила Лиза.

— Ясное дело, — ответил муж.

— Значит, я могу спокойно поехать по магазинам, — обрадовалась жена.

— Конечно, — мирно отозвался супруг. — Что купить хочешь?

— Брюки думаю поискать, черные. А Аня решила полушубочек поглядеть.

— При чем тут Галкина? — насторожился Антон.

— Мы вместе отправимся.

— Нет! — рявкнул, неожиданно выйдя из равновесия, Макаркин. — Я запрещаю тебе шляться по лавкам в компании с Галкиной!

Лиза закусила нижнюю губу.

— Свой выходной могу проводить как хочу!

— Между прочим, идешь тратить деньги на ерунду, — не слишком удачно ответил Антон, — а мне рублики не даром достаются.

Макаркин хотел свести к минимуму общение жены с соседкой, но, похоже, избрал неверный путь к цели. Лиза услышала в последней фразе упрек и ринулась в бой.

— Сама зарабатываю, сама и трачу.

— Да хоть все спусти, — пошел на попятную Антон, — мне не жаль, только не бери с собой Аню.

— Почему?

— Ну... я не хочу.

— Обещала ей помочь. Одной полушубок не купить!

— Ага, — кивнул Антон, — предполагаю, чем дело завершится.

— Ну!

— Говорить неохота. Лучше послушай меня и ступай по магазинам одна.

— Раз начал — продолжай.

— Ладно, скажу. Уверен, Галкина выберет себе обновку не по своему карману, — сердито бросил Антон, — и добренькая Лизочка добавит недостающую ей сумму. Не будь дурой, девчонка — отвратительная хитрюга, именно за этим она к тебе в спутницы и навязывается. Лиза! Очнись! У Галкиной имеются подруги, мать, в конце концов... Чего она к тебе прилипла?

— Ты несправедлив, — с жаром принялась защищать манекенщицу Лиза. — Ну да, она иногда просит в долг, но всегда отдает. Анечка — честный человек.

И тут на Антона налетела злоба.

— Ага, — скривился он, — отдает! А потом берет во много раз больше!

— Ты о чем? — попятилась Лиза.

И муж не удержался, выложил жене все свои подозрения.

— Не может быть... — прошептала Макаркина, пытаясь осознать услышанное.

— Сама подумай, ведь и правда все могло быть именно так, — резко ответил Антон. — Не ходи с ней никуда.

— Не буду, — прошептала Лиза. — Ты уверен в ее виновности?

— На девяносто девять процентов. Больше некому было нас ограбить.

— Но все же остается один процент... Надо потолковать с Аней.

— Ерунда. Она отопрется, наврет, выкрутится, — вздохнул массажист. — Кстати, знаешь, девчонка про тебя сплетни во дворе распускает. У меня же в нашем доме пациентов полно, рассказали люди. Думал, они привирают, но теперь понимаю — правда. Аня говорит о тебе очень неприятные вещи. Ты меня выслушаешь спокойно?

— Ладно, — очень тихо ответила Лиза.

Глава 25

Макаркин достал из кармана платок, вытер лицо и устало сказал:

— Простить себе не могу, что в тот день, выложив жене все сплетни, лег спокойно спать, а наутро уехал. Следовало забыть о делах, поговорить с Лизой еще раз, обсудить детали, а я оставил ее переваривать в одиночестве брошенную вскользь крайне важную для супруги информацию, не учел ее личностные особенности. Лиза была добрым человеком, она наивно считала всех людей хорошими, помогала даже совершенно посторонним. Понимаете?

Я, моментально вспомнив, с какой охотой Маркина рассказала мне о новинках косметологии, кивнула.

— Ну а уж тех, кого Лиза считала друзьями, она защищала, словно тигр, — мерно продолжал Антон. — Думаю, после моего отъезда жена побегала по квартире, а потом позвонила Ане и спросила ту: «Ты делала дубликаты наших ключей? Воровала деньги?» Наверное, Анна растерялась от такой наивной прямоты, не сумела скрыть своего страха или изумления. Лиза поняла, что я был прав, и потребовала вернуть украденное, попросила отдать ключи. Галкина примчалась к ней, стала отнекиваться, разгорелся скандал... Лиза небось сгоряча ляпнула: «Не хочешь по-хорошему — вызываю милицию, пусть тебя в отделении допросят». Я уже говорил, что жена обладала крайней — бескрайней! — наивностью, наверняка она полагала, что последней фразой припугнет Галкину, но та взбеленилась и налетела на Лизу... Впрочем, подробностей я никаких не знаю, следователь со мной пока не разговаривал, я вызван на допрос только завтра. Вот как получается: погибла Лиза за тридцать тысяч рублей!

— И за глиняную кошку, — невесть по какой причине продолжила я.

Внезапно Антон вскочил, потом, резко повернувшись, кинулся в коридор. Я, слегка испугавшись, бросилась за ним.

Не обращая на меня внимания, Макаркин влетел в супружескую спальню, распахнул огромный шкаф и начал методично вышвыривать на пол полотенца, наволочки, простыни, пододеяльники...

— Что вы делаете? — попыталась я остановить врача.

— Ищу кошку, — странно спокойным голосом пояснил Антон. — Хочу ее вон вышвырнуть, мне не нужны мрачные талисманы!

— Остановитесь... — взмолилась я, — успокойтесь...

Антон, все так же не обращая на меня ни малейшего внимания, кидал теперь на ковер нижнее белье. Я стала быстро поднимать вещи, аккуратно складывать их и класть на широкую кровать. У Макаркина истерика, не надо сейчас с ним спорить, пусть достанет дурацкую фигурку, выкинет ее из окна и успокоится.

Шкаф опустел, Антон повернулся ко мне и с легким удивлением заметил:

— Кошки нет.

— Вы уверены? — удивилась я.

— Убедитесь сами, — вновь очень спокойно откликнулся хозяин. — Вот полки и вещи. Никаких фигурок.

— Может, Лиза ее переложила?

— Зачем?

— Не знаю.

— И куда?

Я растерянно пожала плечами:

— Квартира большая, места полно. Да хоть на антресоли.

— У нас их нет.

— В других шкафах посмотрите.

Антон сел на кровать, проигнорировав мое предложение.

— Теперь понятно, — вдруг произнес он четким и ясным голосом.

— Что? — слегка обеспокоившись его психическим здоровьем, спросила я.

Макаркин окинул взглядом кипу пододеяльников.

— Лиза была идеальной хозяйкой, очень аккуратной. У нее в шкафах строгий порядок: на средней полке простыни и полотенца, и никак не иначе. Понимаете?

— Многие женщины так делают.

— Верно, только Елизавета никогда не нарушала заведенные правила.

— Похвальное качество.

— Но сейчас-то! Обратите внимание! Я открыл дверцу, начал вынимать простыни... Помните?

— Да.

— Они лежали на самом верху. Так?

— Насколько помню, да. Вы подошли, подняли руки, схватили стопку...

— Вот! Вот! Вот! — вдруг резко оживился Антон. — Но Лиза всегда хранила простыни внизу! Она была маленького роста, не дотягивалась до верхних полок, а простыни меняют часто. Поэтому жена держала их на удобной для себя высоте. А теперь они оказались там, где всегда хранились махровые простыни. Мы ими пользовались лишь в очень жаркие летние дни — накрывались вместо одеял. Кто перепутал содержимое шкафа?

— Может, Лиза сама...

— Нет! Невозможно! Кстати, коробка-то с деньгами на месте. Смотрите, я ее вынул со второй полки. Но Лиза хранила «сейф» на третьей!

Антон открыл крышку довольно объемистой жестянки, и я увидела стопки денег, перехваченные резинками. На полях верхних купюр чья-то рука очень аккуратно написала фиолетовыми чернилами цифру «100».

— По-моему, вы сейчас зациклились на ерунде. Жестянка находилась чуть выше, Лиза переместила ее ниже, — вздохнула я.

— Это невозможно, повторяю. Поймите, Лиза не могла так поступить. У нас на кухне чашки в буфете всегда стоят ручками вправо. А влево — никогда! У жены такой характер... был. Она страдала, если нарушался порядок. Сколько раз мы ругались из-за того, что я не туда сунул ботинки, что, придя домой, поставил их не на ту полочку галошницы!

— Значит, деньги ваши целы?

— Да, — закивал Антон. — Лиза на листке пополнение фиксировала, и бумажка тут сбоку лежит.

— Посчитайте, не пропало ли что... — предложила я и ушла на кухню.

В голове вальсом кружились не слишком приятные мысли. Увы, никакой особой сложности в этом деле нет. Ситуация проста, словно веник. Думаю, многие из нас, к великому своему сожалению, сталкивались с фактом, когда из письменного стола или из-под матраса (или где там народ прячет заначку) испарялись купюры. И чаще всего воришка был легко вычисляем — им оказывался, как правило, кто-то из детишек, решивший погулять на славу. Некая доза витамина «Р», или, попросту, порка ремнем, обычно отбивает у младшего поколения охоту лазить по сумкам. Сложнее дело обстоит, если дети вне подозрений. Значит, исчезновение денег — не ребячья шалость, а нехороший замысел взрослого человека. Впрочем, деньги могут пропасть и из офиса. Очень неприятно осознавать, что кто-то из твоих гостей или коллег вор. Чаще всего милицию к рассмотрению таких происшествий не привлекают — не хотят выносить сор из избы, не желают портить жизнь приятелю. И, между прочим, зря не предают дурно пахнущее происшествие огласке. Человек, уличенный в подобных действиях и не получивший за них никакого наказания, кроме увольнения с работы или отлучения от дома, станет воровать дальше. Сейчас Антон стопроцентно обнаружит отсутствие некой суммы. Очевидно, Аня еще раз поживилась в том же месте и тогда перепутала белье, а Лиза просто не успела заметить беспорядок.

— Все на месте, — заявил Макаркин, входя в кухню, — до копеечки, за исключением тех тридцати тысяч.

— Вы хорошо посчитали?

— Я был очень аккуратен. Деньги целы. Испарилась лишь статуэтка.

— А как она выглядела? — задала я от растерянности совершенно ненужный в данной ситуации вопрос.

Антон скривился.

— Поделка из глины, раскрашенная краской фигурка кошки с красным бантом на шее. Больше сказать нечего. Может, она ценная? Вдруг ни Лиза, ни я не поняли стоимости вещи? Но кто ее украл? Неужели Аня? Зачем ей дурацкая поделка? Ничего не понимаю!

— Насколько помню, Лиза сообщила вам, что отец приобрел кошек у мужа Теодоры Блюм?

— Да, — кивнул Антон. — Она запомнила имя, потому что часто слышала, как неотвратимо теряющая разум мать ежедневно повторяла: «Теодора Блюм... И из-за нее случилась беда... Она постаралась, Теодора Блюм... Ее статуэтки счастье приносят!» — и так по нескольку раз в сутки, иногда посередине ночи.

— И Лиза не пошла к этой Блюм? Не стала расспрашивать женщину?

Антон с изумлением глянул на меня:

— Зачем? Что можно узнать? О чем? О ком? Где искать тетку? Нет, конечно. Лиза просто пыталась облегчить страдания сумасшедшей, но потом сообразила — маме уже не помочь. Вот такая семейная трагедия. Я очень надеюсь, что Аню осудят на долгие, долгие годы. Жаль, что в нашей стране отменили смертную казнь! Кстати, вы за или против нее?

Неожиданный вопрос заставил меня вздрогнуть.

— Простите, не поняла?

— Вы за или против смертной казни? — мрачно повторил свой вопрос Антон.

— Нельзя отвечать смертью на смерть, — тихо ответила я. — Невозможно лишать человека жизни, его следует просто изолировать от общества, расстрел по приговору суда — это узаконенное убийство. И потом, случаются ошибки следствия, по делу одного маньяка-убийцы высшая мера наказания была применена в отношении абсолютно невинного человека. Потом преступника поймали, истина выяснилась, но покойного-то не оживить! Отмена смертной казни позволяет избежать страшных ошибок.

Антон очень спокойно посмотрел на меня.

— Я тоже так считал... до убийства Лизы. Скажите, если у вас убьют ребенка, или сестру, или мужа, вы сможете простить преступника?

— Нет! — воскликнула я. — Лично бы растерзала его! Разорвала на куски!

— Но ведь невозможно лишать человека жизни по приговору суда, это, по-вашему, узаконенное убийство, — повторил Макаркин только что сказанную мной фразу.

Я растерянно примолкла.

— Вот-вот, чужую беду руками разведу... — мерно продолжил Антон. — Все мы умные, благородные, жалостливые... пока горе в ворота не постучало. Я вот очень хочу, чтобы Аня получила по заслугам, и жалею, что ее нельзя расстрелять или повесить! Но мне юристы объяснили: девчонка вообще может выскочить сухой из воды, отделаться ерундовым сроком, ведь она очень молода и ранее не судима. Так вот, я начну действовать: обойду жильцов с письмом, в котором будет требование максимального наказания. Я обращусь в газеты, подниму вселенский скандал, заставлю судью прислушаться к общественному мнению! Вы подпишете бумагу?

Я быстро пошла в коридор, бормоча:

— Совсем забыла — у меня же на плите суп стоит... Вот растяпа! Побежала в магазин за луком, встретила вас, и все из головы вымело...

— Мы столкнулись на первом этаже, — напомнил Макаркин, — вы не уходили из дома, а входили в него. Ладно, огромное вам спасибо за доброту: за сваренный суп и за то, что выслушали дурака. Я не болтлив, но отчего-то сейчас постоянно испытываю желание говорить о Лизе.

— Всегда к вашим услугам, только свистните, сразу прибегу, — пробурчала я и вышла на лестничную клетку.

Макаркин запер за мной дверь, пару секунд я тупо постояла у лифта, пытаясь побороть вдруг навалившуюся усталость. Может, люди, рассказывающие об энергетических вампирах, правы? Я ведь просто слушала Антона. Он был спокоен, не закатывал истерик, лишь один раз вышел из себя, когда начал выбрасывать белье из шкафа... Почему же тогда я еле жива?

Сзади послышался тихий скрип, и я быстро оглянулась. На двери, ведущей в квартиру Веры Данильченко, той самой бдительной соседки Макаркиной, которая заперла на месте преступления Аню Галкину, покачивался на гвозде пластмассовый номер. Очевидно, сплетница вновь на «рабочем месте» — притаилась за створкой, глядит в глазок, а сейчас осторожно чуть-чуть приоткрыла дверь, думает через крохотную щель услышать что-нибудь интересное...

Решив никак не реагировать на «наружное наблюдение», я вошла в лифт и поехала к себе. Сейчас рухну в кровать, а завтра встану пораньше и отправлюсь к Теодоре Вольфовне Блюм. Надеюсь, пожилая дама не потеряла разума и мне удастся разговорить ее.

Вас, наверное, удивляет мое желание возиться с делом, которое ясно, словно выеденное яйцо: Аню уличили в краже, и девушка в запале убила Лизу. Но отчего-то госпожу Тараканову грызли сомнения. Слишком уж много улик, свидетельствующих против Галкиной: ее взяли на месте происшествия, Антон завтра расскажет следователю об исчезновении ключей и денег. И девушка должна понимать, что Макаркин скажет о своих подозрениях. Но Анна упорно отрицает свою вину. Она дура? Или, несмотря на юный возраст, обладает совершенно железным характером? Олег говорил мне, что даже самые матерые уголовники под давлением улик складывают лапки и произносят:

— Ну ладно, начальник, твоя взяла.

А тут молодая девушка, которая не «колется», хотя следователь предъявил ей совершенно бесспорные доказательства вины. Почему Аня не сдает своих позиций? Надеется, что ей сбавят срок? Но на судей лучше подействуют раскаяние, слезы, фразы типа: «Не хотела убивать... в глазах потемнело... ничего не помню... теперь целыми днями молюсь за душу Лизы Макаркиной...»

Неужели Аня настолько наглая, что не испугалась ареста и сохранила полнейшее самообладание? Думаю, нет. Скорей всего, Галкина сейчас напугана. Тогда отчего отрицает вину? Вдруг и впрямь она не причастна к смерти Лизы? Деньги украла, кошку тоже унесла, еще раньше, не в тот день, когда ее арестовали, но Макаркину не убивала... А зачем Ане фигурка? Какую ценность представляет глиняная поделка?

Глава 26

Утром я встала по звонку будильника и, почти не открывая глаз, побрела в ванную.

Тот, кто вынужден ежедневно в семь часов вылезать из кровати, сейчас хорошо поймет меня. Впрочем, мне повезло: став писательницей, я обрела возможность мирно почивать по утрам в кроватке, но память о годах, когда следовало выбежать из дома в начале восьмого, истребить невозможно. Большую часть жизни я боролась из каждую минуту такого сладкого утреннего сна: вечером вынимала из шкафа одежду и вешала ее на стул около кровати, потом собирала сумку и ставила у двери, там же поджидала хозяйку и заботливо вычищенная обувь. Будильник начинал орать в шесть сорок пять, и основная трудность состояла в том, чтобы вскочить сразу. Если начать говорить себе: «Полежу еще две минуточки», ситуация заканчивалась трагически. Глаза моментально слипались, голова проваливалась в подушку, и просыпалась я уже тогда, когда весь рабочий люд добрался до своих контор. Поэтому разрешить себе маленькую слабость, оттянуть момент подъема, было никак нельзя.

Встав на слабые ноги, я, не раскрывая глаз, натягивала на себя приготовленные шмотки, на ощупь брела в ванную и там прежде всего плескала в лицо холодной водой. После того как один раз я почистила зубы мылом, а вместо крема для лица использовала зубную пасту, стало понятно, что веки следует разомкнуть хотя бы у рукомойника.

В семь пятнадцать сонная, ненакрашенная, плохо причесанная, не попив ни кофе, ни чаю, я уже неслась в метро. Если бы я вдруг пожелала произвести все необходимые утренние процедуры (макияж, укладка волос феном, яичница с колбасой), то вылезать из-под одеяла следовало бы ровно в шесть. Я на такой подвиг готова не была, внешняя красота приносилась в жертву сну, а есть мне рано утром никогда не хотелось.

Добежав до службы, я счастливо вздыхала и начинала приводить себя в порядок. Думаете, маячила у зеркала в туалете одна? Как бы не так! Три четверти конторских девушек приносились в «уголок задумчивости» с косметикой и расческой, а кое-кто прихватывал фен. По идее, службу нужно бы начинать в девять, но раньше десяти дамы свои места не занимали. Впрочем, оказавшись у письменных столов, народ в массовом порядке принимался завтракать. Уборщице приказывали взбодрить чайник, и, пока железный монстр закипал, вынимались бутерброды, насыпался в чашки растворимый кофе. Потом, естественно, требовалось покурить и еще раз выпить ароматного напитка... В общем, до полудня о работе речи не шло. Оставалось лишь удивляться, ну зачем нас заставляют прибыть к девяти? Лучше б отодвинули начало впрягания в ярмо на двенадцать часов дня, подчиненные в таком случае являлись бы пред очи начальства уже при полном параде и с набитым желудком. К чему мучить несчастных людей, какой от них прок в несусветную рань?

Сегодня, добредя до раковины, я вцепилась пальцами в холодный фаянс и велела себе:

— Ау, Виола, открой глазки!

Веки распахнулись, зрачки сфокусировались, я вздрогнула. Ну и рожа! В конце концов, можно понять, почему Олега потянуло на молодую сибирячку. Эта Настя Волкова небось не имеет одутловатого личика и «гусиных лапок». Нет, мне просто необходимо обратиться к специалисту! Вот разберусь с делом, напишу очередную книгу и займусь собой. Охохонюшки! Хирург Илья Германович-то прав. Что он там говорил про «собачьи щечки» и «улыбку Пьеро»? Пожалуйста, дефекты в полной красе, полюбуйтесь, госпожа Тараканова! Ладно, противные морщинки у глаз можно заштукатурить, но куда девать второй подбородок, а?

Очень недовольная собой, я размазала по лицу тональный крем, но стало, кажется, лишь хуже. Окончательно приуныв, я спустилась к машине и моментально захотела есть. Теперь к недовольству собой присоединился еще и голод. И почему я не стала дома пить кофе? Но возвращаться — плохая примета, дороги не будет...

Потоптавшись у подъезда, я тряхнула непричесанными волосами и решительно пошагала в сторону хлебного тонара. Не следует делать из завтрака культ, сейчас куплю булочку, пакетик сока и заморю червячка.

Возле железного вагончика, слава богу, не змеилась обычная очередь, имелась лишь одна покупательница. Подойдя к женщине вплотную, я узнала Данильченко, самая любопытная дама нашего дома засовывала в кошелек сдачу.

— Привет, Вера, — зевнула я.

Данильченко вздрогнула и уронила портмоне, из кожаного нутра вывалилось несколько купюр.

— Ну и напугала ты меня! — взвизгнула соседка Антона. — Подкралась сзади и рявкнула.

— Извини, пожалуйста.

— Вот, из-за тебя деньги растеряла, — продолжала злиться Данильченко.

Я наклонилась и стала поднимать бумажки. Однако Вера прихватила с собой большую сумму... В раскрытом кошельке виднелась пачка рублей, на земле рядом валялись крупные купюры. Вот на эту что-то налипло... Мои пальцы попытались привести ассигнацию в порядок, я поскребла ногтем по пятнышку, но тут же поняла: это не кусочек земли, а пометка, сделанная ручкой. Некто, считая деньги, написал фиолетовыми чернилами на одной бумажке «100».

Внезапно в уме закопошились воспоминания. Где я недавно видела подобные?

— Дай сюда, — рявкнула Вера, выдирая из моих рук деньги, — нечего ногтями скрести, порвешь!

— Хотела тебе помочь.

— Спасибо, сама справлюсь, — фыркнула Данильченко и ушла.

Я наклонилась к окошку:

— Привет, Халида!

Симпатичная черноглазая продавщица весело ответила:

— Здорово, Вилка. Как обычно?

— Ага, оставь мне хдеб, вечером прихвачу. Булочки есть?

— Конечно.

— Какие повкусней?

Халида засмеялась:

— Лушик сегодня с корицей одобрил.

Лушик — симпатичный лохматый йоркшир-терьер — тихо гавкнул со своей подстилки. Я улыбнулась. Тонар стоит около нашего дома давно, в нем всегда отличный хлеб, а торгует выпечкой веселая Халида. Население блочной башни давно считает молодую женщину кем-то вроде родственницы и безо всякой опаски оставляет ей ключи, попросив открыть дверь квартиры детям, которые вернутся из школы. Еще Халида отлично изучила наши вкусы. Жильцам из десятой квартиры она откладывает восемь рогаликов, обитателям сороковой — плюшки с маком, нам — «Бородинский» и нарезной. Вечером люди просто забирают пакеты. И не беда, если у кого нет денег, Халида запишет долг в тетрадку. Еще она любит животных и не отказывается пригреть в тонаре тех, кто уж слишком скучает в отсутствие хозяев. Правда, больших псов Халида приютить не может, боится неожиданного визита сотрудников санэпидемстанции, но Лушика, крохотного йоркшира, принадлежащего Сергею из сотой квартиры, оставляет охотно. В случае проверки Лушика можно сунуть за пазуху. Йорк служит для нас дегустатором — абы что общий баловень кушать не станет, он согласится слопать лишь самую лучшую булочку.

— Ну, раз Лушик одобрил с корицей, то дай две штуки, — попросила я, — и пакетик нектара из манго.

— Не бери его, — предостерегла Халида.

— Просроченный?

— Нет, что ты! У меня весь товар свежий!

— Тогда почему не пить нектар?

Халида замялась.

— Думаю, тебе лучше минералку, без газа.

Я захлопала глазами, а Халида докончила фразу:

— Она хорошо на печень влияет.

— Но я не жалуюсь на здоровье.

— Из манго получается тяжелый напиток, — упорствовала Халида.

— Почему ты решила, что я заболела?

— Ну... так... — туманно ответила Халида.

— Говори!

— Наверное, ошиблась, — быстро пошла на попятную продавщица.

— Плохо выгляжу?

— Э... э...

— Лицо опухшее и морщины?

— Да, — кивнула Халида. — Извини, конечно, но не первый год тебя знаю, но сейчас ты очень устало выглядишь. Это печень. Сейчас много хороших лекарств, купишь таблеток и снова здоровая будешь. Но лучше пей простую минералку.

— Это старость, — погрустнела я.

— Какие наши годы! Тебе пятьдесят есть?

— Мне еще и сорока не стукнуло!

Халида закашлялась, а я приуныла окончательно. Нет, похоже, косметолог мне не поможет, понадобится круговая подтяжка всего тела!

Халида оперлась грудью о прилавок и заговорщицки прошептала:

— Слышь, Вилка, а сколько ты мне дашь?

Я внимательно оглядела ее свежее личико и ясные глаза.

— Двадцать пять.

— Не, — засмеялась Халида, — мимо кассы.

Я насторожилась.

— Извини, никогда не умела правильно оценивать возраст, не хотела обидеть. И потом, женщины восточной наружности, ну татарки, как ты, смотрятся слегка старше...

И тут я прикусила себе язык. Кажется, несу глупость, хотела исправить положение, а вместо этого снова могу обидеть Халиду, но продавщица вовсе не обиделась, наоборот, звонко рассмеялась.

— Я не татарка, а лезгинка.

— Ой, прости!

— И мне не двадцать пять, а...

— Конечно, конечно, — быстро перебила я Халиду, — ясно же, что меньше, просто...

— ...мне сорок два, — спокойно довершила фразу продавщица.

— Сколько? — ахнула я.

— Сорок два, — повторила Халида.

— Невероятно! Смотришься девочкой!

— Ну я ведь и не мальчик, — прищурилась Халида.

Меня охватило любопытство.

— Можешь открыть секрет? Каким кремом пользуешься?

— Да самым простым, — пожала плечами Халида, — в переходе купила.

— Дорогой?

— Нет, тридцать рублей банка.

— Как называется? Может, и мне поможет!

— Не в креме дело, — заговорщицки прошептала Халида, — мне Сяо Цзы верный путь подсказала.

— Кто?

— Возле метро ларек стоит, на нем дракон бумажный висит... Видела?

— Конечно.

— Вот! Там Сяо Цзы торгует, китаянка, она специалист по древней медицине. Я себя год назад так плохо чувствовала, и Сяо Цзы... Сейчас, погоди...

Халида нырнула под прилавок, потом выпрямилась и дала мне шуршащий пакетик.

— Это что? — насторожилась я.

— Девушки, — послышался сзади недовольный мужской голос, — долго еще языки чесать будем? Люди хотят хлеб купить.

— Сунь их в ботинки, — быстро бормотнула Халида, — я уже год ношу и молодею. Вечером подойди, объясню подробно. Впрочем, там написано, почитай внимательно.

Держа в одной руке булочки, а в другой тонкий пакетик, я вернулась к машине, села в нее и стала рассматривать подарок Халиды.

Хрусткий целлофан покрывали с лицевой стороны надписи[1]: «Нога — корень здоровья. Нога — голова молодости»; «Атлетизм-стельки»; «Удаление скверного запаха, защита от пота, омолаживание живота»; «От чесоти стерилизация».

Добравшись до этой фразы, я призадумалась: что такое чесоть? Наверное, некая неизвестная мне болезнь. Ладно, почитаю дальше.

«Предотвражение ножных болезней. Защита чулок и шелковых сапог. Массажист точек семи молодостей. Удар по сердцу и голове. Желаем вам доброго здоровья. Купите стельки пожалуйста, молодейте мозгом и ногой».

Я пощупала две тонкие, самые обычные по виду стельки и перевернула пакетик. С оборотной стороны обнаружилась рекламная листовка.

«Высокосортные товары. Ароматная стелька.

Эта стелька применит самый передовой изготовление лекарства по рецепту врача, обладает профилак-

---

[1] Понимаю, что поверить трудно, но я лично купила такие стельки в переходе у Савеловского вокзала в Москве. Рекламный текст приведен полностью, надеюсь, не нарушила ничьи авторские права, потому что фамилии создателя текста на упаковке не имелось. *(Прим. автора.)*

тической дерматоффитозой нога и стерилизует плесень. Особености для дерматоффитозой нога, гниль ноги и т. д. Потребители должны разобрать, где марка.

Внимание: соблюдаю чистоту и санитарию своей обуви. Каждый вечер должны мыть ноги и переменить носки.

Фабрика стельки».

В голове зароились вопросы. Кто такая дерматоффитоза? И может, у меня имеется «гниль», из-за этого я выгляжу посыпанной пеплом курицей?

— Вилка-а-а! — донесся до слуха крик.

Я опустила стекло, увидев, что из окошка тонара высунулась Халида.

— Не сомневайся, — орала юная на вид моя ровесница, — все дело в точках, китайцы большие мастера, они свое дело знают. Немедленно сунь стельки в ботинки, вечером себя не узнаешь! Мне помогло!

Я с сомнением покосилась на пакетик, потом на очаровательно молодую Халиду и крикнула:

— Тебе и впрямь сорок два?

— Хочешь, паспорт покажу? — донеслось в ответ.

— Не надо! — гаркнула я и зашуршала целлофаном. — Сколько с меня?

— Ерунда, подарок, — ответила Халида и исчезла в вагончике.

Последнее замечание окончательно убедило меня в действенности китайской стельки. Халида не имела никакого материального расчета, она не торговала изделием, дала мне его от чистого сердца. И потом, китайская медицина на самом деле чудодейственна, небось то, что сейчас засовываю в туфли, пропитано целебным лекарством — нос уловил некий слабый аромат.

Я топнула ногой и пошевелила пальцами. Ногам стало немного тесно, но ради красоты и молодости женщины идут и не на такие неудобства. Ладно, во всяком случае, хуже мне не станет, похожу со стельками до вечера, а там посмотрю. Халида-то выглядит просто девочкой!

Здание, в котором обитала Блюм, назвать приютом для престарелых было невозможно — скорей уж санаторий, пансионат, хорошая гостиница. Трехэтажный дом прятался в глубине довольно большого двора. Массивная парадная дверь оказалась заперта, я позвонила в домофон.

— Клуб «Нежный закат», — раздался мелодичный женский голос. — Вы к кому?

— Теодора Вольфовна Блюм здесь проживает?

Послышался тихий щелчок, вход открылся, я оказалась в уютном холле: два дивана, несколько кресел, пара журнальных столиков, красивые занавески, стойка рецепшен, а за ней приятная девушка в ладно сидящем голубом костюме.

— Здравствуйте, — очаровательно улыбнулась она, — вы желали видеть Теодору Вольфовну?

— Да, — кивнула я.

— Сорок первая квартира, второй этаж. Сейчас вас проводят, — пропела дежурная. — Леня, иди сюда.

Последние слова были сказаны в некое подобие громкоговорителя.

— Могу сама подняться по лестнице, — быстро сообщила я.

— Боюсь, вы заплутаете, — проявила явно фальшивую заботу девица. — У нас тут коридоры, коридоры, коридоры... чистый лабиринт! А вот и Леня.

Огромный парень, втиснутый в черную форму охранника, тяжелым шагом приблизился к стойке и пробасил:

— Звала?

— Вот, посетительница к Теодоре Вольфовне. В сорок первую, отведи.

— Ясно, — кивнул Леня. — Мне позырить за ней или уйти можно? Оставить ее в квартире?

Девица нервно засмеялась.

— Ха-ха-ха! Леня у нас шутник. Правда, чувство юмора у него специфическое, не всем понятное... Он просто вас доведет до нужного места.

— Вовсе я не шуткую, — обиделся секьюрити. — Че вчера на собрании дудели: у нас контингент престарелый, ихние родственники бешеные рубли за бабок платят, наша задача, штоб те в целости и сохранности жили. Мало ли кто припрет с преступной целью. Тюкнут бабульку по башке молотком, лишимся клиента, а зарплата-то у меня сдельная, нет старух — прощайте рублики.

Дежурная стала похожа на спелую свеклу.

— У меня с собой лишь небольшой презент, — быстро сказала я, — коробочка конфет. Никаких убойных инструментов в сумочке, вот, смотрите.

— Леня хохмит, — каменным голосом произнесла девушка, — сейчас он молча отведет вас в сорок первую квартиру и вернется ко мне.

Теодора Вольфовна совершенно не удивилась, увидав на пороге незнакомую женщину.

— Здравствуйте, — вежливо сказала она.

— Ваш адрес мне дала Майя Леонидовна, — быстро выпалила я, кладя на стол коробку «Ассорти».

— Майечка? — заулыбалась Блюм. — Святая девочка! Не всякая дочь так за матерью смотрит. Давайте чаю попьем, у меня кухонька имеется, маленькая, правда, но зачем старухе большое пространство? Да я и в столовую еще могу спускаться.

Мы довольно мило поболтали о пустяках, потом Теодора Вольфовна спохватилась.

— А вы пришли лишь передать привет от Майечки или дело какое имеете? — по-птичьи наклонив голову, спросила старушка.

Оставалось лишь удивляться проницательности пожилой женщины.

— Если разрешите, расскажу вам одну историю, — ответила я. — Надеюсь, вы не разволнуетесь от не слишком приятных воспоминаний.

— Деточка, — мирно ответила Блюм, — когда жизнь постоянно пинает тебя и подставляет подножки, со временем вырабатывается иммунитет от любых стрессов. Начинайте свое повествование.

Глава 27

То ли Теодора Вольфовна великолепно умела держать себя в руках, то ли она и правда имела прививку от неприятных эмоций, только старуха вполне спокойно выслушала мой рассказ, расправила на коленях твидовую юбку и сказала:

— Действует проклятие. Не верила я в эти штуки, но, как жизнь показала, не все вранье в старых преданиях.

— Простите, не понимаю, вы о чем?

Блюм снова поправила юбку.

— Я выслушала вас не перебивая, теперь наберитесь терпения, я расскажу вам про принца и принцессу. Дело давно минувших дней, плюсквамперфект, как говорят немцы, я и не предполагала, что кому-нибудь стану расписывать семейную легенду. Вообще говоря, она похожа на сказку, но если вспомнить, что случилось со мной, то легко поверится во всякую чертовщину!

Родители Теодоры были этническими немцами, но всю свою жизнь Вольф и Роза Блюм прожили в Москве. Иногда мама рассказывала дочери об Анне Монс, любовнице Петра I, что якобы эта девушка имела горничную Амалию, которая является пра-пра...бабкой Теодоры. Но подтвердить или опровергнуть эту версию документально невозможно.

Теодора росла в большой, дружной семье, у нее имелась двоюродная сестра Моника, и девочки, почти ровесницы, крепко дружили.

Никаких особых притеснений на национальной почве Теодора не знала, во время Отечественной войны ее с мамой эвакуировали в Среднюю Азию, а папа, хороший врач, служил в госпитале, отчего-то никаких гонений семья не испытала, ее члены спокойно пережили тяжелые сороковые годы и вернулись в столицу. Потом маленькая Тео пошла в школу, папа стал работать в больнице, а мама помогала ему. Огонь войны не тронул и родителей Моники. В общем, семейству Блюм повезло до невероятности. 9 мая 1945 года они встречали в полном составе, радуясь Победе над фашистской Германией.

Конечно, Блюм были немцами. Они передавали из уст в уста семейное предание об Анне Монс, но никаких реликвий, вроде портретов или испещренных надписями древних Библий, не имели и считали себя советскими людьми, а, как известно, в СССР проживали одни интернационалисты. В паспортах и у Вольфа, и у Розы, и у Теодоры в графе «национальность» стояло слово «русский», «русская». Впрочем, Тео не задумывалась о своей национальной принадлежности, была, как все, пионеркой, комсомолкой. Некие сложности девочка испытала лишь при поступлении в институт. Председатель приемной комиссии повертела в руках анкету и с явной издевкой спросила:

— Блюм?

— Да, — кивнула девочка.

— Теодора Вольфовна?

— Да.

— Русская?

— Да, — снова подтвердила абитуриентка.

— Ну и люди, — поморщилась тетка, — прям смешно!

— Что-то не так? — насторожилась Тео.

— Национальность по матери вписали?

Теодора пожала плечами:

— У меня и мама, и папа русские.

— Вольф Блюм? Русский? — не успокаивалась преподавательница. — Кто же мальчику такое имя дал? И откуда фамилия?

Наивная Тео изложила семейную легенду про Анну Монс. Документы у нее приняли, но на экзаменах девочку срезали, пришлось ей поступать на работу.

— Ничего, — сказала Роза, — не переживай, за год подготовишься и повторишь попытку. Куда тебе торопиться, ведь не мальчик, в армию не возьмут. Вот Моника на второй раз попала, куда хотела.

Пример двоюродной сестры вдохновлял, но уже в ноябре мама перестала указывать на Монику как на маяк, потому что ее племянница влюбилась, причем в крайне неподходящего, на взгляд всех членов семьи, мужчину по имени Валерий.

Кавалер был очень хорош собой (сейчас бы его за внешность назвали «мачо») и имел за плечами срок, отбытый в колонии. Дальше в его анкете шли сплошные отрицания. Родители? Нет. Образование? Нет. Работа? Нет... Ну а теперь скажите: если ваша дорогая дочь или племянница приведет подобного женишка, как отреагируете? Неужели спокойно начнете потчевать субъекта чаем?

Крепко взявшись за руки, Блюм решили вернуть блудную Монику в лоно фамилии. Для начала мама велела Тео:

— Ты теперь везде ходишь с сестрой. Постоянно, даже если она тебя прогонять начнет. Не оставляй их вдвоем, поняла?

— Конечно, мамочка, — закивала послушная Теодора и выполнила приказ родительницы.

Эх, если бы Роза знала, к чему приведет ее страстное желание вырвать племянницу из лап уголовника! Не прошло и недели, как Тео влюбилась в Валерия, и тот, недолго думая, мигом забыл о Монике и переключился на ее родственницу.

Впервые члены семьи Блюм начали косо посматривать друг на друга, и впервые Тео не подчинилась родителям. Вольф и Роза, услыхав от дочери фразу «Мы с Валерой хотим пожениться», заорали в едином порыве: «Через мой труп» — и попытались запереть Теодору дома. Но дочь, ловко обманывая родителей, ускользала на свидания, и в конце концов Блюмы были вынуждены согласиться на свадьбу, чтобы прикрыть грех: Тео оказалась беременна.

Учитывая редкостный мезальянс, никакого пира не устраивали, молодые просто сходили в ЗАГС, а потом все сели в гостиной у Блюмов, в тесном кругу: Вольф, Роза, Тео и Валерий. Тягостно-церемонное чаепитие прервал звонок в дверь. Новобрачная поспешила в прихожую, отперла замок и попятилась — в квартиру вошла Моника, отношения с которой были на тот момент испорчены окончательно.

— Не позвала меня разделить с собой счастливый день, — неожиданно радостно воскликнула двоюродная сестра, — так я без приглашения!

— Входи, входи, — засуетилась Тео.

По-прежнему улыбаясь, Моника вбежала в гостиную и принялась приветливо здороваться с присутствующими:

— Здрассти, тетя Роза и дядя Вольф, привет, Валер!

Чета Блюм от растерянности промямлила нечто маловразумительное, а жених захохотал и заявил:

— Здоровско! Снова вместе! Не скучно нам будет.

— Я подарок принесла, — игнорируя грубость своего несостоявшегося мужа, продолжила Моника и выставила на стол коробку. — Вот, владей по праву, Тео, пусть они тебе принесут то, что заслужила. Надеюсь, мама тебя посвятила в семейное предание, поэтому только скажу: возьми, Тео, от меня, отдаю тебе это в подарок безо всякого сожаления и печали.

Произнеся малопонятную речь, Моника быстрым шагом покинула гостиную.

— Что там? — подошла к упаковке Тео.

— Не знаю, — нервно ответила Роза.

— Лучше выбросить, — вдруг сказал папа, — прямо так, не разворачивая.

— Ну это вы зря, — вмешался Валерий. — Вдруг там что ценное или деньги. Развязывай, Тео.

Понукаемая женихом, Теодора размотала бумагу и удивленно протянула:

— Фу, глупость! Тут всего-навсего четыре глиняные кошки. Ужасные уродки, две с белыми бантами на шее, две с красными!

Потом молодая жена взяла одну из глиняных игрушек и продемонстрировала родителям.

— А-а-а! — вдруг завизжала Роза, глядя на мужа. — Они были у твоего брата! Значит, он хранил и молчаа-аа-аал!

Тео вздрогнула от неожиданности и выронила фигурку. Та, стукнувшись об пол, развалилась на неровные куски.

— Пусто! — закричал Вольф. — О боже! Это тойфелькастен![1]

Новобрачные во все глаза уставились на старших, а те начали совершать совсем уж странные вещи. Роза рысью сбегала в спальню и притащила невесть зачем картину, изображавшую святого Себастьяна, пронзенного стрелами.

— Может, хоть он поможет! — запричитала мать.

Вольф приволок кувшин с водой и принялся поливать осколки, Роза запела песню:

— Хайлиге нахт, хайлиге нахт[2]...

Ошарашенная Тео покосилась на Валерия, а тот, растеряв наглость, спросил:

— Твои мама с папой... того, да?

Брачная ночь не состоялась, рыдающая Роза мертвой хваткой вцепилась в Тео и не отпустила от себя дочь. В конце концов женщины улеглись на кровати старших Блюмов, Валерий в одиночестве задремал в спальне молодой жены, а Вольф устроился на диване в гостиной.

Посреди ночи мама села и спросила:

— Спишь?

— Нет, — прошептала Тео.

— Тогда слушай! — нервно воскликнула Роза.

История, рассказанная мамой, звучала сказкой.

Давным-давно очень богатый и знатный немец Карл Блюм хотел жениться на очаровательной, но бедной Катарине. Однако мама с папой не дали свершиться браку, подыскали сыну иную партию — не слишком привлекательную, зато очень обеспеченную Марту.

---

[1] Тойфелькастен — буквально по-немецки это означает ящик для черта. *(Прим. автора.)*

[2] Святая ночь, святая ночь — песня, которую немцы поют на Рождество. *(Прим. автора.)*

В разгар свадебного пира в зале появилась женщина, одетая в серый плащ с капюшоном. Она воздела руки к потолку и провозгласила:

— Моя дочь Катарина покончила с собой от горя, узнав, что ее бросил жених.

Гости примолкли. А колдунья вытащила из кармана две фарфоровые статуэтки, воткнула их в центр свадебного торта и заявила:

— Это мой подарок, принц и принцесса. Если разобьете их, умрет вся семья до семнадцатого колена. Храните статуэтки. Да, они принесут вам горе, несчастья, беды, но, коли избавитесь от фигурок, скончаетесь в мучениях. Продать пару нельзя, можно передать лишь кровным родственникам, бескорыстно, тот, кто передарит принца с принцессой, сам избавится от напасти, но тот, кому их вручили, получит горе сполна. Пусть будет так на веки веков. Аминь!

В старые годы к подобным заклинаниям относились более чем серьезно, гости в панике начали покидать зал.

И началось! На род Блюм и впрямь пролился дождь беды. Несколько раз члены фамилии, пытаясь нарушить наговор колдуньи, продавали статуэтки, но по невероятному стечению обстоятельств принц с принцессой всегда возвращались назад к тому, кто от них избавился.

Очень скоро члены большой семьи стали врагами, ссорились и сварились друг с другом, и фарфоровая пара кочевала по некогда дружным родственникам клана Блюм. Многократно фигурки пытались разбить, но, даже брошенные на пол, они оставались целы, а у того, кто совершил святотатство, либо отсыхала рука, либо начинался паралич.

В девятнадцатом веке один из Блюмов додумался обратиться к некоему колдуну, умевшему изгонять дьявола. Маг провел со статуэтками ночь и наутро заявил:

— Внутри принца и принцессы заключена страшная сила, мне с ней не справиться. Есть только один выход: можно попытаться заключить дьявольскую сущность в клетку.

Маг сделал из глины четыре фигурки кошек. Две были пустотелыми, принца и принцессу колдун спрятал внутри другой пары кисок. Всем известно, что это животное прислуживает сатане, поэтому козлоногий должен проникнуться любовью к глиняным уродам, отчего заклятие, положенное на фарфоровые статуэтки, ослабеет.

Отдавая поделки, колдун сказал:

— Спрячьте их получше и бойтесь разбить хоть одну из кошек, в особенности тех, что легче по весу.

— Почему? — поинтересовался Блюм.

— Внутри держится беда, — пояснил маг, — вылетит наружу, не поймаете.

Хотите — верьте, хотите — нет, но с той поры в семье Блюм воцарилось относительное благополучие. Правда, кое-кому из членов фамилии не везло в браке, но ведь подобный казус повсеместно случается с людьми и без привлечения бесовских сил.

Роза примолкла.

— Ну и чушь, мамочка! — воскликнула воспитанная советской школой Теодора. — Лишь очень темные люди могут верить таким сказкам!

Роза тяжело вздохнула.

— Твоему папе и его брату Генриху историю рассказывала бабушка. Она говорила как-то странно... Сначала заметила, что фигурки давно утеряны. Но когда Генрих поинтересовался: «Зачем ты нам о них сообщила?» — замялась и пробормотала: «Их надо хранить как зеницу ока, иначе всем плохо будет». Теперь-то понятно, что дьявольские кошки лежали у бабушки. Уж как они пережили все войны и революции, уму непостижимо, только надо смотреть фактам в лицо: перед смертью бабушка вручила кошек старшему внуку Генриху, сделала, так сказать, его жрецом, стерегущим темные силы. Генрих оказался достойным, он молча исполнял свой долг перед семьей, но, когда ты отбила у Моники Валерия, разъярился и подарил нам горе. Ой, что теперь будет!

— Ничего! — сердито парировала Теодора. — Давай спать. Завтра переколочу остальных кошек и черепки вышвырну.

Не успела запальчивая фраза вылететь изо рта девушки, как Роза бросилась перед дочерью на колени.

— Умоляю, если со мной что-нибудь случится, береги оставшиеся фигурки и детям накажи их спрятать.

Тео попыталась успокоить маму, но та словно сошла с ума, пришлось дочке поклясться стеречь оставшихся трех кошек.

Через пару недель после тягостного происшествия Роза упала, сломала шейку бедра и быстро умерла.

— Скоро и меня смерть приберет, — безнадежно произнес папа, стоя у могилы любимой жены. — Беда выпущена из конюшни.

— Не смей так говорить! — взвилась Тео.

— Несчастье на воле, — кротко ответил папа.

Никогда ранее не болевший Вольф умер спустя полгода во сне — с ним случился инфаркт. Теодора, перепугавшись не на шутку, завернула мерзких кошек в старые полотенца и убрала с глаз долой. Но жизнь Блюмов не стала счастливее. Не успела земля на могиле Вольфа просесть, как Валерия арестовали — молодой муж Теодоры попался на воровстве.

Вот когда Тео хлебнула лиха. В советские годы быть женой уголовника считалось позорным, ни о каком устройстве на приличную работу речи не шло. Теодора нанялась сначала на почту, потом нянечкой в ясли. Ей хотелось быть при крохотном сыне, и она кочевала с Павликом по детским учреждениям.

Иногда, плача по ночам от безысходности, Теодора Блюм думала: «Может, семейная легенда правда? Из разбитой фигурки вылетело зло и поселилось в моем доме? Или я расплачиваюсь за то, что увела жениха у двоюродной сестры?»

Кстати говоря, Моника жила прекрасно. В отличие от Тео, которая, выбирая между образованием и замужеством, решила стать семейной дамой, Моника закончила институт, получила диплом, устроилась на работу в престижный НИИ, а потом вышла замуж за директора и теперь раскатывала на черной «Волге», абсолютно ни в чем по жизни не нуждалась. С Теодорой она никаких отношений не поддерживала. Просто вычеркнула некогда любимую двоюродную сестру из своей жизни и руку помощи ей не протягивала.

Несколько раз Теодора была готова вышвырнуть мерзких кошаков вон, ей на самом деле стало казаться: фигурки приносят беду. И в конце концов настал день, когда Тео, осторожно оглядываясь, сунула пакет, завернутый в газету, в мусорный бачок. Спустя час в дверь позвонили. Блюм распахнула створку — на лестничной клетке стоял мужчина в спецовке.

— Извиняйте, конечно... — кашлянул он. — Начал из бачков грязь вытряхивать, глядь, сверток, весь такой аккуратный, бечевкой перевязанный. Вот, решил вернуть, может, случайно вышвырнули...

Тео машинально взяла сверток.

— Как вы поняли, кто его хозяйка? — спросила она.

— А вот тут на полях написано, — словоохотливо

пояснил честный дворник, — видите? Улица наша, и номер дома стоит, квартиры. Небось по подписке газетку получаете. Повезло вам, что в нее завернули.

Оставшись одна, Теодора спрятала кошек на антресоли. Ох, не зря покойная матушка предупреждала: нельзя просто так избавиться от напасти, она вернется. Подарить кому-то постороннему или продать статуэтки не получится, их можно лишь безвозмездно передать членам своей семьи. Причем только призвав на голову близкого родственника несчастье, можно избавить себя от проклятия. И что было делать Тео? Кому всучить кошек?

Глава 28

— И вы поверили в такую чушь? — не выдержала я.

Блюм развела руками.

— Я же сказала: возмутилась, не верила, вот как вы сейчас. Но потом жизнь заставила призадуматься: сначала смерть родителей, затем Валерий попал в тюрьму...

— Вы просто выбрали не того человека в супруги. Колдовство тут совершенно ни при чем! Впрочем, многие по молодости делают глупости, но потом берутся за ум и начинают жить заново.

Блюм горько вздохнула.

— Нет, у нас по-иному получилось. Валерий Павлович, отсидев тот срок, более не привлекался, но продолжал заниматься неблаговидными вещами. Мы отдалились друг от друга, жили соседями. Я ничего не требовала, впрочем, Валерий Павлович иногда проявлял заботу... Но это совсем неинтересно. В общем, о семейной своей жизни не могу ничего хорошего сказать. Павлик вырос, и стало ясно: он вылитый отец, полная копия, и внешне, и внутренне. Неутешительный итог. Вот у Моники жизнь сложилась иначе: она родила троих, все честные люди, обожают мать. А я после смерти Валерия Павловича осталась одна, и, если бы не святая Майечка, умереть бы старухе Блюм с голода. А так — живу в свое удовольствие. И знаете что...

— Нет, — быстро ответила я.

— Стоило фигуркам пропасть, как мне улыбнулось счастье.

— Куда же они подевались?

Теодора Вольфовна прижала пальцы к щекам.

— Ладно, если уж начала рассказывать, следует договаривать. Их Павлик украл. Да, можно сказать так.

— Ваш сын?

— Ну да!

— Но с какой целью?

Блюм нахмурилась.

— Говорила ведь вам: мальчик получился очень похожим на отца — внешне Аполлон, внутри земляной червь. Впрочем, в произошедшем я сама виновата, вновь совершила несусветную глупость... Понимаете, однажды у меня сердце заболело, да так сильно, словно кол в грудь забили...

Испуганная Теодора побежала к врачу, из поликлиники ее с подозрением на инфаркт отвезли в больницу. Мужа не встревожила болезнь жены, а вот Павлик пришел один раз навестить маму. Блюм, которой делалось все хуже, усадила парня на кровать и рассказала ему семейную легенду.

— Теперь тебе беречь кошек, — завершила она историю. — Они на антресоли, в желтом чемодане.

Павлик повертел указательным пальцем у виска.

— Неужели думаешь, что поверил тебе?

Теодора молча смотрела на сына, вспомнив себя, молодую, активную, настоящую комсомолку. Она ведь тоже ответила своей маме подобной фразой. Разве что не так грубо, но суть-то не меняется!

После ухода Павлика Теодоре Вольфовне стало легче, и скоро она вернулась домой. А потом случилось неожиданное приключение: пропал Павлик, не пришел ночевать.

Валерий Павлович неожиданно остро отреагировал на исчезновение сына. Правда, когда взволнованная Блюм сказала мужу: «Павла нет», тот рявкнул: «Эка беда, не маленький уже, придет».

Потом Валерий быстро оделся и убежал. Вернулся он ночью и разбудил Теодору. Блюм выглянула в коридор, хотела сообщить, что сына так и нет, но тут Прыщ с кулаками налетел на супругу. По счастью, он всего лишь один раз толкнул женщину, а потом принялся орать. Сжавшаяся в комок Теодора Вольфовна лишь вздрагивала, до нее с трудом доходил смысл произошедшего.

Оказывается, придя домой после посещения больницы, Павлик пришел к отцу и заявил:

— Мать рехнулась, надо ее в психушку класть.

— Чего еще? — недовольно поинтересовался Валерий, отвлекаясь от газеты.

Хихикая, юноша изложил только что услышанную в больнице семейную легенду и историю появления у матери фигурок кошек. Наверное, он думал, что папа пожмет плечами и заявит: «А и верно, пора в дурку бабу укладывать».

Но Валерий неожиданно серьезно отнесся к информации из уст сынка. Прыщ хорошо помнил, что случилось во время его скромного свадебного ужина, он видел побледневшие тогда лица Вольфа и Розы. И теперь Валерий сообразил: в невероятной сказке есть доля правды...

— Так вы не вводили мужа в курс дела? — воскликнула я. — Не сообщили ему о проклятье семьи Блюм?

— Нет, — помотала головой старуха. — Вначале я не восприняла рассказ мамы всерьез и не хотела, чтобы Валерий посчитал тещу сдвинутой особой. А потом очень испугалась и прикусила язык. Боялась, что Валерий Павлович уйдет из семьи и мой мальчик останется сиротой. Все ради сына старалась, хотела ему и папу, и маму сохранить.

Я глянула в окно. Это еще вопрос, где лучше ребенку — в семье, состоящей из одной, но счастливой мамы, или в доме, в котором родители постоянно на повышенных тонах выясняют отношения!

— Нет, — методично продолжала Теодора, — не заговаривала я с Валерием Павловичем о кошках, считала тему закрытой. И потом... Может, мои слова вам покажутся странными, но я тогда была даже счастлива. Валерий Павлович меня не третировал, Павлик спокойно рос. Да, конечно, хотелось иной жизни, других взаимоотношений с мужем, но, чего уж гневить бога, и мой мужчина был не столь уж плох...

Я молча слушала Блюм. Старуха противоречит себе: пять минут назад говорила, что ощущала зависть к двоюродной сестре, чувствовала свою третьесортность, а теперь произносит обратное. Но в мою задачу не входило узнать правду о душевном состоянии и переживаниях Теодоры и истину о ее браке, меня сейчас волновала судьба кошек. И я снова превратилась в слух.

...Пообщавшись с Павлом, Валерий полез на антресоль, обнаружил сверток, размотал его, вытащил статуэтки и сказал:

— Если легенда, которую тебе наболтала мать, не врет, внутри там бесценные фигурки, антиквариат. Их можно продать за бешеные деньги. Да и сами эти глиняные кошки не копейки стоят, по виду дрянь, но ведь старинные, и, если их оценить, небось кучу бабок за них отсыпят.

Валерий Павлович отковырял кусок хвоста у одной киски, потыкал в образовавшееся отверстие длинной иглой, потом посветил фонариком и прошептал:

— Там точно статуэтка.

Павел мигом приволок молоток.

— Бей, папаня, — велел он.

— Что ты! Можно повредить принца или принцессу, — занервничал уголовник. — Представляешь, сколько они стоят?

— Много? — жадно спросил Павел.

— И не сосчитать, — ответил отец, лихорадочно блестя глазами. — Да и вместе с кошкой дороже будет. Во, придумал! Завтра пойдешь к Константинову. Он за эти штуки нам немереные тысячи отсыплет.

Надколотое место заткнули подходящим по цвету куском пластилина.

— Там принц, — безапелляционно заявил Валерий, еще раз перед тем изучивший при помощи фонарика содержимое кошки. — Вот что, можешь этому идиоту фигурки оставить, пусть трясется от вожделения. Быстрее квартиру продаст, чтобы с нами расплатиться!

— А не обманет? — засомневался Павлик. — Лучше пусть у нас постоят, а то фьють, и пропадут наши киски вместе с денежками.

Валерий Павлович быстро отодвинул кошек.

— Неохота их дома держать.

— Ты испугался дури! — захихикал сынок. — Поверил сказкам.

— Но внутри-то и правда есть принц? — резонно напомнил Прыщ.

— Фигня! Я про проклятие говорю, — пояснил Павел.

— Может, и так, — бормотнул Валерий, — но лучше их унести. Федор не сопрет, не обманет, я его знаю, он много всякого в долг хватал и всегда деньги возвращал.

Павел поступил так, как велел ему отец, — встретился с безумным собиральщиком барахла, показал ему содержимое статуэтки и слегка поправил легенду. По версии сына Теодоры, статуэтки, наоборот, приносили немыслимое счастье!

Константинов впал в раж, пообещал продать квартиру и полетел домой, прижимая к себе пакет.

Через пару дней Павлик исчез, Константинов умер. Валерий Павлович попытался было вернуть себе кошек, но не успел предпринять никаких мер против Розалии, потому что вскоре скончался очень нелепо: шел вечером домой, споткнулся на ровном месте, упал и сломал себе шею.

Странная смерть мужа не удивила Теодору. Кошки отомстили Прыщу, решила она. Оставалось лишь ждать их возвращения. Но ничего такого не случилось. Очевидно, статуэткам понравилось в семье Константиновых, и они решили там задержаться.

Выйдя от Блюм, я села в машину и завела мотор. Уж извините меня, но не верю я ни в привидения, ни в чертей, ни в проклятия, ни вообще в какую-либо чепуху! Из рассказа Теодоры Вольфовны я сделала всего лишь один вывод: кошки — весьма ценная вещь, внутри двух из них спрятаны антикварные фигурки.

Итак, что же я в результате поисков выяснила?

Всего «прислужниц дьявола» имелось четыре. Одну Теодора разбила во время свадебного ужина, осталось три. Вторую украла Марина — удрала с ней из дома. Из рассказа Майи Леонидовны, встретившейся с Розалией Константиновой, известно, что та держала при себе двух кошек. Значит, Лизе достались после смерти матери две штуки. Знала ли женщина, что обладает раритетом? Скорей всего, нет, ведь после кончины Федора живо выяснилось, что его коллекция полная ерунда, и Лиза наверняка посчитала фигурки чепухой, хранила она их лишь как память об умерших родителях. Вот и муж ее, Антон, вспоминал об этом именно так. Одна из спрятанных Лизой кошек исчезла так же, как деньги из домашнего «сейфа». И вот теперь Антон обнаружил пропажу последней.

Где кошки? Кто их взял? Зачем? Откуда вор узнал о ценности с виду ничем не привлекательных поделок? Пока ответа на вопросы нет!

Мои «Жигули» медленно покатили по улице. Не успев разогнаться, я притормозила — увидела вывеску «Кофе Бом». Замечательно, мне просто необходимо выпить капуччино или латтэ — отчего-то госпожу Виолову вдруг начал колотить озноб.

Заведение «Кофе Бом» оказалось небольшой забегаловкой, заказ следовало делать у кассы, а потом, с чеком в руке, брать поднос и отправляться за едой.

Я остановилась около девушки, восседавшей за кассой, и попросила:

— Пожалуйста, две булочки с маком и...

— Извините, — ответила скороговоркой кассирша, — одну минуточку подождите...

Тут я заметила, что она пересчитывает деньги, и замолчала. Девушка подняла голову, улыбнулась, потом взяла тоненькую розовую резинку, туго, как пояском, стянула ею пачку купюр, оторвала от лежащего на столе блокнота листочек, нацарапала на нем «10. 000», сунула бумажку под резинку и сказала:

— Простите, но иначе я бы запуталась.

— Ерунда, я не особо тороплюсь.

— Приятно встретить милого человека. А то другие подлетят и давай орать: «Живо чек пробивай! Ишь, мусолит тут тысячи!» Не понимают, что, если просчитаюсь, потом из своих докладывать придется, — мирно забормотала кассирша, умащивая стопку рублей в ящике. — Некоторые прямо на купюрах количество в пачке или сумму пишут, а мне подобное не нравится. Деньги надо уважать...

Внезапно в моей голове ожило воспоминание. Вот Антон Макаркин демонстрирует обнаруженный в шкафу «сейф», снимает с жестяной коробки крышку, я вижу стопки купюр, перетянутые разноцветными резинками, и замечаю на полях аккуратно написанные ярко-фиолетовой пастой цифры.

Потом в памяти всплыла иная картина. Вера Данильченко роняет кошелек, из него вылетает купюра, и на ее поле стоит ярко-фиолетовая подпись «100».

Мгновение я стояла, пытаясь соединить вместе части головоломки, потом ринулась на улицу.

— Эй, — закричала кассирша, — стойте, я уже могу пробивать! Вы куда?

Но я расхотела и есть, и пить, в душе осталось лишь одно желание: поговорить немедленно с Данильченко.

— Чего тебе? — недовольно буркнула Вера, впуская меня в прихожую. — Извини, не ждала гостей. Кавардак в квартире, вон пылесос вытащила, затеяла уборку...

— Сколько денег дал тебе Макаркин за молчание? — каменным голосом спросила я.

Глазенки Данильченко забегали из стороны в сторону.

— Ты, никак, напилась... — не слишком уверенным голосом ответила пронырливая контролерша. — О чем болтаешь?

Но у меня не было ни сил, ни желания медленно загонять противную сплетницу в угол.

— Знаешь, кем работаю? — насела я на Веру.

— Книжонки пишешь, — ответила Вера. — Я, правда, их не читала, таким не интересуюсь, но сериал гляжу. Ниче получилось, Ленинид там зверь. Слышь, Вилка, правду бабы говорят, что он сидел?

— Да! — рявкнула я. — Причем не один раз! Мой папашка уголовник, никакой тайны тут нет. Представляешь, какие у него друзья?

— Господи... — перекрестилась Данильченко.

— Теперь, когда он стал звездой экрана, все криминальные авторитеты Москвы его фанаты!

— Ой... — посерела Вера.

— А муж мой, Олег Куприн, служит в милиции. Поняла?

— Ч-ч-то? — начала заикаться Данильченко. — Что поняла?

Я указала на обшарпанную табуретку, стоящую у входной двери.

— Скажи, Верунчик, зачем тут мебель?

— Ну... э... ботинки снимать лучше сидя, — нашлась Вера.

— Оно верно, только ты все свободные дни напролет проводишь у глазка. И дверь у тебя всегда приоткрыта, ноги-то устают, а сядешь на табуреточку, расправишь уши и мотаешь на ус информацию...

— Ну и чушь тебе в голову пришла! — попыталась изобразить возмущение Вера, но я моментально остановила ее:

— Лучше скажи правду, иначе на тебя с одной стороны наедет Ленинид с приятелями, а с другой налетит Олег с ментами. Выжить тебе в таких условиях — без шансов.

Данильченко схватилась рукой за шкаф.

— Я ж ничего плохого не делаю...

— Верно, только следишь за соседями.

— Нет, просто у меня хороший слух, — стала отбиваться сплетница, — уловлю посторонний звук и несусь посмотреть, что случилось. Времена нонче сама знаешь какие, мало ли кто шалит, пригляд нужен.

— Сколько тебе дал Антон?

— Вилка!

— Быстро называй сумму! Раз, два... Смотри, сейчас позову Лининида, он как раз в квартире сидит.

— Тридцать тысяч, — плаксивым голосом вымолвила Вера.

— За что?

— Э... э... ну... в общем... Ничего противозаконного не делала, спасла Макаркина. Только он мне не платил.

— Ты же сейчас сама сказала про тридцать тысяч, — мгновенно уличила я Веру во лжи.

— В долг взяла.

— Понятненько. Ладно, собирайся.

— Куда? — затряслась Данильченко.

Я села на табуретку.

— Так в милицию.

— Зачем?

— Посадят тебя, Вера, за обман следствия. То-то бабам радость будет: местную совесть за хвост поймали, всех осуждала, поучала, а сама-то! Не просто рыло в пуху, все тело в перьях!

— Враки! Говорю одну лишь правду.

— Но не всю.

— Может, чего и забыла, — затараторила Вера, — так простительно, не девочка уже, память подводит.

— Не переживай, в ментовке умеют бороться со склерозом.

— Даже с места не сдвинусь! — уперла руки в бока Вера.

— Ладно, — кивнула я и встала.

— Эй, ты куда? — встрепенулась хозяйка квартиры.

— Пойду позвоню мужу, пусть сюда группу захвата пришлет. Мой тебе совет: увидишь в глазок мужиков в камуфляже и черных шлемах-масках, лучше немедленно отпирай замок, а то мигом сломают дверь и новую потом за свой счет ставить придется...

Данильченко прижала руки к груди, я же очень спокойно, с самым участливым выражением на лице продолжила:

— Хотела тебе помочь, пришла уладить дело осторожно и тихо, подумала, что шум Вере ни к чему. Ответит она, думала, спокойно на мои вопросы, прояснит ситуацию и станет дальше мирно жить. Но, увы, ты выбрала иную линию поведения. Ладно, побегу, дел полно. Кстати, у тебя сухари есть?

— Ванильные? — ошарашенно спросила сплетница.

— Любые, лучше черные, — очаровательно улыбнулась я. — Не следует выделяться из толпы, зэки не любят тех, кто высовывается, ванильные живо отнимут. Вот что, пока времени немного есть, включи духовку, сделай себе сухариков, а то вечером, в камере, захочешь перекусить, ан нечем.

Оставив Веру стоять столбом, я вышла на лестницу и нарочито медленно принялась спускаться по ступенькам вниз. Данильченко догнала меня у входа в нашу квартиру.

— Вилка, стой! — зашептала она, хватая за рукав. — Давай поговорим.

— Я предлагала диалог, но ты отказалась...

— Может, к вам зайдем? — нервно предложила Вера.

— Проходи, — улыбнулась я.

— Дома кто есть? — опомнилась «местная совесть».

Я быстро впихнула Данильченко в прихожую, дотянула сплетницу до своей спальни, сунула в кресло и велела:

— Рассказывай, здесь ты в абсолютной безопасности. Впрочем, постой...

Вера замерла с раскрытым ртом, я же вытащила из коробки электронный будильник, подаренный Куприну коллегами на день рождения, и торжественно поставила его на стол. Агрегат выглядит загадочно — абсолютно гладкий серебристый прямоугольник, сверху которого моргает красная лампочка. Чтобы увидеть цифры, надо нажать на крохотную кнопочку, передняя панель отъедет в сторону и обнажится окошко.

— Эт-та что? — просвистела Вера.

— Не бойся, невинная штука, беспроводной детектор лжи, — улыбнулась я. — Коли соврешь, он мигом издаст звуковой сигнал. Разработка ФСБ.

Данильченко перекрестилась и зачастила:

— Я как на исповеди! Одну лишь правду! Только ее, ничего другого! Клянусь! Он сам денег предложил! В долг! Мне на кухню не хватало! Если тебе Катька Ряскина из девяностой квартиры про то, что она мне шубу подарила, рассказывала, то она набрехала. Между прочим, я ей брак спасла, ничего Витьке про Сеньку не растрепала! А шубка-то Ряскиной велика была, вот она ее мне и принесла!

— Ты лучше спокойно, по порядку, — велела я, поправляя часы. — Начинай, Вера, без истерики.

Глава 29

Ситуация оказалась простой и противной, как дохлая крыса. Вся жизнь Веры Данильченко состоит в подглядывании и подслушивании за чужими людьми.

Всунув ноги в мягкие тапочки, Вера тенью скользит по подъезду.

— Люди жуткие неряхи и порядка не соблюдают, — пыталась она сейчас оправдать свое гадкое поведение, — живем-то рядом, мало ли чего. Кстати, Славка из двенадцатой квартиры машины обворовывал, магнитолы у людей вытаскивал, а кто об этом узнал? Я! И больше Слава не ворует.

— Но его никто не наказывал, — удивилась я, — не арестовывал. Как курил на лавочке с парнями, так и сидит себе.

Данильченко расплылась в улыбке и парадоксальным образом стала выглядеть еще гаже.

— Точно. Я пожалела Люську, его мать. Пришла к ней и выложила: вот, мол, так и так... Собственными глазами твое сокровище видела. Ишь, молодой да ранний!

...Люся, чуть не упав в обморок, принялась просить сплетницу:

— Вера, не губи пацана, дурак он, исправится. Сейчас ты уйдешь, такого ремня получит, на всю жизнь про воровство забудет.

Данильченко поджала губы, и тут Люся кошкой метнулась к комоду, вытащила из ящичка бархатную коробочку и всунула в лапы сплетницы.

— Возьми, носи на здоровье, только молчи...

Вот каким образом Вера сообразила, что молчание иногда бывает золотом в прямом смысле этого слова. Самое интересное, что безудержная болтунья Данильченко, женщина, которая обожает разносить сплетни, оказывается, умеет держать язык за зубами. С того случая Вера производила тщательную селекцию полученной в результате наблюдений информации. Если некие соседи, схватившись за сковородки, побили друг друга до крови, а потом уехали в травмопункт, Данильченко сладострастно мелит языком, живописуя малейшие детали вспыхнувшего скандала. Но вот о том, что к Нине Лапиной заглядывает любовник, самый настоящий полковник, Вера никому не обмолвилась и словом, за что обрела очень симпатичную сумму. В общем, чтобы особо не растекаться мыслью по древу, скажу кратко: Данильченко шантажировала тех, кто имел настоящие тайны, и активно вслух обсуждала тех, чьи секреты, по сути, секретами не являлись.

Примерно месяца за два до смерти Лизы Вера около трех часов ночи захотела в туалет и потащилась в санузел. Кругом стояла сонная тишина, но вдруг по-кошачьи острый слух Веры уловил посторонний звук.

Вера приблизилась к входной двери и глянула в глазок. Около квартиры Макаркиных стояла, согнувшись, женская фигура. Наконец дама выпрямилась, будто нашла, что искала, а Верка покрылась потом. Ну ничего себе новость! Лиза небось на ночном дежурстве, а Антон привел домой любовницу!

Дамочка стояла так, что Данильченко от разочарования прикусила нижнюю губу — лица ее не удалось разглядеть: ночная гостья Антона была одета в самые обычные синие джинсы, в кроссовки и светло-бежевую ветровку с капюшоном, хорошо закрывавшим не только волосы дамы, но и ее лицо. Вера решила, что незнакомка молода: подняв упавшие на плитку ключи, та не стала вызывать лифт, а побежала по лестнице вниз и уж очень ловко перепрыгивала через ступеньку, женщине в возрасте такое не проделать.

— Может, то была Аня? — совершенно зря перебила я Веру.

— Нет, — безапелляционно ответила Данильченко. — Галкина жердь заборная, длиннющая, по потолку башкой чиркает, а эта была нормального роста.

— Ладно, говори дальше, — велела я.

...Предвкушая замечательный куш, Данильченко решила тщательно провести следствие. До сих пор Вера имела дело лишь с опростоволосившимися бабами и легко запугивала их словами: «Пойду расскажу все твоему мужу».

Но теперь ей предстояло иметь дело с мужчиной, и Данильченко слегка занервничала: вдруг Макаркин возмутится, еще ударит соседку... Следовало подготовиться как следует, собрать улики.

В девять утра неугомонная Вера заняла позицию у глазка. Ждать пришлось недолго, загрохотал лифт, из него вышла Лиза и встала около двери в свою квартиру. Данильченко подхватила приготовленное заранее помойное ведро, выскочила на площадку и старательно изобразила удивление:

— Привет, Лизок, откуда утром возвращаешься? Эх, плохо за тобой Антон присматривает!

— Все бы тебе глупости выдумывать, — устало отозвалась медсестра, — я же сутками работаю.

— Ой, и правда, — залопотала Вера, — уж извини, неудачно пошутила! И че, целую ночь не спишь? Больные небось требовательные?

— Раз на раз не приходится.

— Неудобно-то как...

— Ничего, я привыкла.

— На службу часто ходить надо?

— Сутки в клинике, двое дома, — пояснила Макаркина и захлопнула дверь.

Вера произвела в уме простые расчеты и в нужный вечер устроилась около глазка. Ничего интересного не происходило. Около восьми вечера притопал Антон, в девять к нему заявился мужик, вероятнее всего пациент, потому что Макаркин, одетый в белый халат, проводил дядьку в одиннадцать к лифту и сказал на прощание:

— Главное — осторожность, никаких скручиваний.

— Спасибо, — кивнул больной, — руки у вас золотые.

Макаркин улыбнулся, клиент укатил вниз, на лестничной клетке установилась тишина. Любая другая женщина устала бы так долго сидеть на табуретке, но Вера не привыкла легко сдаваться. Она была уверена, что любовница обязательно придет, и терпеливо поджидала бабенку, посматривая то в глазок, то в женский журнал.

В конце концов терпение ее было вознаграждено — около часу ночи послышались очень осторожные шаги, и наблюдательница приникла к глазку. По лестнице поднималась та же самая дама в синих джинсах и курточке. Голову ее вновь тщательно укрывал капюшон.

Поздняя визитерша приблизилась к двери Макаркиных, но не стала нажимать на звонок, а постояла секунду у порога, потом приоткрыла створку и тенью шмыгнула внутрь. Очевидно, Антон не закрыл вход.

Вера с досадой крякнула. Она снова не разглядела бабу и ничего не узнала о ней! Выслеживание обожэ Макаркина стало увлекательным делом, но бабенка шифровалась почище Штирлица. Она всегда появлялась ночью, а уходила в три-четыре утра, форма одежды не менялась никогда: синие джинсы, ветровка с глубоким капюшоном, прятавшим волосы и лицо. Погода на дворе случалась разная, то тепло, то холодно, то дождь, но баба выказывала странное, идиотическое постоянство — одевалась так, словно не имела шмоток на смену.

В одну ненастную ночь Веру вдруг осенило: на улице хлещет ливень, а незнакомка заявилась без зонтика, и курточка у нее сухая. О чем это говорит? Да ясно же: бабенка прикатила на машине. А у автомобиля есть номер, и по нему можно установить владельца транспортного средства.

Вера дождалась четырех утра, увидела, как посетительница пошла по лестнице вниз, и опрометью кинулась на лоджию, схватив с подоконника приготовленный заранее сильный бинокль ночного видения. У шпиона Данильченко имеется необходимое снаряжение.

Но ничего хорошего не получилось. Вера замерла на балконе, поджидая макаркинскую бабу, но из подъезда никто так и не вышел. Потом вдруг одна из машин, стоявших в глубине двора, стартовала с места. Данильченко выругалась. Быстроногая тетка оказалась на удивление проворной — пока Вера плюхала из прихожей на лоджию, любовница Антона успела добежать до автомобиля. Номер спешно уехавшей машины Данильченко не заметила.

«Ну ничего, — мстительно подумала сплетница, — через два дня установлю пост на лоджии, вытащу туда кресло, оденусь потеплей и подстерегу красоту неписаную».

Но через два дня дамочка не пришла. Не появилась она и спустя четверо суток, шесть, восемь, десять... Похоже, Антон расстался с любовницей.

Чуть не скончавшись от злости, Вера все равно приглядывала за дверью Макаркиных, и в тот день, когда погибла Лиза, Данильченко стала свидетельницей знаменательного события.

Услыхав скрип лифта, шантажистка кинулась на свой пост и крайне разочаровалась. В квартиру к Лизе входила Виола Тараканова, жена милицейского генерала Олега Куприна...

— Мой муж майор, — попробовала я внести поправку.

— Ага, — кивнула Вера, — тебе, конечно, лучше

знать, но весь двор говорит: твой Олег — очень большой начальник. Впрочем, хорошо тебя понимаю, только раструби о служебном положении мужа, народ мигом с просьбами попрет.

Я поняла, что переубедить идиотку Веру не удастся, и махнула рукой.

— Черт с тобой, продолжай!

И Вера продолжила.

...Виола пробыла у Лизки недолго, живо убежала. Но не успела Вера подумать о том, что надо бы ей сходить в магазин, как случилось невероятное.

На лестнице послышались знакомые осторожные шаги, и перед глазами Данильченко предстала та самая тетка в синих джинсах и ветровке.

Вера прилипла к глазку, испытывая почти предынфарктное состояние. Это что такое получается, граждане! Любовница мужа средь бела дня заявилась к его законной жене! Это неправильно, так себя не ведут!

Не успела Данильченко прийти в себя, как пассия Антона вышла из квартиры и стала спускаться по лестнице. Кипя от любопытства, Вера бросилась к лоджии, но была остановлена телефонным звонком.

— Алло! — заорала Вера в трубку. — Говорите скорей, тороплюсь!

— Мама, — защебетала невестка Данильченко, — я на работу опаздываю, выйди к метро, забери у меня деньги, Сережка велел тебе передать.

— Прямо сейчас? — дернулась Вера.

— Ну конечно!

— А сама зайти не можешь? — спросила свекровь, с тоской поглядывая на балкон.

— Ой, да пока до тебя доеду... — защебетала невестка. — В переулке одностороннее движение, придется кругаля давать, а у меня совещание. Тебе ж две минуты дойти.

— Лучше завтра! — нервно воскликнула Вера.

— Ну ты даешь! — взвизгнула жена старшего сына. — Забыла, что ли, мы в Тунис в пять утра улетаем? Сережка хочет денег маме оставить, а она кочевряжится, лень ей шажок ступить... А еще говорят: пенсионеры нуждаются. Похоже, кое-кто совсем мани-мани не хочет...

— Иду, — процедила сквозь зубы Вера и стала натягивать туфли.

Супругу своего первого сына Данильченко терпеть не может за бесцеремонную манеру разговора и дурацкие шуточки. А теперь еще из-за невестки Вера снова упустила любовницу Антона.

Получив конверт, сплетница ощутила прилив хорошего настроения. Данильченко очень любит деньги, они для нее лекарство от всех хворей, поэтому, решив махнуть рукой на Макаркина с его бабами, Данильченко отправилась в супермаркет и купила себе вкусный сыр, копченую колбаску и даже баночку икры. Конечно, ее старший сын очень невнимателен, а его жена просто дура, но в жадности отпрыска упрекнуть нельзя: Сергей отлично зарабатывает и «отсыпает» матери десятину. Вот Володя, младший, тот чистый мерзавец, пьет...

— Эй! — окликнула я Веру. — Не увлекайся живописанием подробностей своей личной жизни. Что случилось дальше с Макаркиными?

— Так уже объясняла тебе! — округлила глаза Вера. — Пришла, вижу, у них дверь приоткрыта. Глянула — Анька стоит, в лапах пистолет, сама вся в крови, с волос капли льют красные, руки по локоть...

— «Руки по локоть в крови», — перебила я Веру, — это не про Аню, а про душителей свободы и демократии, всяких диктаторов, расхожий газетный штамп. Насколько помню, раньше ты вещала лишь об испачканных туфлях.

— ...и потолок, и стены в кровище, — продолжала Вера, будто не слыша меня, потом осеклась. — Туфли? Да, точно! И баретки по колено!

— Ноги, — устало поправила я, — у ботинок колен нет!

— Чего ты ко мне придираешься? — обиженно надулась Вера.

— Лучше ответь, за что тебе Макаркин тысячи дал.

Вера дернула плечом.

— Ну... так...

— Говори!

Данильченко ухватила меня за локоть.

— Вилка, я же голову на плечах имею! Смотри, эта баба в капюшоне — любовница Антона. Она небось скандал Лизе устроила, и подрались они, вот как!

— То есть ты думаешь, что незнакомка убила Лизу?

Вера отшатнулась.

— Нет, нет! Ее Аня пристрелила! Я, после того как все случилось, вечером уже, пошла к Макаркину и решила его предостеречь.

...Данильченко змеей проникла в квартиру к мужчине и нагло заявила:

— Вы бы поосторожней были.

— А что случилось? — тихо спросил свежеиспеченный вдовец.

— Я, конечно, буду молчать, — пообещала Вера, — но ей пока лучше не приезжать.

— Кому? — прикинулся непонимающим Макаркин, и тут Вера выложила ему все про тетку в синих джинсах.

Антон посерел, потом воскликнул:

— Подождите!

Вера осталась на кухне, хозяин сбегал в глубь квартиры, принес стопку купюр и сказал:

— Вот, возьмите. Спасибо за заботу, только никакой любовницы не имею.

— Ага, — кивнула Вера.

— Не любитель я заводить шашни.

— Ага.

— Лизу убила Аня. Очень благодарен вам, что помогли взять ее с поличным. Насколько знаю, вы ремонт делать собрались. Вот хочу помочь, в благодарность за поимку мерзавки.

Вера огребла денюжки и мирно ушла...

Я подскочила с табуретки.

— Данильченко, ты сволочь!

Сплетница сердито дернула головой.

— Я, конечно, являюсь простым человеком, всего лишь в метро контролером стою, книжек не пишу, мужа-генерала не имею, отца-артиста тоже. Куда мне до тебя. Только почему ты решила, что имеешь право оскорблять честную скромную женщину? Вот в какое мы время живем! Значит, раз ты богатая, то я сволочь? Нет уж, раньше-то, при коммунистах, лучше было, тогда равенство имелось, никто золотом не хвастался!

Меня затрясло от негодования.

— Нашлась бедная, честная женщина! Согласилась за тридцать сребреников покрыть настоящую убийцу!

— А что, — насторожилась Вера, — мало взяла? Так улик никаких, одни мысли. Впрочем, если Антон на этой куртке потом женится, то можно и еще стребовать. Да, ты права, надо его потрясти...

Перестав воспринимать звуки, я вылетела из квартиры Данильченко, побежала к себе, схватила телефон и начала лихорадочно нажимать на кнопки. Только бы Рита сидела на месте...

— Алло, — пропел из трубки веселый голосок, — Чердынцева у аппарата.

— Господи, Ритуля, — выдохнула я, — ты на службе! Вот удача!

— Привет, Вилка! — заорала Чердынцева, потом, сбавив тон, спросила: — А где же мне быть? Ясный перец, у компа тухну. Вяну, словно роза без навоза!

— Помоги!

— Случилась беда? — растеряла всю свою веселость Рита.

— Да!

— Какая?

— Нет времени объяснять.

— Что надо?

— Запиши число, адрес и время, — нервно попросила я и стала диктовать сведения.

— Ну и дальше? — поторопила Рита. — Чего делать-то?

— Узнай как можно скорей, кто занимается делом Галкиной. Имя, фамилия, телефоны, место жительства.

— И зачем тебе это?

— Надо!

— Очень?

— До смерти! Потом все расскажу, а сейчас, умоляю, поторопись! Речь идет о жизни человека.

— Жди звонка, — коротко рявкнула Ритка и отсоединилась.

Я уставилась на аппарат. Чердынцева работает пресс-секретарем у очень высокого сотрудника МВД, потому способна получить необходимую мне информацию быстро. Надеюсь, Ритуся прониклась важностью момента и не станет тормозить.

Рита не подвела. Через четверть часа я набирала рабочий телефон Говоркова Филиппа Юрьевича.

— Куницын, слушаю, — булькнуло из трубки.

— Мне Говоркова.

— Отсутствует.

— Простите, а где он?

— По надобности пошел.

— Можно подождать у телефона?

— Кого?

— Говоркова. Он же не станет в туалете год сидеть! — воскликнула я.

— Вы чего? Какой сортир? Он по делам уехал!

— Но сами же только что сказали: «По надобности пошел», — напомнила я.

— Гражданочка, — каменным голосом заявил неизвестный мне Куницын, — Говорков по служебной надобности отлучился.

Из трубки понеслись гудки, и я мигом набрала цифры мобильного.

«Аппарат абонента выключен или находится вне зоны действия сети».

Ладно, рано сдаваться, у меня есть еще домашний номер и, между прочим, адрес. Если не сумею поймать парня на телефоне, просто поеду и сяду у двери. Когда-нибудь же он придет домой!

Глава 30

Спустя три часа я сидела на подоконнике в холодном подъезде простой блочной пятиэтажки. Дом, словно близнец, походил на тот, в котором сама я провела детство, юность и часть зрелости. Из разбитой форточки немилосердно дуло, а еще я одурела от ничегонеделанья и страшно жалела, что не догадалась прихватить с собой книгу.

В ту секунду, когда я уже готова была лопнуть от

нетерпения, стукнула дверь подъезда, послышались бодрые шаги, смех, потом в поле моего зрения оказалась парочка: мужчина лет тридцати и хорошенькая девушка с волосами, выкрашенными в разные цвета радуги. За три часа мимо меня прошло много народу, поэтому, увидав новых людей, я особо не обрадовалась, но мужчина остановился около двери с номером 45 и начал доставать ключи. Сообразив, что вижу наконец Говоркова, я очумела от радости и, соскочив с подоконника, заорала:

— Филя!

Милиционер уронил связку и уставился на меня. Я подбежала к нему быстрее лани, живо наклонилась, подняла железное колечко с ключами, протянула растяпе и с чувством произнесла:

— Какое счастье! Наконец-то пришел! Вся издергалась! На работе отвечают: уехал, мобильный отключен, домашний молчит... Ну сколько можно гулять!

— У меня батарейка села, — ошарашенно ответил Филипп Юрьевич, потом спохватился, сделал строгое лицо и пробасил: — Гражданочка, вы кто?

Хорошенькая девчоночка с разноцветными волосами стала краснеть, а на меня от радости напало дурашливое настроение.

— Как? Не узнал? Это же я, Арина Виолова — Виола Тараканова! Стыдно не вычислить звезду!

Филипп заморгал.

— Значит... ты... ее... знаешь? — с расстановкой произнесла девушка.

— Нет, котик, — быстро ответил кавалер, — первый раз вижу.

— А не ври-ка, — заявила Котик. — Она тебя Филей назвала! Откуда ей имя известно?

— Сам теряюсь в догадках, — попытался купировать зреющую неприятность Говорков, но Котик легко переорала кавалера:

— И все телефоны у ней имеются!

— Врет! — убежденно парировал Филипп, кося глазом.

Я притихла. Кажется, втравила парня в неприятности. Похоже, Отелло по сравнению с Котиком — младенец.

— А ну назови его мобильный! — бесцеремонно ткнула в меня длиннющим гелевым ногтем Котик.

Я, по непонятной причине, повиновалась и выдала цифры.

— Точняк, — отметила Котик, прищурилась, потом, странно скрючив пальцы, ринулась на меня с воплем: — Ща узнаешь, как с чужими парнями трахаться!

Честно говоря, я растерялась, поэтому Котик ухитрилась вцепиться мне в волосы и пару раз стукнуть головой о грязную стену. Но мое замешательство прошло быстро, и в писательнице Арине Виоловой, восходящей звезде литературы, надежде издательства «Марко», любимом авторе киностудии «Шарашкин-фильм», проснулась дворовая хулиганка, все детство сражавшаяся с мальчишками. Я ловко вывернулась из пальцев Котика, уцепила ревнивицу за плечо, а потом отпихнула ее в сторону. Котик взвизгнула и снова кинулась вперед.

Филипп прыгал вокруг нас, периодически выкрикивая:

— Девочки, спокойно! Девочки, давайте побеседуем! Девочки, не надо драться!

Но мы с Котиком бились, словно войска Алой и Белой розы. В конце концов мне удалось стащить с драчуньи курточку и вышвырнуть одежду в окно.

— Ах ты дрянь! — завизжала Котик, явно намереваясь начать новый виток войны.

— Потом додерешься, — ухмыльнулась я, — беги во двор, а то твой полушубок из крашеной кошки бомжи унесут. А я пока к Филе в квартиру пойду, нам поговорить надо.

Говорков разинул рот, я повернулась к нему, и тут в моей голове разорвалась бомба. Яркий свет вспыхнул в закрытых глазах, я села и застонала, немилосердно болел затылок.

— Эй, ты как? — послышался сквозь звон незнакомый голос.

Я открыла веки, увидела небольшую, просто обставленную комнату и Говоркова, сидящего возле меня на диване.

— Жива? — поинтересовался он.

— Угу, — кивнула я. — Что случилось?

Филипп хмыкнул.

— Ленка тебя по башке сапогом огрела. Вмиг с ноги стащила, по твоей черепушке долбанула, а потом унеслась.

— Круто, — вздохнула я и стала ощупывать затылок.

— Да ран нет, — усмехнулся Говорков, — не боись, скоро пройдет. Ты вообще кто?

— Виола Тараканова.

— И что у нас с тобой было? — нахмурился Филипп. — Извини, конечно, если обижаю, но совсем тебя не помню. Мы ведь в этом году не встречались?

— Мы вообще не встречались, — вздохнула я.

— Никогда?

— Никогда.

— Чего же ты в драку полезла?

— Я? Это Котик твоя офигелая!

Говорков стал темнее тучи.

— Вы кто? — перешел он на официальный тон.

— Виола Тараканова, москвичка, жена вашего коллеги, Олега Куприна, под псевдонимом Арина Виолова пишу криминальные романы, — спокойно сообщила я, подхватив его тон, и добавила: — Может, когда встречали мои книги. К примеру, «Гнездо бегемота».

Филипп замер, потом ринулся к шкафу, громоздившемуся в углу комнаты, открыл дверки, и я увидела полки, забитые детективами. На самом почетном месте стояли опусы издательства «Марко», в том числе мои собственные. Говорков вытащил названную книгу, перевернул ее, глянул на меня, на фото с последней страницы обложки, на меня, на фото, на меня, на фото и заорал:

— Офигеть! Она!

Нельзя сказать, что я очень обрадовалась, когда Говорков узнал меня по этому снимку. Томик украшает невероятное изображение красномордой особы с всклокоченными волосами и по-лягушачьи выпученными глазами.

— Я вас так люблю! — продолжал радоваться Филипп. — Не передать словами! Сам, правда, ничего не читал, просто некогда, много дел сразу в производстве. Но моя мама, как только появляется ваше новое произведение, хватает его, садится в кресло и молчит. Прямо ни слова не говорит, рта не раскрывает, пока все не прочтет! Потом сунет книгу в шкаф и заявит: «Барахло! Вот уже которую ее книгу читаю, и все дрянь!» Мама у меня такая откровенная, она прокурором работала и только правду людям в глаза рубит. Только правду, одну правду, ничего, кроме правды! Представляете?

— Кошмар, — поежилась я.

— Но те часы, что вас читает, она молчит! Вот

оно, счастье, и его мне дарите вы! — чуть не зарыдал Филипп. — Можно, я вас поцелую?

Я отползла к краю дивана.

— Лучше просто выслушайте меня.

— Зачем я вам понадобился? Как узнали адрес и телефоны? — опомнился Филипп.

— Рита Чердынцева дала.

— Рита, Рита, Рита... — забормотал Филипп. — Что у меня с ней было?

— Думаю, ничего, Ритуся пресс-секретарь самого...

Фамилию начальства я произнесла шепотом. Говорков икнул, снова сел на софу и, наклонив голову, повторил прежде заданный вопрос:

— Зачем я вам понадобился? Говорите, помогу, чем смогу!

— Дело Ани Галкиной у вас?

— Аня, Аня, Аня... Что у меня с ней было?

— Ничего! Она арестована. Галкина!

— Анна Галкина, — кивнул Филипп, — ага, есть такое дело.

Обрадовавшись, что у следователя просветлело в мозгах, я быстро продолжила:

— Она никого не убивала!

В глазах Филиппа появилось легкое удивление.

— Откуда знаете?

Я привалилась к подушке.

— Сейчас объясню. Только выслушайте меня! Делать вам все равно нечего, злобного Котика нет, ушла домой.

Говорков усмехнулся:

— Начинайте.

Я откашлялась.

— Чтобы написать детективный роман, надо иметь сюжет, скелет истории, который писатель может покрыть мясом своих рассуждений и размышлизмов. Кто-то из литераторов обладает буйной фантазией и легко придумывает никогда не существовавшие коллизии, другие имеют дар рассказчика, они лихо описывают уже случившиеся с кем-то ситуации. Я принадлежу ко второму типу прозаиков и считаю, что мне редкостно повезло, жизнь намного хитроумнее любой выдумки...

Надо отдать должное Филиппу — слушатель он был замечательный, ненужными вопросами монолог нежданной гостьи не прерывал, глупых замечаний не вставлял и перерывов на перекур не устраивал. В конце концов я довершила рассказ:

— Вам осталась чистая ерунда — допросить как следует Макаркина. Либо поставить у его квартиры наружное наблюдение. Надеюсь, сотрудники милиции окажутся более расторопными, чем Вера Данильченко, и легко выяснят координаты обожэ мануального терапевта. Вот! Отпускайте Аню, она не виновата. Готова дать письменные показания.

Говорков встал, походил по комнате, снова открыл зачем-то книжный шкаф, затем закрыл его и вдруг сказал:

— Насколько понимаю, это будет новая книга? Вы начинаете расследование, а потом описываете свои похождения?

— Примерно так.

— И никогда не ошибаетесь?

— В смысле?

— Всегда докапываетесь самостоятельно до истины, не сворачиваете на ложный путь?

— Всякое случается, — туманно ответила я, — порой забредаю в непролазную чащу.

— Но читателю потом все равно сообщаете свою версию? Даже если она неправильная? Хотя если подтасовать факты, то ложь станет истиной... — задумчиво протянул Филипп.

— Нет, я пишу только правду, отсюда и проблемы. Иногда просто хочется купить билет на ковер-вертолет и улететь подальше от этой правды куда глаза глядят. Но сейчас мне необходимо дорыться до сути.

— В одном вы правы, — вдруг улыбнулся Говорков, — жизнь более хитроумна, чем выдумка. Ладно, сейчас расскажу вам много чего интересного, но в обмен на одну услугу.

— Какую?

Филипп взял в руки мою книгу.

— Когда издадут ваш новый роман, пусть вот тут, на первой странице, будет написано: «В основу сюжета положено дело, которое блестяще размотал...», ну и мои фамилия, имя и отчество.

— Могу еще указать и год рождения вместе с адресом!

— Это слишком, хватит имени. Моя мама будет счастлива. Значит, обещаете?

— Конечно.

— Тогда слушайте! — воодушевленно воскликнул жаждавший славы следователь. — Кстати, у нас недавно про Мишу Поварова в газете упоминали, так его потом в звании повысили. Да! Ничего мне за разглашение служебной тайны не будет, если вы укажете: «Все фамилии изменены». Впрочем, о деталях потом.

Я обхватила руками колени и вся превратилась в слух. А Говорков, мечтавший о новом звании, славе и материнском одобрении, завел рассказ.

Жила-была на свете девочка Марина Константинова. Тихая, послушная, спокойная мечтательница, больше всего на свете любившая сидеть на подоконнике и смотреть вдаль. Школьница хорошо училась и никаких проблем ни родителям, ни учителям не доставляла. С младшей сестрой Лизой Марина поддерживала ровные отношения, никаких драк у девочек не случалось. В общем, образцово-показательный подросток. Но это лишь внешне.

Под маской милой, слегка апатичной деточки скрывался вулкан страстей. Очень рано Марина начала задавать себе совсем не детские вопросы. Например: зачем родители произвели ее на свет? Особой любви у папы и мамы к дочери нет. Он занят лишь коллекционированием, она живет интересами супруга, в сердце предков нет места для любви к детям. Так какого черта они их с сестрой родили? Не наскребли средств на аборты?

Кстати, почему в семье постоянно не хватает денег? Вон сколько ценностей понавешано и наставлено в комнатах, а Марина четвертый год ходит в одной куртке, рукава уже скоро перестанут прикрывать локти, просто стыдно появляться в школе в подобном виде. Отчего на столе у Константиновых нет фруктов, мяса и конфет, а есть одна дешевая вермишель да хлеб?

Чем дольше размышляла на разные темы Марина, тем яснее понимала: ее не любят, относятся к ней как к стулу. Нет, неверно. Вот как раз стулья в гостиной папа обожает, а Маришкино место в доме за гнутым эмалированным тазом, который висит в сортире.

Иногда девочке хотелось превратиться в таракана, потому что при виде противного насекомого Розалия принималась кричать. Прусак вызывал хоть какие-то эмоции у жены профессора, а к дочери мать относилась абсолютно равнодушно, просто не замечала девочку.

Сидя на подоконнике, Марина строила воздушные замки. Вот она закончит школу и уйдет из дома, станет знаменитой, утрет нос маме и папе. О Лизе Марина не думала, младшая сестра воспринималась ею как ваза в гостиной — стоит и не мешает. Никакой привязанности к Лизе Марина не испытывала. Иногда, правда, она думала: «Кабы не Лизка, мне бы купили два платья к Новому году».

Но потом, слегка повзрослев, Марина поняла: обновку, не имей она сестры, все равно приобрели бы одну, и перестала воспринимать Лизу как соперницу.

Жизнь текла размеренно: утром девочка ходила в школу, потом бежала в спортивную секцию, а вечер проходил на подоконнике. И именно там, на окне, Марина нашла свое счастье.

Один раз девочка, как всегда, маячила в проеме, несмотря на то что часы пробили полночь. Ей не хотелось спать. Глаза подростка бездумно глядели на улицу, и тут она увидела парня, который крался вдоль тротуара, прижимаясь к стене дома. Марине стало интересно. Она вытянула шею. Неожиданно юноша оказался прямо у нее под окном, явно не подозревая, что чуть выше сидит молчаливый свидетель происходящего.

Послышался шум, показалась машина, из нее выскочили два мужика.

— Где он? — спросил один.

— Кажется, в свой подъезд утек, — ответил второй.

— Ты беги туда, а я здесь покараулю, — заявил первый и замер у «Волги».

И тут Марина, сама не понимая почему, совершила поступок, который перевернул всю ее жизнь. Видя, что преследователь стоит спиной к ее окну, она прошептала:

— Эй, рама открыта, влезай!

Парень услышал тихий голос и в мгновение ока оказался в комнате.

— Спасибо, — бормотнул он. — Ты одна?

— Нет, родители и сестра дома.

Юноша схватился за подоконник.

— Не бойся, — усмехнулась Марина, — они сюда не заходят, даже в случае пожара не заглянут.

— Давай знакомиться, — улыбнулся парень. — Меня зовут Павел. Между прочим, живу напротив. Ты библиотеку знаешь?

— Ага, — кивнула Марина.

— Если туда ходишь, то могла мою мать видеть, Теодору Вольфовну Блюм, — продолжил юноша.

— Нет, — помотала головой Марина, — я с ней незнакома, книги не беру.

Вот так и началась великая любовь.

Глава 31

Когда маленькая Лиза принеслась к сестре с известием о том, что папа собрался продать квартиру, а дочерей отправить в приют, Марина испугалась не на шутку. В отличие от все еще наивной сестры она великолепно понимала: отец, если речь идет о пополнении коллекции, не остановится ни перед чем.

Велев Лизе идти к себе, Марина пошла к гостиной и стала подслушивать разговор родителей. Очень скоро она поняла: в руки папы попала крайне ценная вещь, и отец на самом деле станет обменивать шикарную квартиру на крохотную конуру. Мама полностью на его стороне, она готова поместить дочек в интернат и забыть о них.

Марине стало страшно. Меньше всего ей хотелось очутиться в приюте на правах сироты при живых родителях.

Отношения с Павлом у девочки давно перешагнули за грань обычной подростковой влюбленности. Теперь Павел, великолепно знавший о том, что ни Розалия, ни Федор, ни Лиза в спальню к Марине не суются, частенько навещал возлюбленную. Они жили словно Ромео и Джульетта, только юноше не требовалось лазить на балкон. Павел делал любовнице подарки: то туфли купит, то колечко. В тот вечер Марина дождалась юношу и со слезами на глазах рассказала ему ситуацию.

— Мы отсюда уедем, — шептала девочка, обнимая парня за шею, — окажемся в интернате. Фиг бы с родителями, я их видеть совсем не хочу, но меня разлучат с тобой.

Павел прижал к себе любовницу и сказал:

— Меня мои тоже достали. Прямо сил нет! Отец совсем задавил, а мать лишь бормочет, будто молится. Слушай, а давай смоемся...

— Как? — горько спросила Марина.

Павел потер руки.

— Точно, все замечательно складывается. Слушай, фигурки твой отец получил от моего отца, кошки и впрямь бешеных денег стоят. Уж не знаю, правда то или нет, но моя мать рассказала такую сказку... Это ее семейная история.

Выслушав легенду про проклятие, Марина слегка испугалась.

— Ой, не надо их брать!

— Почему? Стырим и уйдем. У меня есть нужные знакомые, — начал пояснять Павел, — продадим и устроимся. Куплю тебе и себе новые паспорта, и заживем.

— Страшно.

— Ерунда, — твердо заявил Павел, — это единственный шанс. Сейчас дождемся глубокой ночи, ты возьмешь кошек, и уйдем через окно. Раньше завтрашнего обеда нас не хватятся, успеем спрятаться.

Чего трусить? Если сейчас сопли распустить, тебя в приют упекут.

— Вдруг кошки и впрямь горе приносят? — прошептала Марина. — Они же чертовы помощницы!

— Не будь дурой, — ласково ответил Павлик. — Тебе-то уж точно не навредят, если верить кретинской сказке, они только фамилии Блюм мстят.

— Но ты наполовину Блюм, — напомнила Марина, — а если у нас дети родятся, им четверть от Теодоры достанется.

— Хорош идиотствовать! — слегка рассердился Павел. Потом он поцеловал Марину и сказал: — Маленькая моя, не дрейфь. Удрать с деньгами лучше, чем улепетывать с пустыми руками. Надо действовать.

И девочка решилась. Около трех утра она вошла в гостиную... и обнаружила, что кошек там нет. Пришлось входить в родительскую спальню. И тут Марина испытала глубокое разочарование — фигурки мама засунула себе под подушку. Трясясь от страха, девочка сумела вытащить одну статуэтку, но, когда она решила добыть вторую, мама шумно вздохнула и повернулась. Марина буквально упала под кровать.

— Кто тут? — свистящим голосом поинтересовалась Розалия, потом она зевнула и снова погрузилась в сон.

Марина встала и поняла, что остальные кошки недоступны, мама так накрыла их подушкой, что достать статуэтки невозможно.

Девочка вернулась к себе и показала любовнику добычу.

— Вот, — грустно сказала она, — только эта, остальные не вытянуть.

— Ничего, — одобрил Павел, — хватит. Там принц. Видишь, кусочек пластилина? Хорошо, что тебе не досталась пустышка.

Парочка перелезла через подоконник и была такова.

Марина не знала, куда ее любовник дел статуэтку, но то, что он ее весьма удачно продал, было очевидно. Сначала Марина и Павел жили в Подмосковье, потом перебрались в столицу. Год они провели, практически ничего не делая, проедали полученный «гонорар», потом стопка ассигнаций иссякла, пришлось снова съезжать в область, ютиться по баракам. Марину подобная жизнь не угнетала, главное, что Павел был рядом и они любили друг друга. Девушка не знала ни о смерти папы, ни о том, что мать поместили в сумасшедший дом, судьба родителей, как и судьба Лизы, не волновала ее. Марина не понимала, что фактически стала бомжихой, лишилась жилья. Спустя еще некоторое время дочь профессора Константинова начала вместе с любовником грабить квартиры, и в конце концов парочка попалась.

Павла отправили в мужскую зону, Марину определили к женщинам. Уже за колючей проволокой Константинова родила дочь Анну, которую по закону забрали в приют.

Примерно через полгода после приезда на зону Павла убили заключенные, а судьба Марины покрыта мраком. Известно лишь одно: она освободилась и растворилась на просторах Родины, в Москву не возвращалась, прописана там не была. Где сейчас находится Константинова, жива ли она, неизвестно...

Говорков сел в кресло.

— Пока понятно?

— Да, — кивнула я.

— Теперь посмотрим на историю с иной стороны, — усмехнулся Филипп, — опустим ряд неинтересных деталей и вернемся в нынешние времена.

В симпатичной квартире, в неплохом районе

вблизи проспекта Вернадского обитает Ирина Галкина. У женщины имеется дочь Аня, которую мать тянет без отца. В общем, абсолютно стандартная ситуация, ничего в ней особо примечательного нет. Ирина спокойно работает, не пьет, не курит, по мужикам не носится, хоть и является еще относительно молодой женщиной, пытается баловать своего ребенка.

Но вот Анечка у нее невероятная пройда. Девочка обладает ярко выраженными криминальными задатками. Она связывается с компанией малоподходящих для ребенка из приличной семьи людей, и Ирина пугается. Некоторое время она пытается вытащить неразумную школьницу из болота, но потом принимает соломоново решение: меняет жилплощадь. Ира полагает, что Аня моментально забудет о глупостях, но совершает весьма распространенную родительскую ошибку: мать считает свою девочку невинным ангелом, которого портят дурное окружение, плохие приятели. «Вот переедем, заведет себе Анечка хороших друзей и думать забудет про то, что было», — думает наивная женщина.

Ирина решает не тянуть кота за хвост и моментально совершает обмен, она соглашается на первый попавшийся вариант, ее не смущает нижний этаж, меньший метраж и неудобная кухня. Ведь речь идет не об улучшении жилищных условий, а о том, чтобы вытащить дочь из ямы, ждать более подходящей квартиры, теряя время, опасно.

Но, увы, если в человеке имеются семена гадких поступков, они обязательно прорастут, в любых условиях. Люди сами выбирают себе судьбу, а Аню неудержимо манило к криминальным личностям.

Знай Ирина, каких демонов выпускает наружу этим обменом, то никогда бы не начинала операцию с недвижимостью. К тому же особых денег у женщины нет, и несколько лет Галкины живут в новых комнатах, ничего не меняя. Но потом Ира затеяла обновление жилья.

Вы когда-нибудь начинали ремонт? Если имеете подобный опыт, то очень хорошо представляете, какой бардак воцаряется в еще недавно уютной квартире. Как ни складывай аккуратно вещи в коробку, как ни подписывай их, все равно возникнут кутерьма и безобразие. Но рано или поздно любое испытание приходит к концу.

Когда последний рабочий ушел, мать приказала:

— Значит, так, я разбираю кухню, библиотеку, постельное белье, а ты, будь добра, займись своими вещами.

— Ну, ма, — заныла Аня, как маленькая, — я хочу пойти погулять.

— Потом! — отрезала Ирина.

— Ма, — стонала Аня, — ну, пожалуйста! Тебе че, жалко?

— Во-первых, не «че», а «что», говори правильно, — не упустила момента повоспитывать дочь Ирина, — а во-вторых, у нас прислуги нет. Все, закончили разговоры, я на кухню, ты к себе, начинаем.

Страшно недовольная школьница поплелась в свою обновленную комнату и нехотя принялась вскрывать ящик с надписью «Аня. Барахло». Развесив платья, девочка села на кровать, и тут же в спальню всунулась Ирина.

— Мечтаешь? — спросила она. — Я сбегаю на работу, ненадолго, а ты ступай на кухню, расставляй чашки. Давай, давай, не ленись!

Что оставалось делать Ане? Бурча под нос нечто типа: «Я устала и хочу отдохнуть», подросток переместился поближе к плите. Вздыхая и охая, Анечка отыскала картонный ящик с надписью «Посуда», разрезала веревку и увидела, что коробка набита всякой ерундой из маминого шкафа.

Аня была любопытна, словно сорока, а Ирина никогда не разрешала дочери рыться в своих вещах. Наверное, поэтому девушка использовала любую возможность, дабы засунуть нос к маме в гардероб. Одна беда — Ирина всегда непостижимым образом узнавала о набегах Ани и наказывала ее, так что всласть пошарить в маминых секретах девочка побаивалась. А тут такой шанс! Мать ей велела заниматься посудой... Кто ж виноват, что сама с коробками напутала?

С горящими от возбуждения глазами Аня принялась перебирать бумаги и очень скоро выяснила совершенно шокирующую деталь.

Ирина и впрямь одно время была замужем за неким Алексеем Галкиным. Правда, брак был недолгим и, судя по всему, несчастливым, потому что женщина получила развод и стала в одиночестве воспитывать дочь. Но не факт распада семьи мамы травмировал Аню, девочка знала, что родители давно разбежались, и папой не интересовалась, — на самом дне коробки отыскались документы, имевшие непосредственное отношение к самой девочке. В частности, там лежала ее детская история болезни.

Любая мать знает, что выкидывать пухлую книжицу, куда занесены все данные о здоровье малыша, нельзя ни в коем случае. Не знаю, как сейчас, когда люди получили возможность лечиться в любом месте, но раньше карточка хранилась в детской поликлинике, в четырнадцать лет подростка ставили на учет во взрослой терапии, а документ из первой вручали маме со словами:

— Пожалуйста, не потеряйте, тут все анализы и записи о болезнях.

Большинство женщин держат пухлую тетрадь в укромном месте и иногда обращаются к ней. Вот, например, мама Томочки, давно, увы, покойная тетя Аня, сохранила записи, чем немало помогла Томусе. Когда моя подруга ждала Никиту, Кристина принесла из школы краснуху, и у Томочки мигом поднялась температура. Сначала вся семья перепугалась: если беременная подцепит краснуху, ей стопроцентно придется делать аборт. Да еще вызванный к ней врач подлил тогда масла в огонь.

— Точно не скажу, — заявил эскулап, — но очень похоже на краснуху.

— Ну-ка вспоминай, — занервничал Сеня, — ты в детстве болела этой дрянью?

Томуська призадумалась.

— Не помню.

— Напрягись! — велел муж.

Жена развела руками.

— Вот свинка, кажется, была. Правда, Вилка?

Я слегка растерялась.

— Нет, вроде у нас имелась скарлатина.

— Что ты! — замахала руками подруга. — Это у тебя была скарлатина, а у меня свинка.

— Мы же вместе всегда болели!

— Свинкой и скарлатиной порознь, — уперлась Томуся. — А про краснуху не помню.

Семен покачал головой:

— Очевидно, придется идти на неприятную операцию.

— Но у меня же есть детская история болезни! — подскочила подруга. — Мама ее спрятала. Сейчас все выяснится!

В одну секунду Томуська слетала в спальню и приволокла необходимый документ. Очень скоро мы со стопроцентной уверенностью выяснили: у будущей мамы не имелось свинки, а краснухой она без особых осложнений переболела в девять лет.

А теперь представьте, что тетя Аня вышвырнула историю болезни. Вот где ужас! Томочка бы побоялась рисковать и сделала аборт, оперативное вмешательство могло аукнуться тяжелыми последствиями, и не было бы у нас Никитки. А так прочитали нужную страницу и успокоились. В конце концов у Криси оказалась противная инфекция, у Томуськи же просто простуда, а пятнами ее обсыпала аллергия — два раза заболеть краснухой никак нельзя.

Поэтому, девочки, всегда храните все документы, связанные со здоровьем своих детей, даже если отпрыски уже сами стали родителями! Не выбрасывайте пожелтевшие бумажки, они могут пригодиться!

Очевидно, Ирина Галкина руководствовалась теми же мыслями, поэтому тоже хранила историю болезни дочери. Она лишь совершила трагическую ошибку — не уничтожила кое-какие страницы, не имевшие отношения к здоровью девочки. Почему? Может, просто забыла?

И вот Анечка открыла первую страницу, увидела прямоугольную бумажку и стала читать:

«Роженица Марина Федоровна Константинова, вес... рост... возраст... Анализ крови на сифилис отсутствует. Поступила в 0.30 9 сентября. Роды самопроизвольные, воды отошли естественным путем...»

Ну и так далее. Сначала Ане бумажонка показалась неинтересной, но потом она вздрогнула. Минуточку, а при чем тут какая-то Марина Константинова? Ее маму зовут Ирина Галкина! Может, в поликлинике перепутали, а родительница ничего не заметила?

В полном недоумении Аня перелистнула страницу и ахнула. Дальше шли сведения о появившемся младенце.

«Осмотр новорожденной Анны Константиновой. Рост... вес... объем черепа... Сведения о семье. Мать — Марина Федоровна Константинова — осужденная, колония... барак номер... Отец — Павел Валерьевич Конкин, осужден по статье...

У Ани закружилась голова. Да и любой на ее месте не сохранил бы спокойствия. История болезни содержала еще много шокирующих новостей. Оказывается, Анечку недолго держали при маме, а вскоре отправили в приют, откуда ее в трехлетнем возрасте забрала Ирина Галкина.

Похолодевшими пальцами девушка перелистывала страницы. Примерно на двадцатой она наткнулась на бланк с надписью «Анализ крови Анны Галкиной, переведенной из другой поликлиники в связи с переменой жилья». Далее карточка заканчивалась, к ней была подшита вторая, на титульном листе стояло — «Анна Галкина. Мать — Ирина Галкина, отец — Алексей Галкин».

Аня долистала пожелтевшие страницы до конца и между последними увидела два фото. На одном была запечатлена девочка, сидевшая на окне, на другом две школьницы — та, с первого снимка, и другая.

Аню словно ударили в сердце. Она неожиданно поняла: одна из этих девчушек ее настоящая мама. Совершенно неясно, отчего Ане взбрела в голову данная мысль, но она прижала глянцевые прямоугольники к груди и застыла над коробкой. Потом девушка встряхнулась, схватила ручку, переписала все приведенные в истории болезни сведения о родной маме, запихнула листочек в лифчик, туда же спрятала фото, сунула историю болезни назад в ящик, завязала веревку, пошла в свою комнату, упала на диван и стала тщательно обдумывать ситуацию.

Ох, не зря ей так тяжело живется около зануды

Ирины! Она ей не мать, вечно с дурацкими наставлениями, зудит осенней мухой, шипит разбуженной змеей: «Аня, учись! Аня, не шляйся по подворотням! Аня, не ходи с мальчиками! Аня! Аня! Аня!» Ясное дело, своих детей у нее нет, поэтому изводила всю жизнь чужого ребенка.

Анечка сейчас оказалась крайне несправедлива к Ирине. Галкина ведь желала ей только добра, старалась быть в курсе ее проблем, хотела знать, где и с кем та проводит время. Если уж говорить совсем честно, то никаких притеснений Аня не испытывала. Конечно, они с Ириной жили трудновато, но у девочки имелась хорошая одежда, игрушки, конфеты. Ирина была добра и внимательна, вот только двойки и плохое поведение она прощать не собиралась, и несколько лет по поводу учебы между мамой и дочкой шла нешуточная война. Аня получала «пару», Ира лишала ее сладостей, Аня хамила маме, Ира не пускала ее гулять, Аня в знак протеста связалась с местными хулиганами, потеряла невинность в грязном подвале и с вызовом сообщила Ирине о беременности. Мама не дрогнула, отвела малолетнюю дурочку на аборт, заплатила доктору не только за тщательность, аккуратность и наркоз при операции, но и за молчание, а потом мигом обменяла жилплощадь, переехала в квартиру с худшими условиями, все ради того, чтобы спасти неразумную дщерь. А потом устроила ее сначала в другую школу, затем в училище...

Наверное, Ане стоило призадуматься о жизни и понять, что мама ее самый лучший друг, но глупая девушка сейчас окончательно впала в раж, она твердила себе: «Ага, ясненько! Вот почему Ирка меня терпеть не может! Я удочеренная!»

Хлопнула дверь, вернулась Ирина.

— Бездельничаешь? — возмутилась она.

— Че хочу, то и делаю, — мигом отбила мяч Аня.

— Не «че», а «что»!

— Отвяжись!

— Аня! Как ты разговариваешь с мамой!

— Че хочу, то и делаю, — упрямо повторила дочурка.

— Это просто невозможно! — простонала Ира и ушла на кухню.

Аня осталась лежать на диване, обдумывая ситуацию.

— Анечка, — вдруг очень ласково позвала мама.

— Че?

— Ты коробку с надписью «Посуда» не открывала? — отчего-то крайне нежно поинтересовалась Ирина.

И тут в душе Ани поднялась настоящая буря. Вот оно как! Подлая, злая приемная мать боится, что воспитанница узнает правду. Ну уж нет! Не доставит Аня мерзкой бабе радости, затаится, станет с ней играть, как кошка с мышью.

— И че? — лениво зевнула взрослая по возрасту девушка, но отреагировавшая на свое открытие как ребенок.

— Ничего, просто ответь.

— Ну... подходила к коробке.

— Так ты ее вскрывала?

— И че?

— Анечка, дорогая, скажи...

— У меня голова болит! — протянула хитрюга.

— Давай занавески закрою, поспи, — засуетилась мама. — Конечно, ты устала, отдыхай, моя хорошая.

Аня закрыла глаза. «Отлично, — подумала она, — теперь поиграем в кошки-мышки».

Глава 32

Злость лишает человека разума, иначе бы Аня догадалась спросить у себя: «А почему Ирина меня удочерила? Делала ли она мне что-то плохое?» И наверняка сама себе ответила бы: «Если бы не Галкина, жить бы мне в детском доме».

Но в девушке кипело желание отомстить невесть за что приемной матери, поэтому она приняла решение наказать ту, которая растила, кормила, одевала и воспитывала ее почти с младенческого возраста.

Для начала Анечка смоталась на прежнее место жительства и поболтала с друзьми. Наивная Ирина полагала, что переезд в иной район обезопасит ее дочь от дурной компании. Как же она ошибалась! В столице имеется метро, и за час можно спокойно доехать из одного конца гигантского мегаполиса в другой, поэтому никаких проблем с посещенем приятелей Аня не испытывала. А еще она надумала отыскать Марину Константинову. Зачем? На этот вопрос у девушки пока не имелось ответа.

«Вот узнаю ее адрес, — мстительно думала Аня, — приеду и начну задавать вопросы, затем вернусь к Ирке и брошу ей в лицо: «Ты, сволочь, меня всю жизнь обманывала». А потом...» Что «потом», Аня не знала, но она твердо была уверена: настоящую маму следует найти. С Ирой скучно и нудно, она заколебала с вечными нотациями про правильный образ жизни, а Марина, наверное, веселая, немного бесшабашная, одним словом, такая, как Аня, яблоко от яблони недалеко падает. Аню ничуть не смущало, что мамочка сидела в тюрьме, наоборот, сей факт в биографии родительницы даже радовал. Марина в представлении девушки походила на ее друзей, среди которых имелось много криминальных личностей. Да и сама Анечка вступала в игры с законом — приторговывала «травкой» и легко могла украсть чужой кошелек. Правда, Галкина предпочитала действовать чужими руками, но ведь главный не тот, кто стащил деньги, а тот, который первым предложил прихватить чужое имущество и разработал план.

Нет никакого смысла рассказывать тут о том, каким образом Аня осуществляла поиски. Девушка оказалась очень предприимчива и умна. В конце концов ей удалось узнать много ценной информации. Для начала Аня выяснила, что ее деда и бабку звали Розалия и Федор, что они давно умерли, потом обнаружилась тетка по имени Лиза. Анечка записала эту информацию и продолжала искать Марину. Юной сыщице удалось даже проследить путь мамы после освобождения — она была отправлена для проживания в небольшой подмосковный населенный пункт Октябрьское. Неугомонная Аня смоталась в эту полудеревню и — о чудо! — нашла дом номер два, кирпичный, одноэтажный барак, который так и стоял на улице Московской, ничего ему за много лет не сделалось. Более того, среди жильцов трущобы нашлись старожилы, которые вспомнили Марину Константинову, тихую женщину, поселившуюся в угловой комнате.

— Была, была такая, — словоохотливо рассказывала старушка, на которую вышла Аня, — только она умерла.

— Как? — с отчаянием воскликнула девушка.

— Да просто, — пожала плечами бабушка. — Вроде уголовницей была, не знаю точно, только кашляла она сильно, прямо мочи не имелось слушать, в больницу ее свезли, комнату заперли. Долго жилье соседки закрытым стояло, ну а потом, гляжу, мужик какой-то с замком возится. Налетела я на него, чего, мол, тебе у чужой двери надо, а дядька спокойно ответил, что ему ордер на комнату дали. Я удивилась, говорю, ошибка вышла, там Марина живет. А тот так спокойненько объяснил: померла она, и теперь халупа моя. Вот так-то было...

Другая бы девушка, услыхав подобный рассказ, вернулась в Москву и прекратила поиски, но Анечка оказалась упорна сверх всякой меры. Она пошла в местную больницу, сумела найти подход к архиву и узнала совершенно точно: Марина Федоровна Константинова была госпитализирована с воспалением легких. Целую неделю женщину лечили, и врачи отмечали улучшение ее состояния, но потом пациентка внезапно скончалась. Во время вскрытия обнаружился инфаркт, что, с одной стороны, было странным, ведь Константинова являлась молодой женщиной, но с другой — не вызвало особого удивления — зона может подкосить здоровье человека навсегда.

Вот тут уж Ане пришлось признать поражение — ее родная мама лежала в могиле. Потратившая не один месяц на поиски девушка сначала пришла в уныние, но потом воспрянула духом и решила отыскать тетку, Лизу Константинову. Может, она хорошо устроилась в жизни? Имеет, скажем, бизнес или «работает» женой олигарха...

Чем дольше Аня раздумывала над ситуацией, тем ясней понимала: тетушку необходимо сначала отыскать, а затем прикинуть, каким образом можно раскрутить ее на деньги. Находиться около Ирки Аня не желала, приемная мать надоела ей до зубовного скрежета. Модельке хотелось иметь собственную жилплощать, но разменять небольшую квартиру на первом этаже можно было лишь на комнаты в коммуналке.

И вот пару недель назад Анечка решила: хорошо, сейчас она потратит заработанные при помощи

Макаркиной деньги на поиски тетки. Если Лиза знаменита и богата, ей не нужен скандал, навряд ли младшая Константинова хвастается своей сестрой-уголовницей. Марина давным-давно мертва, Лизочка о ней и знать забыла, но Аня заявится домой к жене олигарха или хозяйке фирмы и скажет: «Хотите, чтобы я молчала, купите мне квартиру. А не пожелаете — мигом расскажу газете «Желтуха» все подробности о вашей семье».

Если же пока незнакомая тетка бедна, словно церковная мышь, то все равно получится хорошо. К такой родственнице можно броситься на шею, начать рыдать, лить сопли, повторять: «Господи, наконец-то нашла хоть одну родную душу».

Нищенка ведь наверняка имеет жилплощадь, значит, ее апартаменты достанутся Анне, а дальше возможны варианты.

Любому трезвомыслящему человеку сразу понятно, что ни один из планов Ани не выдерживал никакой критики. Если тетя Лиза проживает на Рублевском шоссе, то скорей всего она просто кликнет охрану и велит выставить новоявленную родственницу вон, навряд ли ее запугает наглая девица, заявившаяся невесть откуда. Коли Лиза бедная, то с какой стати Аня решила, будто тетушка мигом уступит ей свою жилплощадь? Так прямо она и скажет умильным голоском: «Дорогая девочка, забирай мою комнатку, прибавь ее к метрам, полученным в результате разъезда с Ириной, и живи в собственной квартирке счастливо, а я уж как-нибудь старость на улице проведу».

Жаждавшая отдельных хором Аня упустила из виду, что у Лизы, вполне вероятно, есть семья, которая мигом выгонит наглую племянницу. Если даже тетушка человек бедный, то это вовсе не означает, что она несчастна и одинока.

Но Аня, проявившая невероятную хитрость и изворотливость при поисках родной мамы, в случае с тетей составила дурацкие планы. Она снова бросилась к парню, чья мама, Алиса Михайловна, работала в паспортном столе.

Алиса Михайловна огорошила девушку.

— Ладно, — сказала она, — опять помогу тебе, но сведения ко мне приходят не из первых рук, жизнь дорожает, и сейчас информация стоит намного дороже.

— Говорите сумму, — поторопила паспортистку Аня.

Алиса Михайловна написала цифру на бумажке, Анечка присвистнула.

— У меня столько нет!

— Нет денег, нет и адреса, — спокойно парировала Алиса Михайловна.

— А если в рассрочку?

— Утром деньги — вечером стулья, — процитировала классиков дама.

Аня призадумалась. Но через пару минут сообразила, где можно нарыть необходимые средства — их следует взять у Лизы Макаркиной. Жена мануального терапевта хорошо относилась к Ане, ничего дурного девушка ни от нее, ни от Антона не видела. Массажист отлично помог Галкиной, когда у нее заболела спина, провел несколько сеансов, и стоила его услуга копеечную цену. Ирина, естественно, отдала деньги и попросила Антона иногда заглядывать к дочери, но Макаркин спокойно сказал:

— Нет, больше ничем не облегчу участь Анечки, ей следует снять каблуки, заниматься в спортивном зале и забыть про сигареты.

Ира не преминула передать дочке слова врача, да еще прокомментировала их в своем духе:

— Вот, видишь, и доктор настаивает на ведении правильного образа жизни. Не хочешь меня послушать, так хоть слова Антона в расчет прими!

Аня взбесилась и наорала на мать. Девушка очень хорошо понимала, отчего Макаркин решил держаться от нее подальше. Анечка — девушка порывистая, она моментально идет на поводу у своих желаний. Ну, например, сидела себе в салоне, делала маникюр клиентам и клиенткам, тухла от тоски, крючилась от необходимости улыбаться чванным посетителям парикмахерской, а тут вдруг появилась Клара Роден со словами: «Хочешь стать манекенщицей?» — и Анечка, вмиг забыв про свою работу, ушла с теткой.

Вот и с Антоном получилось так же. Один раз он делал Ане массаж, когда Иры не было дома, и девушке пришла в голову замечательная идея: Макаркин-то, похоже, хорошо обеспечен! Если переспать с ним, купит Ане квартирку. И она моментально стала строить мужчине глазки. Впрочем, одними глазками не обошлось, Аня была более чем откровенна в проявлении своих чувств, но Антон — идиот, кретин и размазня! — мигом прекратил врачебные манипуляции и попросту удрал. А потом и вовсе начал избегать Аню, хотя у той вновь сильно заболела спина.

Правда, Антон, похоже, ничего не сообщил о неприятном казусе жене, потому что та совершенно не изменила своего отношения к Ане. Лиза по-прежнему впускала Галкину к себе в квартиру, охотно болтала с ней, и Аня, часто бывавшая в доме Макаркиных, хорошо знала, что у хозяйки имеется заначка. Оставалось лишь залезть в нее! Кстати, Аня быстро сообразила, куда Лиза складирует рубли, — наверняка кладет в шкаф, в постельное белье. Именно так поступала глупая Ирка, и Аня давно понемногу подворовывала у матери. Очень смешно было смотреть на то, как иногда Ирина, морща лоб, спрашивала сама у себя:

— Странное дело! Вроде лежало десять тысяч, а осталось восемь. И куда я две засунула? На что потратила? Убей бог, не помню!

Ира ни разу не заподозрила дочь в воровстве, винила лишь себя, такую рассеянную и беспамятную. Ощущая свою полную безнаказанность, Аня решила, что так же спокойно и легко сумеет запустить свою жадную лапку в запас к Лизе. Нужно только сообразить, каким образом попасть в квартиру к Макаркиным в тот момент, когда в ней будут отсутствовать хозяева.

Вскоре пронырливая Аня осуществила задуманное. Очередной раз забежав к Макаркиной, она взяла из ящичка в прихожей запасные ключи (вернее, сорвала их с крючка). Потом, великолепно зная расписание Лизы, сказалась больной и не пошла на работу, а устроилась у окошка, следя за двором. Сначала из подъезда вышла Лиза, через час уехал Антон. Поняв, что путь открыт, Аня понеслась к Макаркиным, открыла шкаф и стала осторожно перебирать белье. Анечка прекрасно, знала, что Лиза невероятная аккуратистка, поэтому старалась не нарушить порядка на полках.

На самой верхней полке, с которой и были начаты поиски, Анечке попался сверток, тщательно перевязанный бечевкой. Девушка заликовала: вот она, касса!

Очень аккуратно воровка распутала веревку, развернула бумагу и скорчила недовольную гримасу. Внутри лежали две уродские фигурки, кошки из глины, очень старые и жуткие. Недоумевая, зачем Лиза хранит такую дрянь, Аня взяла одного кошака и принялась вертеть его в руках, удивляясь нелепости гончарного изделия.

И тут в полной тишине квартиры вдруг прозвучал резкий звонок. Аня, вздрогнув от неожиданности и страха, уронила поделку на пол, и та незамедлительно развалилась на несколько неровных черепков. Девушка перепугалась окончательно, на какую-то секунду ей показалось, что некто ломится в квартиру Макаркиных... Но уже через секунду стало понятно, в чем дело, — на тумбочке заливался будильник.

Переведя дух, Лиза уставилась на черепки. Вот, однако, незадача! В планы воровки не входил подобный пердимонокль, она хотела всего лишь взять немного денег из домашней заначки Лизы, пусть бы та потом, как глупая Ирина, спрашивала себя, куда же это она их задевала.

Анечка была расторопна, поэтому моментально сообразила, как поступить. Сверток, судя по его виду, давным-давно никто не разворачивал, авось не станут разматывать и в следующие десять лет. Девушка собрала осколки, выкинула их в окно, потом взяла пару газет, смяла их, сунула комок к оставшейся целой кошке, восстановила форму свертка, завязала узлы и положила вновь на верхнюю полку. Потом, страшно довольная своей сообразительностью, пошуровала на других полках шкафа, нашла-таки жестянку, вытащила из нее деньги и побежала домой.

Одна беда, дверь у Макаркиных не захлопывалась, ее следовало обязательно закрывать ключом. Если бы не это, можно было бы сразу вернуть ключи на место. А так пришлось закрывать дверь снаружи. Но ничего страшного, решила Аня, она в ближайшее время снова «случайно» забежит к Лизе на огонек и повесит связку на гвоздик в ящичек. Но Макаркина сама позвонила девушке и попросила ту помочь ей передвинуть комод. Аня попросту изобразила, что обнаружила в щели за ним ключики, и Лиза успокоилась...

Говорков закашлялся, а я быстро сказала:

— Только Антона ей обмануть не удалось, массажист сообразил, кто автор затеи.

Филипп кивнул:

— Да уж! Антон... Если разбираться до конца, он тоже виноват в случившемся. Косвенно. Это его любовница...

— ...убила Лизу! — торжествующе воскликнула я.

Филипп почесал затылок.

— Ну... можно и так посчитать... хотя на самом деле совсем не так. Да, Антон завел себе даму сердца...

— Ее легко вычислить! — снова перебила его я. — Просто за час найдете! У меня не хватило времени, боялась, что Аню уже под суд отдадут.

Филипп хмыкнул:

— Странно, что вы, автор криминальных романов и жена милиционера, не в курсе, сколько времени люди в СИЗО ждут суда.

Но я не стала сейчас обсуждать вопрос о расторопности российской Фемиды, а быстро дополнила:

— Любовница Антона живет с ним в одном доме, это кто-то из наших соседок!

— Почему вы так считаете? — прищурился Филипп.

— Вера Данильченко рассказывала, что таинственная незнакомка всегда появлялась в одной одежде, несмотря на погоду, а в сильный дождь ее курточка с капюшоном, скрывавшим лицо, оставалась сухой. Сплетница решила, будто тетка ездит на автомобиле. В принципе, правильный ход мыслей, но у самой Данильченко нет машины, и она не знает, что непосредственно к нашему подъезду подкатить нельзя. Домоуправление, чтобы исключить парковку возле двери, понатыкало железных столбиков, автовладельцы вынуждены бросать свои машины в глубине двора и идти пешком. Поэтому, даже при наличии транспортного средства, любовница Антона должна была вымокнуть под дождем. В рассказе Веры были еще моменты, убедившие меня, что бабенка проживает в нашем доме.

— Верно, — кивнул Филипп, — она из ваших.

— Вы знаете о ней?

— Да!

— Откуда?

Говорков весело улыбнулся:

— Нет, нет, давайте рассматривать все по порядку. Значит, вспоминаем день гибели Лизы. Итак, вы приходите к ней внезапно, довольно рано, и застаете Макаркину красиво одетой и причесанной. С чего бы ей наряжаться?

— Я решила, что Лиза кого-то ждет.

— Верно, она должна была встретиться с одним человеком, поэтому ровно в девять, предварительно приведя себя в порядок, выходит на улицу. Теперь внимание, важна каждая, даже мелкая деталь!

...Лиза спускается на первый этаж и сталкивается с Аней, которая курит на лестнице.

— Ты куда такая красивая с утра пораньше? — интересуется девушка.

Лиза же накануне вечером имела серьезный разговор с Антоном. Макаркина не ревнива, но в последнее время ей стало казаться, что муж как-то невнимателен, неласков... Чаша терпения переполнилась вчера, когда Антон, вернувшись домой, первым делом ринулся в ванную. Он забыл запереть дверь на щеколду, Лиза вошла следом и увидела своего мужа со стиральным порошком в руке.

— Ты что хочешь делать? — изумилась она.

— Э... э... э... — забубнил Антон и покосился на свою рубашку, которая валялась в раковине.

Лиза схватила сорочку, понюхала ее и скривилась — одежда пахла незнакомыми духами.

— Это Аня! — быстро воскликнул Антон. — Совсем ополоумела девчонка! На шею вешается, пристает! Такие гадости про тебя говорит...

Массажист начал быстро вываливать информацию, припомнил все — пропавшие ключи, деньги...

Лился рассказ Макаркина довольно долго и завершился фразой:

— А сейчас выскочила из своей квартиры, опрыскала меня духами и заявила: «Вот, теперь точно мой будешь, Лизка нюхнет, поймет, что с другой был, и уйдет от тебя!»

— Почему ты мне раньше не сказал про Анины проделки! — возмутилась жена. — То-то бабы на скамейке пересмеиваются, когда мы с ней вместе по двору идем.

— Я пытался раскрыть тебе глаза, — начал отбиваться Антон, — но ты меня не слушала! Все твердила: Анечка хорошая, Анечка милая... А она дрянь! И деньги у тебя крала, и ко мне липла. Вот что, гони-ка ты девчонку вон...

— Думаю, Аня не налетала на Антона с духами, — прервала я рассказчика и покачала головой. — Это он придумал!

— Верно, — согласился Филипп. — Макаркин оказался в очень тяжелой ситуации, суть которой станет понятна позднее. Ему просто необходимо было избавиться от присутствия Ани в жизни Лизы, и он оболгал девушку, надеясь, что после этого разговора Лиза навсегда порвет с Галкиной...

По двору все время ползали сплетни, и совершенно непонятно — откуда они берутся, что было на самом деле... Одни бабы говорят: «Аня гоняется за Антоном, даже выскакивала полуголой во двор, вешалась ему на шею».

Ирина с возмущением восклицает:

— Ну и глупость люди несут! У Анечки просто спина болит, Антон взял деньги за услуги и обманул нас, не закончил курс массажа, вот девочка и злится.

Макаркин отрицает вообще все:

— Денег вперед не брал, массаж делал за копейки, Аня ко мне приставала, и я ушел.

Разобраться в происходящем очень трудно, потому что рыло в пушку у всех, все говорят частично правду и частично врут. Ясно одно: Антону не нужна дружба Лизы и Ани, и он решает разорвать ее. Поводом служит неаккуратность любовницы Антона — та во время свидания случайно пролила на его одежду свои духи. Лиза застигла Антона в момент стирки, и муж моментально использовал сложившуюся ситуацию в своих целях.

Глава 33

Лиза ошеломлена. Она вообще женщина очень доброжелательная и наивная, и Макаркину легко обмануть ее, безоговорочно верящую людям. Главврач клиники сказал ей, медсестре, что девушки-волонтеры, заманивающие клиенток, совершают благое дело, помогают пациенткам оказаться в руках профессионалов, и пожалуйста — Лиза старательно выполняет возложенные на нее обязанности, сотрудничает с Аней и еще парочкой «актрис». Лиза около подъезда не сидит, сплетен не знает, считает Аню близким себе человеком, но не поверить мужу-то невозможно!

Проведя почти бессонную ночь, Лиза идет на деловое свидание и видит Аню, которая как ни в чем не бывало интересуется:

— Ты куда такая красивая?

Еле-еле сдерживая гнев, Лиза отвечает:

— Изволь прийти ко мне ровно в час.

— Зачем? — удивляется Аня.

— Есть разговор.

— Какой?

— Потом, мне некогда, — бросает раздраженно Лиза. — Сейчас ухожу, вернусь в час, так что не опаздывай, потом мне снова надо будет уйти. Изволь явиться вовремя! Антона не будет, побалакаем пока вдвоем.

— О чем?

— О многом! — рявкает Лиза. — О деньгах и о любви!

Бросив последнюю фразу, она выбегает на улицу. Притихшая Аня возвращается домой и говорит Ире:

— Чего-то голова разболелась, прилягу поспать, а ты меня разбуди около часу.

— Если мигрень началась, лучше...

— Ой, отстань! — перебивает Иру дочь. — Не занудничай!

Аня нервничает. Она не знает, о чем Лиза собралась с ней беседовать, о каких деньгах? Маркина поняла, кто залез в ее «сейф»? Аня оставила улики, по которым ее вычислили? О какой любви толкует медсестра?

В полной растерянности девушка сидит в своей комнате, и тут на пороге возникает мама.

— На, деточка, — щебечет Ира, поднося дочери таблетку, — выпей, голова и пройдет!

Аня машинально глотает лекарство и тут же начинает злиться.

— Что ты мне подсунула?

— Так анальгин! Ляг, — заботливо велит Ирина.

Дочь молча плюхается на кровать.

Теперь вернемся к Лизе.

Макаркина зря протопталась у метро — человек, которого она ждала, не явился на встречу. Эта личность к нашей истории отношения не имеет, поэтому забудем о ней. Важно одно: деловое свидание сорвалось, и Лиза, зайдя в магазин, вернулась домой. Переодеться она не успела, и тут прибежала соседка Виола Таракановa за консультацией. Узнав все про крем, соседка уходит, Лиза идет в ванную и вдруг слышит тихие шаги, скрип, шорох... Испытывая подлинный ужас, Макаркина осторожно выглядывает из санузла, на цыпочках прокрадывается в свою спальню и видит там... женщину, которая роется в ее шкафу.

— Ты что делаешь? — вскрикивает Лиза.

— О, ты дома! — еще громче кричит воровка, поворачиваясь.

— Ирина! — вопит Макаркина. — Я сейчас позову милицию. Как ты попала ко мне?

— Думала... видела через окно... ты ушла к метро, — шепчет Галкина.

— Откуда у тебя ключи?

— Антон дал, — сообщает чистую правду Ира.

— Эй, эй, эй! — подпрыгнула я. — Она врет, да?

— Нет, — помотал головой Филипп, — Ирина и

есть та самая любовница Макаркина. После того как арестовали Аню, она промучилась сутки, а потом пришла ко мне и все честно рассказала. Отсюда у меня и информация. Она вступила в связь с Антоном лишь по одной причине: мужчина не особо нравился ей, но Галкина хотела добыть денег для Ани. Мать обожает дочь, чувствует свою вину перед ней, боится дурной наследственности... вот поэтому и решила украсть кошек. Ирина великолепно знала им цену, хотела забрать сокровище, продать его и отправить дочь в Париж, в столицу мировой моды. Мать искренно считает, что у ее дочери возможна карьера на подиуме, нужны лишь деньги! Анечка врала маме про успехи в агентстве, иначе как ей объяснить, откуда у нее средства на красивую одежду. Про работу в клинике девушка молчала, понимая, что Ира ее не одобрила бы...

— Стойте! — воскликнула я. — О подлинной цене кошек знал весьма ограниченный круг людей: Теодора Блюм, Павлик, Валерий Павлович и Марина. Даже Лиза к их числу не относилась, она считала глиняные фигурки ерундой. Павел, его отец и Марина умерли. Теодора коротает дни в комфортабельном доме престарелых, к ней никто не ходит. Откуда Ирина могла узнать о ценности кошек?

Филипп усмехнулся:

— Неужели не поняли?

— Нет.

— Ира — это Марина. Оказавшись в больнице с воспалением легких, она ухитрилась подменить документы. Правда, каким именно образом совершила сию «операцию», Галкина не рассказывает, просто сообщила: «Выписалась под именем Ирины Ложкиной, ничего предосудительного, мой срок пребывания на поселении закончился в тот момент, когда попала в клинику, меня все равно уже отпускали».

— Но зачем она все это проделала, если могла спокойно вылечиться и уйти свободной гражданкой?

Филипп кивнул.

— Я задал ей тот же вопрос. Все дело в Ане. Девочку поместили в приют, Марина никогда не отказывалась от родительских прав и могла без проблем забрать девочку, но... Но мать очень любит дочь и не хочет, чтобы та когда-нибудь узнала об уголовном прошлом родительницы и о том, что ее отец тоже криминальная личность. Зона сильно изменила Марину, она хотела вести нормальный образ жизни и ради этого стала Ириной Ложкиной.

...Оказавшись на свободе, Ира на самом деле быстро выходит замуж за сына профессора Галкина и прописывается на жилплощади мужа. Ее супруг наркоман, поэтому его родители приветствуют брак с нищей Ирой — нормальная девушка их сыном не заинтересуется, а жена непутевому отпрыску нужна. Ирина же имеет далекоидущие планы: одинокой женщине девочку удочерить не разрешат, отсюда и замужество.

Все сложности были ради счастья любимой дочурки! Расчет оправдался полностью: свекор нажимает на все кнопки, и Анечку отдают Ирине и Алексею. Потом муж Ирины умирает, ей остается квартира, а профессор и его жена моментально вычеркивают невестку-вдову из памяти. Кормить ее и приемного ребенка, неродную по крови внучку, они не собираются, хватит того, что жена сына получила квартиру.

Ира вздыхает с облегчением. Теперь у ее девочки чистая анкета — папа умер, мама никогда не конфликтовала с законом.

Но генетика — страшная вещь. Анечка уродилась очень похожей на Павла, ее тянет ко всему криминальному. Ирина, боясь за девочку, переезжает на другую квартиру. И, как ей кажется, все складывается отлично. Анечка сначала выучивается на маникюршу, потом вроде начинает делать карьеру манекенщицы... Одна беда — у девочки прихватывает спину. И тут — о радость! — находится Антон, который за мизерную плату помогает соседке.

Ирина полна благодарности, она покупает бутылку коньяка и поднимается наверх, чтобы отблагодарить врача. Антон проводит гостью в комнату, и первое, что она видит на комоде, — это старые фотографии.

— Теперь люди редко выставляют напоказ семейные снимки, — улыбается Ира.

Абсолютно случайно Галкина нажимает на нужную педаль, у Антона ведь бзик на почве генеалогии. Мужчина моментально вытаскивает альбомы, Ира вежливо изображает интерес, но потом ей на секунду делается дурно, потому что становится ясно: Лиза Макаркина — ее родная сестра. Женщины многократно сталкивались в подъезде и не узнали друг друга. Хотя это совершенно неудивительно: Марина убежала из дома, когда Лиза была совсем ребенком, с тех пор прошло много лет, обе сестры сильно изменились.

В полном шоке Ира возвращается домой. Потом ее осеняет — а кошки? Сама она утащила ту, где был спрятан принц, и они потом с Павлом долго жили на полученные за статуэтку деньги. Где принцесса? Знает ли о ее ценности Лиза? Цела ли статуэтка?

Был только один путь точно узнать все, и Ирина становится любовницей Антона. Массажист совсем не такой белый и пушистый, каким считает его Лиза. Врач хитер, он ни за что не связался бы с такой дурочкой, как Аня, его с любовницами — зрелыми дамами, которые не строят никаких матримониальных планов, связывает чистый секс.

Ирина изображает из себя этакую озабоченную особу. У Галкиной в квартире по понятной причине встречаться нельзя, и прелюбодеи проводят время в доме у Макаркиных, в те ночи, когда Лиза на дежурстве.

Ирина не форсирует события, она медленно, по капле выдавливает из Антона информацию и наконец узнает: кошки у Лизы. Вернее, фигурка осталась теперь одна. Раньше пакет с ними лежал в шкафу, но недавно одна из статуэток загадочным образом испарилась, и оставшуюся Лиза хранит в спальне. Для нее она — память о родителях.

Ирина искренне считает, что имеет право на фигурку, ведь это наследство, оставшееся от родителей. Галкиной-Константиновой положена по закону его часть. Но официальным путем будет трудно добиться своей доли. Ирина не собирается никому рассказывать о себе правду, значит, кошку придется утащить. Весьма вероятно, что внутри спрятана принцесса. Дело за малым — надо подобраться к «кладу». Но как? Для начала Галкина заполучила ключи от квартиры Макаркиных, оставалось лишь выбрать нужный момент.

В тот роковой день, увидав через окно, как Лиза спокойно идет к метро, Ирина хватает мобильник и звонит Антону.

— Милый, — сладострастно шепчет она, — очень хочу тебя! Можно поднимусь? Я осторожно, по лестнице, как всегда, никто не заметит. Твоя жена только что ушла.

— Дорогая, — с грустью отвечает Антон, — мир против нас! Лизки-то не будет долго, она ушла по делу, но и я не дома, еще в семь укатил.

— А ты не можешь вернуться?

— Нет, исключено.

— Ужасно! — сдерживая радость, стонет Ира.

— Ничего, потом наверстаем, — отвечает Антон.

Ира потирает руки. Вот он, необходимый момент! Лизы в квартире нет, Антона тоже. Можно идти, но... надо как-то избавиться от Ани. Девочка знает, что у матери выходной, начнет приставать с вопросом, куда она собралась. Ответить, что за хлебом, нельзя, ведь неизвестно, сколько времени уйдет на поиски статуэтки в чужом доме.

Абсолютно не колеблясь, Ира протягивает дочери, у которой болит голова, таблетку снотворного и говорит:

— Выпей анальгин, легче станет.

Девушка глотает лекарство, скандалит и ложится. Ира терпеливо ждет, пока Аня заснет.

Но за это время Лиза, у которой сорвалась деловая встреча, возвращается домой и даже успевает переговорить с Виолой.

В конце концов Аня засыпает, Ира крадется наверх, открывает своим ключом-дубликатом дверь, потом запирает ее изнутри, входит в спальню к Лизе и решает для начала порыться в шкафу хозяйки. Она вынимает наружу белье, и тут появляется... Лиза.

В первую секунду Ира теряется и роняет полотенца, которые держит в руках. Из них вдруг выскальзывает сверток.

— Воровка! — кричит Лиза. — Как ты попала сюда?

— Тише, — молит Ира, — сейчас объясню.

Произнося эти слова, она машинально нагибается и поднимает упавшее.

— Не смей трогать кошку! — визжит Лиза. — Не лапай мамину вещь!

— Так это она! — восклицает Ира. — Антон правильно говорил...

Потом, поняв, что ляпнула не то, женщина замолкает. Но поздно! Лиза белеет, делает шаг, вытягивает руки и падает оземь.

Ира подбегает к сестре и понимает: та умерла...

— Нет! — подскочила я. — Лизу застрелили!

— И кто говорил про пистолет? — усмехнулся Филипп.

— Ну... все!

— Все утверждают, что ваш муж генерал, — отбил мяч Говорков.

— Но у Макаркиных есть оружие. Сама видела, в тумбочке.

— И что? Оно лежит на месте. Вы же сами уличили Веру Данильченко во лжи, поняли, что сплетница напридумывала про кровь, оружие в руках Ани и прочее. Чему ж теперь так удивляться?

— Думала, Лизу убили... — растерянно пробормотала я.

— Нет, — помотал головой Филипп, — она скончалась от тромбоэмболии. Очевидно, очень сильно испугалась, увидав Ирину, стресс ударил по сосудам, оторвался большой тромб (у Лизы, как оказалось, был варикоз), и готово, закупорил просвет в сердечной мышце. Помочь Макаркиной было нельзя. Случись подобное в больнице, непосредственно в присутствии хирурга, и то мало было бы шансов на благополучный исход. А теперь дальше...

Ирина схватила сверток, сунула его за пазуху и опрометью бросилась из квартиры. Второпях она забыла запереть за собой дверь, которая, как известно, сама не захлопывалась. Не успела Ира войти к себе в дом, сунуть доставшуюся столь дорогой ценой добычу в укромное место, как показалась зевающая Аня.

— Я заснула? — недоумевает девушка, потом спохватывается: — Который час?

— Час дня с минутами, — говорит мать.

— Ой, пусти! — вскрикивает Аня и торопится к двери.

Она понимает, что опоздала на назначенную Лизой встречу, боится, что Макаркина, не дождавшись Аню, уйдет прямиком в милицию с сообщением о том, что из ее домашней кассы исчезли деньги.

— Куда? — бежит за дочерью мама.

Аня вылетает на лестницу и на ходу отвечает:

— К Лизе.

Ирина цепенеет. Потом с воплем «Не надо!» кидается за дочерью, но тут же замолкает: лифт уже уехал наверх, на площадке отряхивается соседка, Виола Тараканова. При посторонней женщине Ира не может ничего сделать, орать и бежать по лестнице за Аней невозможно. А пока Галкина беседует с соседкой, Данильченко запирает Аню в квартире Макаркиных.

— Дальнейшее хорошо известно, — завершил рассказ Говорков.

— Но почему арестовали Аню, если Лиза умерла своей смертью? — закричала я.

— Не арестовали, а задержали, — поправил Фомин. — Потом отпустили. Но сначала ко мне пришла Ирина и, заливаясь слезами, поведала правду. Вот уж кому не позавидуешь! Мало того что женщине пришлось признаваться в том, что она живет под чужой фамилией, а также в любовной связи с Антоном, затеянной исключительно из корыстных соображений, так еще и Аня узнала о маме-уголовнице.

Экспертиза подтвердила — Макаркину не убивали, смерть естественна, обе Галкины свободно ушли домой. Собственно говоря, это все.

— Но почему Ирина прибежала ко мне?

Филипп почесал затылок.

— Думаю, она просто обезумела от ужаса. Выходило, что Аню заперли на месте не совершенного ею преступления. Рассказать в милиции правду? Страшно, выплывут наружу все тщательно спрятанные секреты. Не раскрывать рта? Невозможно, Аню посадят. Ужасная коллизия! И тут Ира вспоминает про соседку — жену генерала и писательницу. Вот кто может мигом разрулить ситуацию! Позвонит начальник в отделение и прикажет: «Отпустите Аню!» Хоп, и девочка дома.

— Бред! Олег не генерал! Да и не имеет даже генерал такой власти! — затопала я ногами.

Филипп кивнул.

— Обыватели плохо разбираются в истинном положении вещей, верят газетам. А в них порой та-а-кое пишут... Вот Ира и понеслась к вам в безумной надежде. Но потом, остыв, поразмыслила и отправилась в милицию каяться.

— Мне она ничего не сказала об освобождении Ани.

— Забыла или не захотела. Вы ведь начали бы задавать вопросы: кто, что, почему, как...

— А фото? А смерть Маши Левкиной?

— Левкину спихнула под колеса толпа, — мрачно ответил Филипп. — Сколько говорят людям: «Не жмитесь к автобусу при посадке». Но нет! К сожалению, подобное тому, что произошло с девушкой, нередко. Теперь о снимках. Ира совершенно не хотела, чтобы ее инкогнито было раскрыто, поэтому насторожилась, увидав в альбоме у Антона две фотографии, на которых была запечатлена она в школьном возрасте. Розалия особо детей не фотографировала, и таких снимков имелось всего два. Улучив момент, Галкина отодрала карточки и принесла их домой. Вот отчего она не выбросила их, я не знаю. В общем, не выбросила, а засунула в историю болезни Ани, которую хранила на всякий случай. Ира совершила ошибку, не выдрала страницы, содержавшие записи о Марине Федоровне Константиновой, Аня прочла их, потом увидела снимки и справедливо заподозрила, что на них запечатлена ее мать в юности. Снимки девушка побоялась оставить дома — вдруг Ирина их найдет в вещах дочери — и отдала Левкиной со словами: «Спрячь, пожалуйста, это страшно важная для меня вещь!» Пока Маша окончательно не обозлилась на Аню, она держала фото у себя, но потом, сообразив, что Галкина много лет водила ее за нос, принесла снимки Наташе Ивановой и мстительно сказала: «Спрячь получше, они Аньке до смерти нужны, убить за них может, пусть у тебя лежат». А вскоре попала под автобус. Думаю, Маша хотела наказать Аню, не отдавать той по первому требованию столь необходимые фото, а Наташа испугалась, напридумывала себе невесть чего. Сплетни, досужая болтовня, одна сказала, другая подхватила, третья не так поняла, четвертая исказила услышанную информацию, пятая ни в чем не разобралась, но пустила утку дальше... Вот так и получается, что у некоторых писательниц муж — генерал! Впрочем, это еще ничего. Подумаешь, в звании повысили. Вон мой Котик, не разобравшись, вас колотить начала. Стул с подзатыльником...

— Что? — растерянно спросила я. — Какой стул?

Филипп засмеялся:

— Видели кресло с подголовником?

— Конечно.

— А Котик — прямо-таки стул с подзатыльником. Только сядешь, он тебя бац по башке со всей дури. Совсем баба от ревности очумела, всем глаза выцарапать готова! Брошу ее к черту, пусть кто-нибудь другой этот стул с подзатыльником получит, а мне кресло с подголовником надо, чтобы с лаской встречало. У вас как с ревностью? Доводите мужа?

— Нет, — быстро ответила я, чувствуя, как щеки вспыхивают огнем, — и в голову не придет подозревать супруга в неверности.

Эпилог

О судьбе Ирины и Ани мне ничего не известно. Местные кумушки утверждают разное, сведения совпадают лишь по одному пункту: женщины, обитавшие в квартире номер один, испарились, съехали. Дальше каждая болтунья сообщает свое. Вера Данильченко говорит, что Галкины просто сдали жилплощадь, а Рита Семина с пеной у рта отстаивает свою версию: мама и дочка продали московские квадратные метры и подались в Париж, куда Аню пригласил очень известный дом моделей. Впрочем, существует и третья версия: Анька вышла замуж за Антона, и, чтобы не мозолить людям глаза, сладкая парочка отбыла в загородный дом.

В общем, языки работают безостановочно. Даже сейчас, когда после всех описанных выше событий прошло много времени.

Будучи больше, чем другие, в курсе дела, я предполагаю, что Галкины на самом деле выставили жилплощадь на торги и перебрались в другой дом, туда, где никто никогда не слышал о Лизе Макаркиной. Кстати, Антон тоже сменил место жительства, растворился в необъятной Москве.

Кончина Лизы Макаркиной до сих пор является предметом пересудов, и опять же сплетники сходятся лишь в одном: несчастную медсестру убили. В естественную смерть от тромбоэмболии не поверил никто.

— Все знаю, — безапелляционно утверждает Вера Данильченко, — Ирка денег заплатила следователю, а еще Вилка помогла, у ней муж маршал, все может.

Да, да, Олег получил от сплетницы новое звание, но тут виновата я сама — неудачно пошутила с Верой.

Последний слух мне совсем не нравится, потому что соседи начали заискивающе улыбаться. Боюсь, скоро кто-нибудь из них заявится с просьбой спасти от тюрьмы какого-нибудь родственника, и мне придется убеждать, что супруг отнюдь не имеет на плечах «золотых» погон, что он скромный служащий, которому весьма далеко до генеральских погон и уж тем более до маршальских.

Думаете, мне поверят?

Впрочем, забудем про сплетников. Лично меня интересует иной вопрос: а что, глиняная кошка, последняя оставшаяся «в живых» фигурка, на самом деле обладает невероятной ценностью? Увы, ответа на этот вопрос нет. Галкиных, конечно, можно отыскать, но что-то не очень хочется с ними общаться. Статуэтка теперь, наверное, принадлежит Ане. Девушка — родная дочь Павла, сына Теодоры, соответственно, Анечка — внучка пожилой дамы, и в ее жилах течет кровь Блюмов. У Теодоры Вольфовны более никаких прямых родственников нет. Может, старинная легенда права? И кошки всегда возвращаются в руки членов семьи Блюм?

Я бы на месте Ани, если Ирина, конечно, решится рассказать девочке правду, мгновенно вышвырнула бы статуэтку с двадцатого этажа. Мне жаль жадную и злобную Аню, которая, ненавидя Иру неизвестно за что (за материнскую страсть и требовательность, что ли?), потратила много сил и денег на поиски дорогой мамы и в конце концов узнала, что та всегда была рядом. Теперь Анечке придется переделывать ненависть в любовь. Это сложный процесс, и не многим людям удалось завершить его до конца. Интересно, что ощущает Ирина? Осуждает ли она себя за то, что хладнокровно стала любовницей мужа младшей сестры и фактически убила Лизу? Тромбоэмболия, конечно, опасная штука, только кто испугал бедную Макаркину? Ира, решившая спереть статуэтку. Следователь счел Галкину невиноватой, но ведь у каждого человека есть совесть, или, по крайней мере, она должна у него быть. О чем думает Ира ночью, перед сном? Спит ли она спокойно?

Нет ответа и на эти вопросы.

Теперь о наших делах. Олег вернулся из командировки неожиданно, причем приехал не утром, а вечером, чем несказанно удивил меня.

Увидав мужа, входящего в прихожую, я изумленно воскликнула:

— Ты?

— Ясное дело, я, — пожал плечами Куприн.

— Но почему в это время? Поезда из Питера прибывают рано утром.

— Есть еще и состав, который курсирует между этими городами днем, — спокойно ответил Олег.

— Не знала о нем, — слегка растерянно протянула я.

— Если тебе нечто неизвестно, это не значит, что оно не существует, — философски заметил супруг. Потом открыл портфель, вытащил оттуда слегка помятую коробку конфет известной питерской фабрики и протянул мне.

— Держи.

Я шарахнулась от «Ассорти», словно от змеи.

— Это что?

— Презент из Питера.

— Что случилось?

— Ничего.

— Ты здоров?

— Вполне, а почему спрашиваешь? — удивился Олег.

Я закашлялась. Ну и как ответить на вопрос супруга? «Ты никогда не привозишь подарков, отчего же сейчас купил шоколад?» Ох, лучше промолчу.

— Я вообще-то не один, — вдруг сказал Олег.

— А с кем? — напряглась я.

— С Настей Волковой, — быстро затараторил Куприн, — она далеко живет, а уже поздно...

Меня охватило бешеное негодование. Нет, это уже слишком!

— Значит, ты не против? — совершенно неправильно истолковал супруг мое молчание. — Настена, чего затаилась, иди сюда!

Я сжала кулаки. Сейчас сюда вспорхнет юная нимфа, стройное существо с бюстом пятого размера, с длинными белокурыми волосами и огромными голубыми глазами на свежей, румяной мордочке, гадкая особа, решившая живо сделать карьеру в столице, используя в своих целях Олега, чужого мужа...

Послышался топот, и в прихожую ввалилась здоровенная бабища, вышиной метра два, не меньше. При этом объем бедер у красотки явно совпадал с ростом, а верхняя часть фигуры больше всего походила на стиральную доску.

У меня отвисла челюсть. Пришлось, дабы получше рассмотреть личико «нимфы», задрать голову. Глаза у Насти оказались маленькими, темно-карими, похожими на изюминки, впихнутые в булку. Коротко стриженные волосы торчали дыбом, щеки стекали к подбородку, а последний переходил в шею, объемом с мою талию.

— Знакомься, Вилка, — хитро улыбнулся Куприн, — это Настена Волкова. Между прочим, она увлекается борьбой сумо.

— Верно, — прогудела добродушно Настя, протягивая мне сковородкообразную ладонь, — прям с людьми боюсь вот так здороваться, как бы не зашибить...

Я растерянно закивала.

— Здрассти, здрассти, пойдемте, чай на столе.

— Мне бы картошечки, — мечтательно протянула Настя, — на сале!

— Сейчас организую, — пообещала я и пошла на кухню.

Олег последовал за мной.

— Ну и как тебе Волкова? — усмехнулся он.

— Впечатляет, — пробормотала я, чувствуя себя совершенной идиоткой.

— Вот и славно, — потер руки Куприн. — Сейчас поужинаем, и я ее домой отвезу, к мужу. Тот жену встретить не мог, у них пятеро детей, а бабушек нет, оставить не на кого. Супруг у Насти известный ученый, его в Москву перевели в какой-то НИИ, а Волкова к нам устроилась. Она опытный эксперт, спортсмен... В общем, сама понимаешь, ценный кадр.

Я заморгала, а Олег внезапно захохотал. Отсмеявшись, мой муж пошел к двери, затем обернулся и спросил:

— Слышь, Вилка, знаешь, что такое ревность?

— Нет, — ответила я, — никогда не занимаюсь подобными глупостями.

Олег усмехнулся:

— Ревность — это искусство причинять себе зло больше, чем кому-либо другому.

Я разинула рот, а муж преспокойно ушел. Меня охватило огромное удивление: надо же, совершенно не предполагала, что Олег способен говорить афоризмами. Хотя, на мой взгляд, ревность есть некая разновидность подзорной трубы, она делает маленькие предметы большими, карликов — великанами, подозрения — истинами. Ревнивец всегда ощущает свою правоту, я точно это знаю, но сейчас мне в голову неожиданно пришло одно простое соображение: *по отношению к тем, кого любишь, не следует всегда быть правым.*

письма

Советы от безумной оптимистки Дарьи Донцовой

Обращение к читателям

***Дорогие мои**, я очень люблю вас, но, увы, не имею возможности сказать о своих чувствах лично каждому читателю.*
В издательство «Эксмо» на имя Дарьи Донцовой ежедневно приходят письма. Я не способна ответить на все послания, их слишком много, но я обязательно внимательно изучаю почту и заметила, что мои читатели, как правило, либо просят у Дарьи Донцовой новый кулинарный рецепт, либо хотят получить совет. Но как поговорить с каждым из вас?
Поломав голову, сотрудники «Эксмо» нашли выход из трудной ситуации. Теперь в каждой моей книге будет мини-журнал, где я буду отвечать на вопросы и подтверждать получение ваших писем. Не скрою, мне очень приятно читать такие теплые строки.

Совет № раз
Рецепт «пальчики оближешь»

Лосось с картофельным салатом и соусом из мяты

Что нужно:
1 филе лосося (примерно 150 г),
150 г некрупного картофеля,
2 — 3 побега зеленого лука,
20 мл овощного бульона,
1 ст.л. уксуса,
2 ст.л. растительного масла,
0,5 ч.л. горчицы,
2 ст.л. соевого соуса,
3 ст.л. лимонного сока,
3 веточки мяты,
40 г сметаны,
1 веточка укропа для украшения.

Что делать:
Картофель очистить, отварить. Воду слить, картофель остудить. Каждую картофелину разрезать пополам вдоль. Лук измельчить. Смешать бульон, уксус, 1 ст. л. растительного масла и горчицу. Приправить солью, перцем и сахаром. Добавить в смесь картофель и лук, перемешать и оставить на 1 ч. Рыбу посолить, поперчить. Оставшееся масло соединить с соевым соусом и 2 ст. л. лимонного сока. Залить маринадом лосося и оставить на 1 ч. Листики мяты порубить. Смешать со сметаной, приправить солью, перцем, сахаром и оставшимся лимонным соком. Рыбу обжарить на сковороде, по 3 — 4 мин. с каждой стороны, поливая при этом маринадом. Выложить на тарелку вместе с картофельным салатом, полить мятным соусом, украсить укропом.

Совет № два

Как питаться, не ограничивая себя, но при этом не толстея

Изюм (493 ккал) – Виноград (220 ккал).
Сочный виноград занимает больше места в желудке, чем изюм.
Белый хлеб (64 ккал) – Черный хлеб (56 ккал).
В черном хлебе почти в два раза больше клетчатки и в три раза меньше жиров.
Два куска пиццы (462 ккал) – Куриная грудка (276 ккал).
В пицце много «быстрых» углеводов и только треть белка, содержащегося в курице.
Чипсы (151 ккал) – Попкорн (122 ккал).
Все зависит от объема: попкорна в упаковке больше, чем чипсов.
Двойной гамбургер (576 ккал) – Стейк (515 ккал).
В куске мяса в два раза больше белка и вполовину меньше жира, чем в гамбургере.

Дорогие мои, писательнице Дарье Донцовой приходит много писем, в них читатели сообщают о своих проблемах, просят совета. Я по мере сил и возможностей стараюсь ответить всем. Но есть в почте особые послания, прочитав которые понимаю, что живу не зря, надо работать еще больше, такие письма вдохновляют, окрыляют и очень, очень, очень радуют. Пишите мне, пожалуйста, чаще.

Здравствуйте, любимая Дарья Аркадьевна!

Решилась я Вас побеспокоить своим письмецом. Вы уж простите!
Очень я люблю Ваше творчество.
Прочитав Вашу автобиографию, поняла, что Вы очень сильный человек. Спасибо Вам за то, что Вы делитесь с нами Вашей силой, потому как что бы я без Вас делала — я не представляю. Несколько лет назад со мной случилось несчастье. Я пережила автокатастрофу. И все в моей жизни сильно изменилось, как Вы понимаете, далеко не в лучшую сторону. Ничего я сама делать не могла. Лечение было дорогое. Мне помогали друзья и доченька моя любимая. И я уж было совсем отчаялась и стала медленно загасать (так все говорили, да и мне так казалось), пока мне подруга не принесла Ваших книжек! Там и про Евлампию, и про Подушкина, и про Васильеву! И всех их я полюбила. И с ними мне легче стало. Сейчас вроде иду на поправку. Надеюсь, Вы напишете еще много книг!

Творческих Вам успехов! Здоровья Вам и Вашим близким!

Добрый день, Дашенька!

Хотелось бы спросить «как дела?», но знаю, что у Вас не будет времени ответить. Надеюсь, у Вас все хорошо и мопсики бегают по дому. Я пишу, чтобы выразить Вам безграничную свою благодарность! Я очень рада, что два года назад открыла одну из Ваших книжек и с тех самых пор не могу остановиться. У Вас замечательная кулинарная книжка и автобиография! Их я перечитала несколько раз. А из «Кулинарной книги лентяйки» почти все научилась готовить. Мужу очень нравится. Он много работает, а я читаю Ваши книжки и разбираюсь с хозяйством. С Вашими книжками мне не одиноко! Я хохочу до слез! И иногда зачитываю подругам смешные моменты. Прошлой осенью меня уволили с работы, и я долго не находила себе места, очень переживала. Но благодаря Вам чувствовала себя не такой потерянной. Сейчас пока не работаю, но думаю, все скоро образуется. Я уже прошла несколько собеседований. Спасибо Вам за поддержку! Крепкого Вам здоровья!

Жду новых иронических детективов!

Содержание

Донцова Д. А.

Д 67 Билет на ковер-вертолет: Роман. Советы от безумной оптимистки Дарьи Донцовой: Советы/Дарья Донцова. — М.: Эксмо, 2006. — 384 с. — (Иронический детектив).

Чтобы написать захватывающий дух детектив, нужно расследовать преступление... Поэтому мне, Виоле Таракановой, приходится бегать по городу в поисках криминальных историй. Но на этот раз «история» сама заявилась ко мне домой. Убита наша соседка Лиза Макаркина, а на месте преступления взяли юную манекенщицу Аню Галкину. Весь двор жужжит точно улей — местные кумушки только и обсуждают, что любовные отношения Антона Макаркина с Аней. Поддавшись уговорам матери Галкиной, я взялась за расследование. И вытащила на белый свет такую запутанную историю, что впору покупать билет на ковер-вертолет...

УДК 82-3
ББК 84(2Рос-Рус)6-4

ISBN 5-699-15856-1

Оформление серии художника *В. Щербакова*

Литературно-художественное издание

Донцова Дарья Аркадьевна

БИЛЕТ НА КОВЕР-ВЕРТОЛЕТ

Ответственный редактор *О. Рубис*
Редактор *И. Шведова*
Художественный редактор *В. Щербаков*
Художник *В. Остапенко*
Технический редактор *О. Куликова*
Компьютерная верстка *О. Шувалова*
Корректоры *Е. Дмитриева, Л. Квашук*

ООО «Издательство «Эксмо»
127299, Москва, ул. Клары Цеткин, д. 18/5. Тел.: 411-68-86, 956-39-21.
Home page: **www.eksmo.ru** E-mail: **info@eksmo.ru**

Подписано в печать 10.03.2006.
Формат 84×108 $^{1}/_{32}$. Гарнитура «Таймс». Печать офсетная.
Бумага газетная. Усл. печ. л. 20,16.
Тираж 225 000 экз. Заказ № 0602140.

Отпечатано в полном соответствии с качеством
предоставленного электронного оригинал-макета
в ОАО «Ярославский полиграфкомбинат»
150049, Ярославль, ул. Свободы, 97